Collection « MIROIRS »
dirigée par Ivan Steenhout

LE KINKAJOU

Les Éditions de la Pleine Lune
223, 34ᵉ Avenue
Lachine (Québec)
H8T 1Z4

Site Web : www.pleinelune.qc.ca

Illustration de la couverture
Jean Yves Collette

Photo de l'auteure
Josée Lambert

Infographie et montage
Jean Yves Collette

Diffusion pour le Québec et le Canada
Diffusion Prologue
1650, boulevard Lionel-Bertrand
Boisbriand (Québec)
J7E 4H4

Téléphone : (450) 434-0306
Télécopieur : (450) 434-2627

TREVOR FERGUSON

LE KINKAJOU

traduit de l'anglais par Ivan Steenhout

roman

éditions de la
pleine
LUNE

Les éditions de la Pleine Lune remercient le Conseil des Arts du Canada ainsi que la SODEC, Société de développement des entreprises culturelles, pour leur soutien financier, et elles reconnaissent l'aide financière du gouvernement du Canada par l'entremise du Programme d'aide au développement de l'industrie de l'édition (PA-DIÉ) pour leurs activités d'édition.

Titre original : *THE KINKAJOU*
Publié par Macmilan of Canada, Toronto, 1989
© Trevor Ferguson, 1989

ISBN 2-89024-138-6
© Les Éditions de la Pleine Lune 2000, pour la traduction française
Dépôt légal – premier trimestre 2000
Bibliothèque nationale du Québec
Bibliothèque nationale du Canada

*Je dédie ce roman à la mémoire
de Robert Parkin, Bertram Kidd
et Marjorie Sharp*

LIVRE PREMIER

Pingouins

1

C'EST LE MATIN DE MON DÉPART du Tennessee que je découvris les ossements. Le squelette d'un humain de petite taille gisait, immobile et tranquille, dans le coffre de ma voiture. Disposé dans un ordre parfait, comme pour un enterrement prochain, même si le crâne décapité était installé dans la jante de la roue de secours. Un malpoli avait planté un pissenlit dans le bassin et une araignée en suturait les côtes et lui fabriquait une nouvelle peau.

J'avais les deux mains pleines, une valise dans la droite et mon tympanon dans la gauche. Mon effroi se transforma en curieuse fixation sur mes effets personnels : je paniquai de ne pas trouver d'endroit où les déposer.

Je pivotai plusieurs fois sur moi-même et fis lentement le tour de la voiture.

Après quelques profondes respirations, je me calmai, revins au coffre et, bouche bée devant les os, tâchai de déduire des cavités étonnées des globes oculaires et de la mâchoire ballante la personnalité du mort. Notre contemplation mutuelle me cloua sur place et je ne parvins à recommencer à penser qu'après avoir violemment refermé le coffre.

Seigneur !

Pourquoi moi ? Pourquoi *aujourd'hui* ?

Des squelettes étaient apparus au hasard un peu partout dans la ville. Le phénomène durait depuis plusieurs mois et ceci n'en était que le dernier avatar, mais j'étais offensé d'avoir été choisi comme bénéficiaire. Particulièrement en ce jour béni d'entre les jours où, par courtoisie du sort, coup de veine extraordinaire ou grâce divine, j'allais être libéré de la réclusion que je m'étais à moi-même imposée. Je me consolai en me disant que je ne m'en tirais pas si mal après tout. Le squelette, au moins, ne s'était pas matérialisé dans mon bain ou dans mon lit, infortune qui en avait frappé plusieurs.

Il me fut facile de décider de la conduite à suivre. Ramener les os en ville. Je choisis de finir d'emballer mes biens terrestres, pas un gros travail, et de les ranger sur le siège arrière de la voiture, et non dans le coffre, puis de rouler jusqu'à Walkerman's Creek et d'y déposer ma trouvaille au bureau du shériff.

Louables intentions, contrariées chemin faisant. La région était vallonnée et la route sinueuse. Je conduisais avec précaution pour ne pas déranger le gisant qui dormait dans mon coffre et aperçus soudain à travers les arbres, de l'autre côté d'un virage, un barrage de police. Je ralentis. Repensai à mon affaire. Arriver en ville et rapporter de mon plein gré qu'il y avait des restes humains dans mon coffre était un comportement de bon citoyen. Mais me faire arrêter par la police, traditionnellement méfiante à mon endroit, avec toutes mes affaires empaquetées et tâcher ensuite d'expliquer d'une voix mal assurée que je comptais précisément livrer la marchandise aux autorités compétentes n'était pas une façon très intelligente d'agir. Je fis un virage en U. Mes pneus crissèrent. Une autre route à travers les collines me permettrait de rétablir la situation. À son retour au poste, le shériff trouverait sur son perron un patient et valeureux citoyen (ce Kyle Laîné, quel brave type quand même !) pas de cachette, avec son butin exposé à la vue de tous.

Je continuai donc de conduire. Me calmai les nerfs. Allumai la radio et baissai la vitre. Chantai à tue-tête une chanson country désespérée. « Lllluuuuuune bleue du Kentucky n'arrête pas de briller ! » Ma concentration partait à la dérive et ma Mercury quitta l'asphalte aussi. Je redressai d'un coup de volant et, après un coup d'œil au rétroviseur pour vérifier si quelqu'un avait été témoin de ma conduite extravagante, je repérai au loin la voiture du shériff McGrath qui gagnait du terrain. J'accélérai. Il continua de me suivre. Je coupai par les chemins de terre. Je connaissais ces pistes comme ma poche, mais lui aussi et sa voiture était plus puissante. La chasse à l'homme était enclenchée. Ma Mercury prenait en gîtant les virages aveugles. Ses roues patinaient au sommet des côtes. Je la laissais filer à fond la caisse dans les lignes droites, aussi cahoteuses que des friches. C'était un chemin à une voie, un sentier de contrebandiers d'alcool, la piste ancienne qu'empruntaient les bogheis des paysans des montagnes. Certaines pentes de ski sont moins casse-cou. La vieille Mercury hurlait et vomissait de la fumée noire. Pourtant je roulais la pédale au plancher et, m'acharnant à garder mon train d'enfer, je virevoltais à chaque intersection et priais pour ne pas me retrouver au sommet d'une falaise ou au fond d'un cul-de-sac. J'aboutis tout droit dans une carrière désaffectée, sans autre issue, utilisée naguère pour distiller la bibine clandestine et, plus tard, pour déflorer les pucelles. Je m'attendais à être capturé.

Miracle des miracles. Pas de McGrath. C'est pure chance si je parvins à lui échapper. L'enfant de chienne avait dû percuter un arbre.

Je m'étendis quelques heures. Puis repartis à coups de petits sprints. Coupant le contact à peu près tous les cent mètres, l'oreille à l'affût d'un guet-apens. Le bonhomme est capable de se déplacer sans le moindre bruit, aussi discret que le souffle. Plus furtif que la nuit. Aucun signe du shériff. S'il s'est assommé et qu'il est inconscient quelque part, ne comptez pas sur moi pour appeler une ambulance. Ou bien il a peut-être eu faim et est rentré luncher, en se disant qu'il savait où me retrouver. Je t'ai eu, McGrath. C'est aujourd'hui que je fais péter la baraque.

Un changement de plan était requis. Quelle importance, pour ces vieilles collines, de perdre un squelette ? Je continuerais jusqu'au Vermont et trimbalerais avec moi le subreptice colis.

Quand j'arrêtai, ce soir-là, pour dormir en sécurité dans un autre État (trop désorienté pour savoir lequel ou être certain de ma direction), je jetai un coup d'œil à mon compagnon à l'arrière. Il (ou elle) n'avait pas bien voyagé. Les os étaient pêle-mêle. Un tibia empalait l'entonnoir d'une cavité nasale, des orteils ornaient une hanche désinvolte et une fracture était apparue en travers du crâne comme une raie de cheveux fraîche. Navré, étranger. Mais voici comment tu dois voir les choses : je te sors de cet endroit dément et t'emmène vers un lieu de repos plus paisible. J'aurais pu te balancer sur le bord de la route, mais je respecte ta dignité. Ma délivrance est la tienne. Nous montons vers le nord, vieux frère. Nous migrons avec les oiseaux vers un sanctuaire où l'on m'a assuré que je serais le bienvenu.

Là-bas, je t'étendrai dans un sol vierge. Je te coucherai dans une tombe décente qui ne te flanquera pas dehors une autre fois.

Je dormis d'un sommeil agité cette nuit-là, rêvai de fantômes décapités qui se pavanaient à l'Halloween et repris la route à l'aube. Autre détail concernant mon compagnon de voyage : les squelettes se plaignent rarement, ne parlent que si on leur adresse la parole, des miettes suffisent à assouvir leur faim et quelques gorgées de vin rouge à étancher leur soif.

LE TRAJET POUR QUITTER les États du Sud et gagner les pâturages yankees fut un périple souterrain. Pas de ciel. La tête prise dans les brumes des *Blue Ridge Mountains*, puis dans les fumées de la Pennsylvanie. Formes fantomatiques des bords de route. Le paysage, un émoi viscéral. Poussières encore en suspens de ma vie bouleversée. Forêts, fermes et villages reliés par de noires ceintures industrielles. Zigzags d'ivrogne rentrant titubant à la maison dans l'étale vomi des banlieues. L'Amérique. Le New Jersey. Vers l'est pour Orange ? Un autre virage dans la mauvaise direction. D'autres routes secondaires propices aux rencontres douteuses. Mes confrères voyageurs auraient pu être des voleurs et des fous échappés de l'asile, mais non, ils étaient plus vraisemblablement des militaires à la recherche d'un pacifique motel et des maris en goguette. Des hommes privés de femme. Et moi, qu'est-ce qui justifiait ma cavale ? M'évader en douce du Tennessee ou me glisser, anonyme, dans le Vermont. Je ne savais pas ce qui était le plus important. Je me sentais clandestin, à la lisière de la légalité, somptueusement subversif. Mon coffre chargé de contrebande, et mes desseins pernicieux. Dans mes rêves, je me battais pour être libre, sans entraves, remis en mouvement. Dans mes rêves, j'étais un auto-stoppeur sans peau, dont les chevilles osseuses étaient enchaînées.

Tu rentres chez toi ! me rappelai-je pour me remonter le moral. Mais non. Cette expression, *chez moi*, n'avait aucun sens. Je montais vers le nord pour prendre officiellement possession

15

de la maison héritée de mon père, perspective qui me donnait autant le frisson que de disposer de son cadavre décomposé.

En route donc pour le nord.

C'EST À TRAVERS UNE CLÔTURE de grands érables bourgeonnants que j'entrevis la demeure que m'avait léguée ce père inconnu, première impression qui anéantit d'un seul coup une semaine d'ingénieuses affabulations. Je m'attendais à pire. À vraiment pire. J'avais passé les sept derniers jours à redouter une minable masure infestée de termites, avec le vent qui sifflait dans les lattes disjointes du plancher et le toit croulant sous des monceaux de neige. J'avais imaginé la scène. Une bande de trappeurs joviaux et joufflus, réfugiés pour s'abriter le temps de l'hiver, m'invitaient à leurs agapes. Puis nous émergions ensemble dans le printemps comme d'agiles squelettes, en jouant de la cuillère et de la planche à laver.

Vlan !

Me voilà soudain confronté à la vraie maison. Réelle, tangible. Juste devant moi.

Bien sûr, certains de mes fantasmes avaient été optimistes. Devenu extra-lucide à grandes rasades de rye, j'avais imaginé des retraites pastorales dans la montagne : une rustique cabane de bois rond sans bestioles ; une maison de pierre centenaire habitée un jour par l'un des *Green Mountain Boys* d'Ethan Allen. (Déduction : le Vermont doit être un bien pauvre État pour n'avoir qu'un seul héros.) Mais aucune de mes visions, si ahurissante ou sublime qu'elle ait été, ne m'avait préparé au terrible choc de l'authentique réalité. Elle était devant moi. La preuve que la maison existait pour de vrai. Après des jours et des nuits à m'être pincé moi-même, mes bleus avaient finalement un sens. Je ne rêvais pas. J'étais tout ce qu'il y a de plus éveillé. Et la maison était maintenant tout aussi irréfutable qu'elle avait été inexplicable.

— Jamais de la vie, jamais je ne m'attendais à ça ! avais-je proclamé à tous ceux qui voulaient m'entendre le jour où l'avocat m'avait téléphoné la nouvelle. Personne ne m'a jamais dit que j'*avais* un père ou, ce qui est plus pertinent, que mon père possédait une maison.

Le travail d'un barman est d'écouter. J'accrochai donc celui du *Apps' Pickel Barrel*.

— Dis-moi comment aurais-je pu deviner que mon père était vivant quand il ne s'est jamais soucié de m'informer que *je* l'étais ? En tout cas, que je l'étais dans sa tête.

Par courtoisie, je payai à ma propriétaire le loyer d'avril, m'excusai du court préavis de départ et, alors que nous serrions tous les deux d'une main possessive mon chèque, lui entonnai mon refrain.

— Mon vieux père pensait apparemment si peu à moi qu'il a fallu qu'il meure avant de supporter l'idée de me contacter. Je ne suis pas un si mauvais bougre, mais il ne s'est jamais donné la peine de le vérifier. Ou peut-être que oui ? Je ne sais pas.

Un papa.

Décédé.

J'avais retéléphoné à l'avocat une demi-douzaine de fois, des interurbains, pour vérifier s'il n'y avait pas erreur.

— Êtes-vous certain de vous être adressé à la bonne personne ? Et mon, je veux dire... mon père... il est mort ?

— Vous appelez-vous Kyle Troy Laîné ou non ?

Une voix impertinente d'homme jeune, mélange de vanité et d'inexpérience. Arrogance due à la stupidité. Gaffer devait être une de ses habitudes, présumai-je, une habitude dont, cette fois encore, il ne dérogeait pas.

— C'est ça, admis-je.

— Votre mère s'appelait Rose. Elle habitait avec une autre femme, une certaine Emma St. Paul. Elles vous ont, toutes les deux, élevé. Votre mère est morte il y a un certain temps, je crois. En 1970. Vrai ou faux ?

— Vrai.

Qui pourrait nier les détails macabres ? Même si j'étais perplexe d'apprendre qu'ils étaient de notoriété publique.

— Oui ou non : êtes-vous né et avez-vous grandi à Montréal, Québec, Canada ?

Comment sait-il tout cela ?

— Oui.

— Et vous avez vécu au Tennessee. Ai-je tort ou raison ?

— Vous avez raison.

Seigneur, aide-moi ! J'étais toujours aussi déconcerté. Quel choc de découvrir que d'autres, *des étrangers,* savaient que j'existais.

— Et mon, je veux dire – le mot ne passait pas – mon père ? Êtes-vous sûr qu'il soit mort ?

L'avocat s'appelait Ryder.

— Nous nous sommes donné la peine de l'enterrer il y a cinq mois, monsieur. S'il n'était pas mort à l'époque, il y a fort à parier qu'il le soit aujourd'hui.

Le vert Vermont, comme le promettent toutes les plaques d'immatriculation locales, m'accueillit drapé de blanc. Un jeudi saint quatre avril avec, dans le vent qui se réchauffait, un goût de printemps assaisonné d'une vinaigrette d'hiver. Dans les bois, des cercles d'herbe mouillée apparaissaient au pied des arbres. La forêt tavelée de ces pustules vertes s'étendait sur la neige fondante et molle. Je contemplai la prairie qui, à flanc de colline, grimpait vers mon glorieux héritage, dont la flèche d'un panneau exposé aux intempéries indiquait la direction. Le nom de l'endroit était teint en lettres sombres sur le bois sculpté : AUBERGE DU PÉAGE. Je laissai mon regard errer sur les boulders couverts de mucus et sur le dos des rochers qui émergeaient, endormis, à la surface du blanc manteau. Remarquai de l'herbage au bas des pentes les plus abruptes comme du poil de jeunes vierges ensorcelées qui viendraient de se réveiller et bâilleraient au soleil. Une période d'hibernation tirait à sa fin. La mienne avait duré quinze ans.

En avant et toujours plus haut.

Compte-tenu du dégel printanier, la route étroite et cahoteuse qui grimpait jusqu'à l'auberge était en relatif bon état. Non que ma Mercury 1964 trouve aucune route assez douce à son goût. Vingt-et-un ans et elle se traîne toujours, mais de peine et de misère. Je dois m'arrêter pour l'huile plus souvent que pour l'essence. Je ne conduis pas dans les grandes villes parce que, dans certains quartiers, l'engin attire trop l'attention sur soi et sur son conducteur. Des chiens qui inspecteraient mon coffre auraient le choc de leur vie. Je ne conduis pas la nuit parce que mes phares ne marchent pas. Je ne conduis pas beaucoup, point final. Et ne devrais jamais m'aventurer dans une pente parce que mes freins sont défectueux. La Mercury, à ma grande surprise, tint quand même le coup depuis le lointain Tennessee pour venir péter sa fumée de pot d'échappement noire et puante sur l'odoriférant et neigeux Vermont.

Il me fallut toute ma concentration pour garder la Mercury dans les ornières parallèles déjà creusées dans le chemin et éviter les accotements instables et boueux. Mon volant est têtu comme un âne, particulièrement sur les routes droites et étroites. La plus

19

petite maladresse et la voiture se vautrerait dans la boue. Ou, avec ma chance habituelle, y coulerait à pic.

Voilà pour les dangers physiques. Des traquenards métaphysique m'attendaient aussi.

Aux deux tiers de la montée, un panneau octogonal rouge vif au lettrage blanc surgit soudain sans crier gare, planté effrontément entre les feuillus aux branches nues :

ARRÊT !

En plein milieu de nulle part.

Voyez-vous ça ! Docile, je freinai lentement, cajolai la voiture jusqu'à ce qu'elle s'arrête et tombai sur un second panneau, que le premier cachait jusque-là, un carré cette fois, criblé de trous de chevrotines, avec d'épaisses lettres noires sur sa cible d'un jaune délavé :

PÉAGE

ACQUITTEZ LES FRAIS

De quoi s'agissait-il ?

Pas de pont à traverser. Pas de sentier panoramique, une fois les frais payés. Aucun dispositif en vue pour acquitter ou encaisser le dû, juste ces deux grotesques panneaux. Peut-être escomptait-on une obole d'un montant indéterminé : quelques piécettes lancées dans le creux du sous-bois que récupéreraient, l'été, des bandits ratons laveurs ; des billets d'un dollar pliés comme des avions de papier, planant sur le vent du nord et tombant en piqué sur les voisins indigents.

Spécial.

Je ne savais ni quoi déduire ni que faire. Je suspectais mon père inconnu et défunt d'être celui qui avait eu cette lubie. Funestes prolégomènes à la découverte de sa personnalité. L'idée me vint de me sauver. Fiche le camp, camarade. Tout de suite.

Vite ! Pendant que tu en as encore la chance. Quelle folie, cet espoir de te refaire une vie ! Tu peux te la mettre où tu penses ! Renonce à en apprendre plus sur ce soi-disant père que tu pleurerais s'il t'avait kidnappé ou s'il avait gagné la bataille pour ta garde. Une petite dose de savoir est parfois terrible.

Le problème, c'est qu'il n'y avait pas un millimètre d'espace où tourner. J'avais le choix de passer outre à l'injonction du panneau, de payer et de poursuivre ma route, ou de risquer ma vie et mes os à redescendre la colline en marche arrière. Mais deux choses m'étaient impossibles : faire un tête-à-queue et déguerpir, ma réaction favorite, ou tout laisser tomber et aller me coucher, mon réflexe habituel face à un dilemme.

Perplexe, je jetai d'une chiquenaude un sou noir dans les bois, actionnai le bras de vitesse et montai avec fracas. Ouais, je l'admets. Je suis aussi stupide que ça, et aussi grippe-sou que ça également.

Pour me calmer pendant que je grimpais la pente, j'entonnai un chant funèbre d'une voix de basse profonde.

Le squelette m'accompagnait de sa voix de fausset.

2

QUAND J'ARRIVAI EN HAUT DE LA CÔTE, l'*Auberge du péage* réapparut en contrebas. Le bâtiment me séduisit car il m'évoqua, dès le premier coup d'œil, une sorte de structure organique serrée sur soi qui se serait maladroitement étendue vers l'est au fil des générations. La personnalité de cette maison crevait les yeux. Moussue, humide, ténébreuse, grave et détachée de tout comme un cimetière. Et la quintessence même de la discrétion.

La route enneigée longeait une falaise assez abrupte avant de déboucher sur un terrain de stationnement où un autre panneau m'accueillit. Pas une signalisation fantôme cette fois, Dieu merci, simplement :

ATTENTION

VIRAGE DE BUS

Des bus !

Je me plus à halluciner une flotte d'autobus de la *Greyhound* dégorgeant dans mon auberge un cinquième de la population de Boston, peut-être un tiers du gratin new-yorkais. Suivis, en convoi militaire, par une colonne de camions blindés réquisitionnés pour venir ramasser les recettes hebdomadaires. J'étais riche, mon gars, *riche !* Les Yankees du Connecticut déverseraient bientôt leurs économies dans mon compte de banque.

Ravi, je continuai de conduire jusqu'à l'extrémité du stationnement la plus proche du bâtiment et m'efforçai de contrôler mon euphorie assez longtemps pour me glisser à côté d'une Cherokee Chief. J'aperçus, au centre de mon rétroviseur, une Cadillac Fleetwood noire, flanquée d'une paire de Toyota rouillées ; pour le reste, le stationnement était vide. Les essaims de touristes arriveraient plus tard.

Je ne savais pas si je me trouvais à l'avant ou à l'arrière de la maison. On entrait dans l'auberge par le premier étage. Le rez-de-chaussée, bâti à flanc de colline, faisait face à la vallée et n'avait de fenêtres que sur trois côtés. Les murs de pierre s'arrêtaient à hauteur du second étage où la roche cédait la place à des bardeaux de cèdre et à des madriers massifs et saillants. La pente accentuée du toit, brisée par l'enchevêtrement complexe des pignons des lucarnes, donnait à penser que toutes les chambres sous les combles avaient des plafonds bas, tandis que la taille de la cheminée principale était garante d'un vaste foyer traditionnel.

Je me surpris en flagrant délit. Et pouffai tout bas de rire. J'essayais de deviner l'intérieur de l'auberge, persuadé par habitude qu'on m'en interdirait l'accès.

Héritage de l'aversion qu'éprouvaient les anciens pour les courants d'air, les fenêtres de l'*Auberge du péage* étaient petites, mais les concepts architecturaux modernes brillaient dans les puits de lumière et sur la terrasse vitrée du premier où était située la salle à manger. L'énorme agrandissement (en réalité, une série horizontale d'ajouts) que j'avais observé depuis le pied de la montagne m'était caché. Je présumai, à juste titre, que ces ajouts avaient été intégrés avec goût, parce que cette auberge mélancolique et paisible, ma nouvelle demeure ! était à la fois formidable et majestueuse à regarder.

Et moi, moi, Kyle Troy Laîné, je n'étais plus pauvre.

La réussite financière instantanée fabrique tout aussi vite de nouveaux amis. J'allais le découvrir. Un jeune gentleman tiré à quatre épingles et maigre comme un échalas (je l'imaginais au volant de la Cadillac) s'avança vers moi d'un pas décidé au moment où, descendu de ma vieille Mercury, j'aspirais ma première vivifiante bouffée d'air pur des montagnes. Assez puissante pour terrasser n'importe quel fumeur de deux paquets de cigarettes par jour.

— Des plaques du Tennessee ! s'exclama l'inconnu d'une voix de stentor, avec sans doute la même inflexion qu'au tribunal, quand il hurlait « Objection ! »

Je reconnus à son jappement musical la voix de l'avocat qui avait homologué le testament de mon père, qui m'avait ensuite retracé, allez savoir par quelles tortueuses astuces, et téléphoné. Ses coudes écartaient son chic manteau de laine, ouvert sur le devant. Ses mains, enfoncées dans les poches d'un costume trois-pièces rayé bleu, devaient jouer du bout des doigts avec de la menue monnaie. Il avait à peu près mon âge, la jeune trentaine, un yuppie de Wallstreet égaré dans les forêts du nord.

— J'en déduis que vous êtes nul autre que Kyle Laîné junior lui-même !

— Vous pensez ?

Un léger changement de nom n'était pas inapproprié, je suppose, vu les récents bouleversements dans mon existence. Mais je rechignai.

— Personne ne m'a jamais appelé « junior ».

— Vraiment ? Et pourquoi pas ? Votre père signait toujours « senior ». Scrupuleusement. Et il en était mauditement fier aussi. Franklin Delano Ryder, monsieur, pour vous servir. L'avocat de votre papa.

Je serrai sa main tendue. L'empressement illuminait ses traits et son épaisse tignasse de boucles noires accentuait l'ardeur de sa jeunesse. Sa spontanéité était aussi débordante que les montagnes.

— Le vôtre aussi dorénavant, j'espère, dit-il. Mes amis m'appellent Franklin D. ou F. D. R. tout court.

— Merci de m'avoir retracé. La tâche n'a pas dû être facile.

Soupir modeste.

— Un jeu d'enfant, une fois que j'ai su où chercher.

— Comment l'avez-vous su ?

Je remarquai qu'il m'entraînait loin du bâtiment.

— Mon vieux me l'a dit. Il était l'avocat du vôtre depuis le temps où... Hé ! J'imagine que cela fait de nous des parents ! D'une certaine manière. Comment allez-vous, cousin ? demanda Ryder qui, avant que j'aie le temps de me défendre, me serrait avec affection, un bras cramponné autour de mes épaules. Votre papa était un fin renard, me confia-t-il, alors que nos nez se frottaient presque. La vieille cruche ! M'a prévu des primes au rendement. Plus vite je vous contactais, plus mes honoraires étaient élevés. Tu parles d'un salaire décroissant !

Nous étions arrêtés derrière ma voiture et il me relâcha brusquement.

— Cette relique préhistorique roule toujours ? demanda-t-il. L'insolent !

— Elle m'a amené tout droit du Tennessee.

— Sans aucun remorquage ? Fascinant. N'hésitez pas à la jeter à la poubelle.

— Quoi ?

— La Jeep est à vous.

Mes yeux devaient trahir mon hébétement, parce qu'il m'indiqua d'un geste du menton la Cherokee Chief bleu foncé. Que le diable m'emporte ! *Le char !* J'aurais pu embrasser mon bienfaiteur, mais j'étais plus réservé que lui. À part ça, mon père Noël semblait attendre autre chose. Je restai sans comprendre jusqu'à ce que Ryder me donne un généreux indice.

— Qu'y a-t-il dans le coffre ?

— Rien ! m'exclamai-je, un peu trop fort, je suppose. Pourquoi ? demandai-je d'une voix rauque avant de tousser pour m'éclaircir la gorge.

— Pas de bagages ? Wouaouh, vous voyagez léger.

— Oh, excusez-moi, ils sont sur le siège arrière. Le coffre est bloqué depuis des années. La rouille.

— Ah ! Je comprends. Alors ! Dites-moi. Soyez honnête maintenant. Avez-vous arrêté ?

— Je vous demande pardon ?

— En bas de la côte, demanda Ryder d'une voix pressante. Aux panneaux.

— Oh, ouais ! Je me suis arrêté effectivement.

— Moi aussi ! dit l'avocat en riant. Je m'arrête toujours ! Il y a quelques semaines je m'étais promis de ne plus le faire. M'arrêter, je veux dire. J'ai foncé tout droit comme un contrebandier. Une trentaine de mètres passés les panneaux. Je n'ai pas réussi à aller plus loin. Puis je me suis rendu compte que je faisais marche arrière. Je suis descendu de voiture et j'ai flanqué un bon coup de pied au gros postérieur du panneau de péage. Ce qui m'a beaucoup soulagé. J'avais l'impression d'accomplir quelque chose. Ne me demandez pas quoi.

— J'ai payé, lui dis-je.

— Vous avez *quoi ?*

— Juste un sou noir.

— Seigneur ! Vous êtes aussi cinglé que votre vieux père !

Franklin D., dans un bref et valeureux effort, tira violemment sur la portière arrière, côté conducteur, pour sortir mes bagages de la voiture. Je lui tapotai le coude et lui fis signe de reculer, puis levai mon pied et administrai, juste au centre de la portière, un preste coup du talon. Je souris quand la portière s'ouvrit docilement. J'avais passé d'innombrables heures à garder la vieille Mercury en état et savais exactement comment la traiter. La portière n'avait pas de poignée et restait fermée juste à cause d'un gauchissement des charnières, mais je n'en dis rien à Ryder.

— Le tour de main, présuma-t-il. C'est ce qu'il y a de plus important dans la vie.

— Mon, je veux dire – le mot continuait de m'écorcher la langue – mon père avait-il une explication pour ces panneaux ?

— Non. En tout cas pas une explication qu'il était disposé à me communiquer. Je lui ai souvent posé la question. À tout coup, il me répondait par une entourloupette.

— Comme quoi ?

— « Tout se paie dans la vie. » Des choses du genre.

— C'est ainsi que mon père parlait ? demandai-je parce que l'avocat avait pris soudain un ton lisse et patiné, le timbre même de l'acajou si le bois pouvait parler.

— Plus ou moins. N'oubliez pas, il est toujours possible qu'il ait planté ces panneaux simplement pour justifier le nom de l'établissement. Mais c'est *lui* qui l'a baptisé *Auberge du péage*. Alors, qu'est-ce qui est venu d'abord, le poulet ou la sauce barbecue ?

J'avais déjà posé la question au téléphone, mais il me semblait, dans mon épuisement, impératif de l'aborder de nouveau.

— Ce commerce est-il rentable ? Suffisant pour gagner sa vie ?

— Pas la moindre dette et bourdonnant de clients. Je vous l'ai déjà dit. Vous ne m'avez pas cru ?

Avec deux de mes valises coincées sous les bras, une troisième dans sa main droite et l'étui de mon tympanon dans sa gauche, Franklin D. avait l'air d'un groom prompt et diligent. Mais il
tournoya soudain sur lui-même et laissa retomber tous mes biens
terrestres sur le siège arrière de la Mercury. Je décidai *illico* de ne
pas lui donner de pourboire.

— Qu'y a-t-il ?

— Écoutez. Avant qu'Hazel Stamp ne sorte, je dois vous avertir.

F. D. R. me serra le coude et m'attira tout contre lui. Je sentais sur ma joue la moiteur de sa respiration inquiète et suivis
son regard paniqué vers l'entrée latérale de l'auberge. À travers
les grandes fenêtres doubles, j'aperçus une femme boulotte et
grisonnante, occupée à s'emmitoufler.

— Kyle, si vous lui cédez, ne serait-ce qu'un millipoil, elle
prendra le pouvoir. Elle dirigera cet établissement et votre vie
aussi. Vous n'y pourrez plus rien. S'agissant de cette femme, il
n'y a pas de cour d'appel. Je vous suggère une main de fer dès le
départ. Mais dans un gant de velours, parce que s'il est une chose
au monde que vous *ne voudrez pas*, c'est qu'elle s'en aille. Si elle
menace de démissionner, cédez. Apaisez-la. Faites-lui comprendre que c'est vous le patron, mais n'oubliez jamais qu'elle est
indispensable. Avez-vous déjà été propriétaire d'une entreprise,
Kyle ? Avez-vous déjà eu affaire à du personnel récalcitrant ?

Ses conseils étaient contradictoires, mais je m'abstins de le
relever. L'infâme Hazel Stamp se préparait pour une expédition
majeure. Ou pour un défilé de mode arctique. Elle prenait un soin
extraordinaire à s'habiller. Par deux fois elle dénoua son foulard,
apparemment insatisfaite de la manière dont ses extrémités rouge
alizarine tombaient sur son manteau de laine mauve. Elle se regarda, avec son col de fourrure relevé, puis aplati, puis relevé dans

le dos et aplati devant, et pratiqua toute une série de nœuds dans son viride fichu, avant d'ajuster l'inclinaison de sa toque fuschia.

— À votre première question, je réponds oui, dis-je à Ryder avec quelques instants de retard. Et à la seconde, non. J'étais tout seul dans mon entreprise.

— Comme moi ! Mais non, ce n'est pas tout à fait exact. J'ai une secrétaire et elle me donne aussi parfois d'impériales douleurs au côlon. Nous avons cela en commun. Ce que je veux vous dire à propos d'Hazel Stamp...

Franklin D. tourna le dos au bâtiment dont la femme de ses cauchemars venait finalement d'émerger et qui, dans ses bottes lime, fluorescente et balançant vigoureusement les bras, se dirigeait vers nous d'un pas martial sur l'allée de pierre, soldat avide de règlements et de drill, sinon de combat.

— ... c'est qu'elle a de la technique. Elle n'a pas seulement des idées arrêtées sur tout. Elle est rusée en plus. Soyez tranquille, elle fera tout son possible pour vous humilier. Je le sais. Je supervise cet établissement depuis le décès de votre père. C'est à cause d'elle que je suis capable de vous dire quel jour nous sommes. Elle est incorrigible ! Mes condoléances, soit dit en passant, maintenant que nous nous sommes rencontrés en personne. Pour la mort de votre père, je veux dire.

— Merci.

Que faire d'autre, sinon prendre poliment acte de ses sympathies ? Je n'étais pas convaincu d'avoir subi une perte. J'étais jusque-là sans père et sans le sou, et je me retrouvais du jour au lendemain relativement riche. Comment pleurer la mort d'un membre non existant de ma famille, sauf par un claquement de langue à l'idée des ravages futurs du cancer ? Je ne pouvais m'empêcher de penser que j'avais gagné à cette nouvelle donne des cartes de la vie.

Ryder continuait de jacasser sachant, au crissement de ses pas dans la neige, qu'Hazel Stamp approchait.

— Elle vous fera peur. Elle tentera de vous faire paraître ignorant. Elle est heureuse seulement quand tout le monde autour d'elle a l'air ridicule. Bluffez-la. Faites semblant de savoir exactement ce dont elle parle. Vous la rendrez folle !

— N'écoutez jamais les avocats ! dit la femme courtaude et énergique en guise de bonjour, avec une voix de prophète proférant le premier des Dix Commandements de l'ère moderne. Quoi qu'il ait pu vous raconter à mon sujet, c'étaient de fieffés mensonges. Alors oubliez-les... *Tout de suite!* ajouta-t-elle en frappant brusquement ses deux mains l'une contre l'autre.

Quelques pas de plus et elle était à côté de moi, avec sa main tendue qui tirait la manche de mon manteau. La violence de la traction me fit baisser l'épaule. Je me penchai. Et croisai des yeux verdoyants, l'opalescence d'une prairie. Des abeilles bourdonnant au milieu des fleurs sauvages. De profondes rides de stress s'étendaient de part et d'autre de sa bouche comme des fêlures dans une tasse de porcelaine. Pour le reste, les années n'avaient pas abîmé sa peau. Je lui donnai la cinquantaine avancée. Sa vigoureuse entrée en matière m'ébranla et me convainquit.

— Mademoiselle Stamp, *je vous en prie,* se défendit Franklin D. – Ma chance de le voir en action. Dieu sait que j'avais besoin de son aide. – Je n'ai même pas mentionné votre nom. J'allais le faire, bien sûr, mais uniquement pour parler de vous en termes extrêmement flatteurs. N'est-ce pas, Kyle ? *Kyle?*

Heureusement, l'avocat ne me laissa le temps ni de confirmer ni de contredire son mensonge, avant d'ajouter : « Au fait, monsieur Laîné, permettez-moi de vous présenter... »

— Hazel Stamp, l'interrompit la femme, en levant la main d'un air décidé comme pour mettre un terme à toute éventuelle contestation. Ou bien vous m'engagez ou bien vous me virez, déclara-t-elle tout de go. À vous de décider. Depuis huit ans, je suis au service de votre père, poursuivit-elle. Je l'ai servi fidèlement. Si ça ne vous suffit pas, je ne sais pas ce qui vous suffira.

— Et moi non plus. Vous êtes mademoiselle Stamp ?

— Hazel, pour vous servir. Je ne supporte pas qu'on se mêle de mes affaires. Votre père, mes condoléances, était responsable de ce qu'il appelait le marketing. En fait, une méchante excuse pour ne rien faire du tout.

— Un instant ! s'efforça d'intercéder F. D. R.

— Ce qu'il appelait les relations publiques lui servait surtout à se saouler la gueule. Si c'est aussi votre intention, je suis d'accord. Je suis capable de diriger cet établissement sans vous. Mais pas avec vous. Rien de personnel. Je suis indépendante d'esprit, c'est tout. Déjà pas mal mieux que l'épais à côté de vous qui, pour commencer, n'a pas d'esprit du tout. Bon. Je ne veux pas vous avoir dans les jambes. Surtout pas dans ma cuisine. Si vous avez l'intention de plonger vos doigts poisseux dans ma cire d'abeille, remettez-moi ma lettre de congédiement tout de suite. Merci beaucoup.

— Hazel, vous n'êtes pas juste, essaya d'interjeter mon mol avocat.

— Pour vous, je suis mademoiselle Stamp, avocat, stipula-t-elle. Eh bien ? demanda-t-elle en tournant les yeux vers moi. Ce sera quoi ?

J'éclatai de rire. Plus d'une semaine de tracas me sortit du corps comme un jet de vapeur hors d'une locomotive. Je ne sais pas si c'était à cause de l'extraordinaire paysage ou du manque

31

d'oxygène là-haut, presque au sommet du monde, ou à cause de la pénétrante irréalité de parler à des étrangers qui connaissaient mieux mon contexte familial que moi, mais soudain je perdis pied et me sentis complètement grisé.

— Je vous engage, Hazel, bredouillai-je, assez satisfait de moi.

Franklin D. opina pour marquer son lâche assentiment, ce que je n'appréciai pas outre mesure.

— Alors, c'est réglé, convint Hazel, en oubliant de se donner l'air pathologiquement grognon qu'elle aurait sans doute souhaité avoir. Je peux me remettre aux choses sérieuses à présent. Nous sommes terriblement occupés. Il faut tout nettoyer pour les bonnes sœurs. Elles arrivent aujourd'hui aussi, bien sûr.

— Qui ?

— Les bonnes sœurs ! Les religieuses ! C'est Pâques ! déclara Hazel Stamp, déjà presque à mi-chemin vers l'auberge, avec des ressorts sous ses souliers depuis que j'avais confirmé son autorité.

Dirige cet hôtel pour moi, Hazel ! lui criai-je tout bas dans le dos avec jubilation. Ma vie aussi, cela m'est égal ! Éloigne de moi le plus petit des soucis ! Tout ce que je veux, c'est compter l'argent. Hazel virevolta soudain et dit : « Elles vous attendront, monsieur Kyle, pour la lecture », avant de pivoter de nouveau, avec sa tête iridescente d'enfant, et de gagner l'intérieur du bâtiment en marche forcée.

— Vous voyez ce que je voulais dire ? murmura Franklin D. qui, dans une pose de conspirateur, s'était drapé autour de mon épaule gauche. La confusion délibérée. Cette femme s'attend à ce qu'on sache tout. Elle se moque de vous si vous ne devinez pas. C'est sa marque de commerce. Vous auriez dû dire quelque chose dans le genre : « Ah, oui, les bonnes sœurs, évidemment ! » *Ça* l'aurait tuée. Bon. La prochaine fois.

— C'est quoi cette histoire de lecture ? Leur lire quoi ?

Ryder haussa ses dédaigneuses épaules.

— La Bible ? suggéra-t-il d'abord, avant qu'une inspiration ne lui illumine le front. Eh bien, oui ! Si elle aborde de nouveau la question, faites semblant de tout savoir. Elle en avalera son dentier !

— Et d'abord, pourquoi des religieuses viennent-elles dans une auberge ? m'étonnai-je à voix haute.

— Parce que c'est Pâques, expliqua Franklin D., ce qui ne fit qu'approfondir l'énigme.

Puis il rit et se pencha plus près de moi. Avant d'ajouter, d'une voix timide : « Bienvenue au Vermont, mon pote. »

3

ENTREZ DANS L'*Auberge du péage*, défaites vos bagages, déchargez-vous de vos soucis, relaxez ; puis perdez-vous dans les chambres et les légendes, les couloirs et les replis de l'imaginaire de son ancien propriétaire défunt.

Aucune chambre ne reste identique à elle-même, comme si elles étaient toutes posées sur un plateau tournant et ne cessaient de bouger. Ce qui fascine et fait fondamentalement illusion, c'est que l'auberge s'adapte aux états d'âme et à la personnalité collective de ses hôtes. Envoyez-y vos détenus dégénérés et en un tournemain les chambres auront l'air aussi sordides que des cellules de prison. Envoyez vos dirigeants d'entreprise et voyez l'auberge se transformer, comme par miracle, en havre de paix corporatif et huppé. On me dit que les samedis et dimanches d'hiver les skieurs en font une boîte de nuit à la mode. Et, en semaine, c'est une maison de retraite pour vieilles badernes. Je n'ai pas de misère à le croire. Les religieuses arrivent et ma demeure devient un couvent.

L'*Auberge du péage* est tout le contraire de ce que j'avais escompté, mais elle n'est pas non plus, maintenant que nous nous connaissons mieux, ce que je pense parfois qu'elle devrait être. Elle a l'âme contradictoire. Il s'en dégage une atmosphère subtile et pénétrante, mais caméléonesque tout à la fois.

Le bâtiment est un labyrinthe compliqué. Ayez pitié du pérégrin dont le ventre crie famine et qui, titubant à la recherche d'un rye-salami, modeste médianoche, bascule sur son derrière parce que quelqu'un a eu la prévenance de changer sans crier gare les meubles de place. *Chchchuuut !* Observez ! Une jeune femme comblée d'amour se glisse, en vaporeux déshabillé, furtive à travers les ombres, et se cogne soudain sans ménagement à un fantôme. Le fantôme et la jeune femme détalent, chacun de son côté. En prenant leur jus d'orange le lendemain, deux amis se racontent une anecdote remarquablement similaire et comparent leurs symétriques ecchymoses.

Prenez toujours garde quand vous déposez votre verre quelque part. À peine avez-vous le temps de mettre une bûche dans le foyer qu'un parfait étranger aura éclusé votre daïquiri. Quittez votre lit le matin et, au retour, vous risquez de découvrir une séduisante inconnue confortablement installée sous vos couvertures. Rencontre qui tomberait à point nommé, si seulement l'inconnue était encore vivante.

Il émane du vernis fauve et chaud des murs lambrissés de pin et des poutres de cèdre sombres du plafond une luminosité religieuse et retenue. Les cinq foyers de pierre que je parvins à repérer – plus tard j'en découvrirai deux autres – confortent l'impression que l'auberge, chargée d'histoire, permanente au milieu du changement, résiste au temps pour offrir aux habitants de ce siècle le confort qu'ils recherchent. Le bar du rez-de-chaussée, muré dans la pierre, est un pittoresque donjon, un abri contre les bombes perdues, avec son foyer surélevé et ses fauteuils Windsor rembourrés. Chopes d'étain à fond de verre.

Je songeai à m'offrir un drink. Je possédais sans doute ces alcools et, en plus, j'étais tout disposé à m'inaugurer une ardoise.

Mais je ne réussis pas à me défaire de la désagréable sensation de chaparder. Je me sermonnai et remontai la gorge sèche.

À l'étage, j'ouvris toutes les portes, espérant surprendre une femme de chambre dans d'illicites étreintes ou tomber sur d'exotiques amants plongés dans les affres de leurs clandestines amours. Aucune porte n'était fermée à clé, aucune n'avait de serrure, cependant je ne parvenais pas à me défaire de la sensation d'être un intrus. Un délinquant qu'il fallait arrêter. Je devais résister à ma propension à cogner avant d'ouvrir. *Cette maison est à moi !* me rappelai-je pour convaincre le voyou en moi qui ne le croyait pas.

Des pommes de senteur diffusaient leur parfum dans les placards à linge tapissés de cèdre. De magnifiques courtepointes ornaient les hauts lits à baldaquin. (Il y avait tellement de lits qui tous invitaient à se blottir et tomber sereinement endormi !) Un doigt passé sur les appuis des fenêtres me prouva qu'ils n'avaient pas de poussière. Après une inspection plus minutieuse, je jugeai les tapis propres et passés au peigne fin. Les toilettes communes étaient sans doute stérilisées ; les microbes paniqués n'y trouvaient pas le moindre coin sûr où se recroqueviller. Dans l'annexe, les chambrettes avaient le style dépouillé des résidences universitaires auquel les skieurs de fin de semaine étaient habitués, alors que dans le corps du bâtiment, plusieurs chambres étaient de véritables trésors du passé, spacieux repaires et recoins intéressants préservés pour les générations futures. Des antiquités de l'époque coloniale en personnalisaient le charme et j'y découvris, çà et là, luxe rare et méritoire dans une auberge de campagne de Nouvelle-Angleterre, des salles de bains privées.

Le clou de l'hébergement à l'*Auberge du péage* était la suite mont Washington, un nid de volupté parfait pour pratiquer la position couchée. Un puits de lumière au-dessus du lit invitait, entre les baisers, à des nuits de contemplation d'étoiles (Je me demandai combien cela me coûterait de dormir ici.) La chambre, sombre en cette heure de l'après-midi, avait l'air solennelle, comme si elle m'observait, mais d'après la disposition des fenêtres il était certain que le déjeuner au lit serait inondé de rayons de soleil.

Je voulais faire la fête ! Célébrer jusqu'à l'aube !

Les vieilles habitudes, hélas ! sont tenaces. Je préférai faire un somme.

En haut de l'escalier, je localisai la chambre où Franklin D. avait déposé mes bagages. Les clients qui payaient le plein tarif vivaient dans le luxe ; par comparaison, mes quartiers, au-dessus de la cuisine, étaient dignes de ceux d'un domestique. Un lit à une place qui décourageait les amours, un bureau sous la fenêtre pour inviter à l'introspection. Une commode de chêne, des étagères pour les livres et, pour compléter la pompe des lieux, ultime désappointement, une bassine d'émail blanc, ébréchée. Faut-il me servir du broc pour me débarbouiller à l'eau froide le matin ou soulager une urgente envie de pipi au milieu de la nuit ? Dans l'un et l'autre cas, dois-je jeter l'eau sale par la fenêtre ? Il faudra que j'inspecte les taches sur la neige à l'extérieur et vérifie si elles sont jaunes ou savonneuses.

J'étais certain que ma chambre plongerait un ascète dans le ravissement le plus absolu, mais ma déception n'était pas bien profonde. Après tout, mon toit ne coulait pas, inconvénient majeur de mon précédent domicile. J'y restais debout la moitié de la nuit à pousser le lit vers des coins temporairement secs et à disposer des seaux et des pots de fleurs pour recueillir les trombes du plafond. Le matin, je me lavais les cheveux dans l'eau de pluie fraîche, noircie par le goudron du toit. L'exiguïté de ma nouvelle chambre était tolérable, compte-tenu du luxe d'y être capable de lire sans parapluie.

Je m'allongeai sur le lit. La couchette, plutôt. Un peu dur, mais je m'adapterais. Endormi en moins d'une seconde, il me fallut quelques instants pour réaliser que les coups frappés à la porte venaient de l'extérieur de mes rêves.

Franklin D. pointa la tête sans y être invité.

— Tout va bien ?

Je m'assis.

— Parfait. Magnifique. L'auberge dépasse toutes mes espérances. (Il ne se rendait pas bien compte que même une simple bécosse aurait dépassé toutes mes espérances.) Je voulais faire une petite sieste. Le long voyage, tout cet énervement, je me sentais somnolent.

— Bonne idée, Kyle... Nous avons des papiers à signer. Peut-être mardi ? À mon bureau ? Je suis fermé le vendredi saint et le lundi de Pâques, vous comprenez.

— J'y serai comme un seul homme, avec mes cloches.

— Voici les clés de votre Jeep.

Je m'efforçai de me refréner. Ne pas m'en emparer trop brusquement. Facile. Reste calme. C'est ça ! Lève lentement la main. Franklin D. fit tomber le porte-clés, avec sa patte de lapin fétiche, dans ma paume de prédateur. Je refermai le poing et glissai ma main, serrée sur son précieux butin, sous la protection d'une de mes cuisses.

— Merci beaucoup, F. D. R.

— Je vous en prie. Je me sauve, Kyle. Si vous avez des questions ou des problèmes ou quoi que ce soit...

Plutôt que de conclure ce qu'il avait en tête, il laissa sa voix s'éteindre, l'offre en suspens, le temps que je l'évalue. Et préféra me donner une tape affectueuse sur l'épaule.

— Il y a une chose, dis-je.

Une question parmi d'innombrables autres.

— Allez-y !

Son empressement à faire plaisir relevait plus, je pense, de sa vitalité et de sa jeunesse, de son désir de se mériter des bons points, que de motivations professionnelles. Il s'assit au pied de mon lit.

— Je présume que cette chambre était celle de mon père, dis-je.

— Votre papa était riche mais économe. Il est fascinant de voir à quel point ces deux traits vont souvent de pair. L'établissement vous appartient maintenant, choisissez la chambre que vous voulez.

Dans ce cas... mais non, j'avais appris depuis très longtemps à refréner mes désirs.

— En fait, je me demande où sont ses affaires ? Il n'y a rien sur les étagères. La commode est vide. Les couvertures piquent, comme si elles avaient été volées au gouvernement, dis-je en tournant un coin de la taie d'oreiller. Propriété de la marine des États-Unis.

F. D. R. rit de ma petite plaisanterie.

— La question se pose. Pourquoi n'y a-t-il pas la moindre touche personnelle ? demandai-je. Je suis déçu, et franchement étonné, de ne pas trouver une seule chose qui le rappelle. Pas de photos. Pas de bibelots. Aucun de ses livres. Rien du tout. Néant. Et c'est comme ça dans toute l'auberge. Cela n'a pas de sens.

Ryder bondit de nouveau sur ses pieds, avec des mimiques silencieuses, embarrassées pour indiquer qu'il n'y était pour rien.

— Votre père est décédé, Kyle, dit-il. J'imagine qu'il est naturel qu'on ait enlevé ses effets personnels. Abordez la question avec Hazel. C'est elle qui a sans nul doute ordonné le nettoyage.

Comme je la connais, elle a certainement exagéré. Cette femme est un zélote. O. K., voyez, je suis déjà parti. Un plaisir de vous avoir rencontré, Kyle. Nous nous reparlerons bientôt.

— Au revoir, Franklin D.

Quelques instants plus tard, le grondement d'un moteur me fit bondir plus vite que si j'en avais reçu l'ordre en rêve. Effrayé que quelqu'un vienne de me voler ma Jeep, je me penchai à la fenêtre. Ryder s'en allait et non, comme je l'aurais pensé, dans la Cadillac, mais dans une Toyota jaune qui avait besoin d'un nouveau pot d'échappement. (Et dire qu'il avait eu le culot de se moquer d'un air méprisant de ma Mercury !) Peu importe, il grimpa d'un cran dans mon estime, à cause de son choix de voiture. J'étais prêt à parier qu'il avait emprunté la Cherokee Chief pendant les derniers mois. C'était sans doute ce qu'il faisait à l'auberge, changer de véhicule en prévision de mon arrivée.

Je n'avais pas posé la joue sur l'oreiller depuis plus de dix secondes que le *toctoctoc-toc-toctoc* d'Hazel Stamp me la fit jaillir de nouveau comme une tête de clown hors d'une boîte à surprise. Il fallait que ce jeu cesse. Ma première décision de flambant neuf propriétaire d'auberge serait peut-être de munir toutes les chambres, et la mienne en priorité, d'un carton « Ne pas déranger ». Et de les équiper de serrures. Le monde ne réalisait-il donc pas que je dormais parfois pendant des jours et des jours d'affilée ? Qu'il m'arrivait de me réveiller pour me découvrir plus vieux d'un an ? Hazel, au moins, attendit poliment que j'ouvre la porte avant d'entrer. Mais elle entra et se servit de son chariot à desserte comme d'un bélier. Une collation. Comme c'était gentil.

— Un petit en-cas, monsieur Laîné. Un peu de nourriture et une goutte d'infusion pour vous remettre d'aplomb. Je crains que vous ne deviez pas vous attendre à souper avant huit heures et demie, après les vêpres. C'est à ce moment-là que les religieuses passent à table et elles insisteront pour que vous mangiez avec elles.

— Hazel, où sont les affaires de mon père ? Je n'ai pas vu le plus petit indice qu'il ait jamais vécu dans cette chambre.

Sans le vouloir, en m'asseyant dessus, je contrecarrai la violente envie d'Hazel de refaire le lit. Elle choisit d'arranger les rideaux, déjà parfaitement en ordre, et répondit en se gardant les mains occupées.

— Bon. Votre père. Ses derniers mois ont été difficiles, pauvre âme. Il aurait vraiment dû les passer à l'hôpital. Mais qui suis-je pour dire cela ? Il désirait mourir ici. Et personne ne voulait contrarier son seul souhait, dit-elle en se tournant et en obligeant ses mains à rester tranquilles devant elle. Il ne contrôlait plus ses intestins. C'est ce qui est arrivé à votre père. Il vomissait quelque chose de purulent. Nous devions régulièrement fumiger et désinfecter.

— Mon Dieu.

— En pratique, il fallait tout jeter à la poubelle. Les souvenirs ont été descendus dans la chaufferie, rangés dans des boîtes. Je vous les montrerai quand nous aurons du temps, tous les deux. Pour l'instant, soyez un bon garçon, buvez votre infusion. C'est de la camomille.

— Oh, Hazel ! dis-je alors qu'elle se dirigeait à grands pas vers la porte.

Maintenant que l'avocat était parti, son changement d'humeur était évident. Elle n'était plus ni agressive ni inquiète.

— Hmm ?...

— Conduisez-vous ?

Je n'avais pas envie d'avoir, pour des raisons de service, à partager la Cherokee avec elle. Avec un peu de chance, la seconde

Toyota lui appartenait. Je voulais aussi lui demander quel était le client mystère qui possédait la Cadillac stationnée devant le bâtiment. Hazel fit « Hmm-hmm » de manière vaguement affirmative.

— Possédez-vous une voiture, par hasard ?

S'il te plaît, réponds oui... Incroyable. Elle rougit ! Et étudia le plancher.

— Hmm, dit-elle.

Réponse non compromettante. L'instant d'après, elle avoua : « La Cadillac. »

— Seigneur Dieu ! Je vous paie combien ?

Son sens de l'humour vint à la rescousse de ma surprise et, sans doute, de ma contrariété. Elle éclata d'un rire joyeux.

— Une misère ! s'exclama-t-elle. Pas assez pour nourrir le chat ! Mais la Cadillac était la voiture de votre père. Il m'a laissé les clés dans son testament. Eh oui ! Vraiment, je suis tombée de ma chaise. Surtout parce que cet abruti d'avocat ne m'a pas escroquée. J'imagine que vous savez que votre père était un grand joueur de tours. Eh oui ! Me donner la voiture était un gag. J'en suis certaine. Chaque fois que je suis derrière le volant, je l'entends rigoler, pouffer de rire dans son paradis. Quand je roule dans Stowe, ils évacuent les rues. C'est ce qu'on m'a dit. Ce qui explique pourquoi la ville est toujours déserte. D'après la rumeur, la municipalité a installé une sirène pour annoncer mon arrivée.

— Vous n'êtes pas sérieuse.

Elle sourit.

— C'était bien de sa part, dis-je avec un sourire de circonstance. Incontestablement mérité. Vous avez pris soin de lui pendant sa maladie.

— En réalité, non. J'ai juste passé le balai. C'est la mère supérieure Gabriella qui a fait l'infirmière. C'est son métier. Elle a emménagé pendant les deux derniers... hmm, à vrai dire plutôt les trois derniers mois. Une période difficile. Et c'est une des raisons pour lesquelles votre père a légué toute sa fortune, à part cette auberge, à l'Ordre des sept voiles. Ce sont les sœurs.

— Oui. Bien sûr.

Je fis semblant d'être au courant. Sa fortune ? S'agit-il ici de pleins barils d'espèces trébuchantes et sonnantes ? A-t-il distribué ses fafiots à une bande de vieilles filles qui, déguisées en pingouin, ont fait de surcroît vœu de pauvreté ? Quel gaspillage ! Je m'efforçai de ne pas laisser paraître mon dépit. Je ne voulais pas confesser que je n'avais jamais connu mon père et que lui non plus ne m'avait jamais connu. Hazel et Franklin D. étaient peut-être déjà parfaitement informés, mais je choisis de continuer de présumer qu'il leur était impossible d'imaginer la pleine étendue de la distance qui nous séparait. D'après mon interprétation de l'histoire, abandonnant derrière lui une dose létale de ses spermatozoïdes giclés sur un œuf non éclos, mon père avait fui le poulailler avant ma naissance non voulue, minable étourneau dans un nid d'oiseaux tropicaux.

Position difficile. Comment justifier les cadeaux qui me tombaient du ciel quand je n'avais pas été présent pendant les derniers jours, sinon les derniers mois de son agonie ? Je comparais ma situation à celle d'un yogi novice dont l'instructeur, après le premier cours, serait rentré chez lui, laissant son élève imaginer seul comment déprendre ses membres noués comme des bretzels. J'étais figé. Perdu dans mes réflexions, je ne remarquai pas le départ d'Hazel. Soudain, elle n'était plus là. Étrange. Je fus tenté de la chercher sous l'étroite couchette et dans les placards peu profonds. Mais je m'allongeai, avec les muffins de maïs aux bleuets commodément à portée de main. Le plafond était proche et oppressant. La claustrophobie s'insinua dans mon sang. La taniè-re de mon père. Il avait respiré le même air. Toute trace de lui maintenant disparue. Où es-tu ? m'étonnai-je dans le silence du sanctuaire. Où étais-tu passé, père ? Qu'as-tu fabriqué pendant toutes ces années ? Le plus drôle c'est que mes questions se réver-béraient. Dans le silence, elles rebondissaient des murs et je me les entendais posées à moi-même. L'air calme attendait une ré-ponse.

Réponds.

4

CETTE APRÈS-MIDI, les nuages gîtent par bâbord. Indice, m'a-t-on dit, d'un jour d'ennui au paradis. Les plus curieux des morts sont penchés par-dessus le parapet et observent leurs vieux amis et leurs parents qui ribotent en contrebas. Il y a des âmes qui pleurent, des âmes qui se lamentent ; d'autres qui sont dégoûtées. Prenez la peine de mettre vos lunettes, père, et regardez attentivement par-dessus bord (en gardant toujours, bien sûr, un pied dans le duvet des nuages) et vous me verrez comme je suis.

J'ai très peu à dire pour ma défense. Les excuses sont fatigantes, et je préfère contrôler mes rancœurs et les empêcher de prendre le dessus. Écoutez, merci pour l'auberge. Dans la mort vous vous êtes comporté comme un vrai parent. Si, de votre observatoire céleste et privilégié, mon amertume est évidente, alors la raison devrait en être évidente aussi. Pardonnez-moi, père, mais j'aurais préféré vous connaître de votre vivant.

Un seul et unique souvenir de vous me reste de mon enfance. Vous serez peut-être intéressé de connaître l'effet fascinant qu'a eu sur moi votre existence, en plus de votre absence. Et surpris d'apprendre que je vous ai vu une fois, brièvement, partir en fumée. En moins de deux, vous n'étiez plus que scories et cendres. Le moment reste pour moi à la fois confus et frappant, clair et embrouillé. Je suis certain d'une chose en tout cas : mère, qui portait un cardigan brun rouge aux teintes de l'automne, enfonça sa cigarette dans la poussière de votre visage. Une manière bien à elle d'appuyer un de ses arguments.

J'avais huit ans à l'époque. J'étais en troisième année, et amoureux.

L'expression « premier amour » est l'euphémisme qui désigne ce dont je souffrais. Une maladie infantile plus critique que la scarlatine, plus déboussolante que la coqueluche. Dans les stades plus avancés de ma maladie, je prenais le risque de me faufiler sans permission hors de la maison pour trottiner trois coins de rue plus loin et contempler, désespéré, les rideaux de sa fenêtre. Quand je me sentais particulièrement intrépide, je m'approchais en courant du bas de sa maison et en touchais les briques, avant de déguerpir de nouveau comme si elles étaient des charbons ardents.

Chaque fois que je me trouvais dans le cercle d'attente, je gravais son nom dans la poussière avec ma batte de base-ball. Je volais de la craie aux filles qui jouaient à la marelle et griffonnais son nom sur le trottoir, toujours suivi d'un point d'exclamation. *CINDY B !*

J'étais resté sidéré le matin où l'infirmière de l'école avait aligné les élèves de troisième année pour leur inoculer le derrière contre la diphtérie, la typhoïde et tout un dictionnaire latin de maladies endémiques en ces âges de ténèbres. La plupart des enfants enduraient le déshonneur sans le moindre embarras : chemises ou tuniques remontées, culottes bouffantes ou pantalons descendus d'un cran.

Pauvre Cin. Invraisemblable, à y repenser, de qualifier l'incident de coïncidence. Pas quand la plus jolie fille de l'école fut la seule dont l'interne de service tira d'un coup sec les petites culottes bleues en dessous des genoux. Les autres filles rirent sottement ou rougirent ; les garçons firent des grimaces. Courbée au-dessus du pupitre de l'instituteur, Cindy, en évidente détresse, avait les yeux remplis de larmes. Et j'étais navré pour elle, honnêtement je l'étais, père, mais les globes jumeaux qui remuaient nerveusement sous mes yeux plongeaient mon cœur dans la délectation. Je vivais dans une maison de femmes, et pourtant c'était la première fois que je voyais une fille à demi nue. Je tombai *illico* amoureux.

L'interne, un studieux avec d'épaisses lunettes, un perfectionniste au teint d'adolescent, lui tapota affectueusement le derrière dont la peau frémit. Il murmura que cela ne ferait pas mal, puis, observant la petite, il la fit se tordre de douleur.

La courageuse Cindy refusa de pleurer.

Des garçons répétèrent, avec des gloussements grivois, les mots cochons appris de leurs aînés et de leurs pères. Même si j'avais bénéficié de cet habituel paramètre de l'éducation masculine, j'aurais été trop stupéfait pour parler, rire ou grogner comme certains de mes condisciples. Les fesses de Cindy, conjuguées à une image particulièrement polissonne d'une bande dessinée de Dick Tracy dans le journal dominical (« Viens ici, mon chou », disait une très sexy salope au détective criblé de balles), avaient galvanisé ma libido et mon intérêt, comme rien n'était parvenu à les galvaniser jusque-là.

Mais je veux rendre compte d'une autre plus triste journée. Elle reste imbibée dans ma mémoire, comme aspergée par les jets d'eau des lances d'incendie : l'après-midi où Cindy enterra son père, l'après-midi où le mien flamba.

La classe s'était terminée tôt en l'honneur des funérailles. Le papa de Cindy était mort en héros local. Brûlé à en être méconnaissable. Feu le pompier, disaient les plaisantins. Cercueil fermé au salon funéraire. Il laissait dans le deuil trois filles à l'école primaire, un fils au collège, un autre en couches et une épouse éplorée. La cérémonie officielle incluait un impressionnant cortège qui chemina du salon funéraire, où le cercueil, drapé dans l'Union Jack, fut hissé sur un camion porte-pompe, jusqu'à la maison du défunt, puis à la caserne des pompiers et ensuite à l'église. Merveilleuse pagaille. Pour certains, l'événement le plus amusant depuis le carambolage de cinq voitures dans le tunnel Jarry. On me chassa à coups de pied des rangs des sapeurs en veste rouge et des policiers qui, en bleu de Prusse, paradaient solennellement derrière. La fanfare de la Légion canadienne gardait tout le monde à distance à coups de cornemuse. Un festival d'automne. Un grand jour pour les gamins, leurs lance-pierres et leurs sarbacanes à petits pois.

Des femmes et quelques hommes se tapotèrent les yeux quand le cortège passa lentement devant eux.

— Pauvres enfants, se lamenta une de mes voisines.

Ce chagrin m'inquiétait. Quel était le problème ? Et soudain voici qu'apparut ma Cindy, perdue dans son tailleur noir ajusté, qui marchait entre son frère et ses sœurs, suscitant comme d'habitude la comparaison avec Shirley Temple.

— Pauvres agneaux ! s'écria la femme à côté de moi. Privés si jeunes de leur père !

Ses compagnons opinèrent tristement. Je traînai derrière mes camarades et rentrai, morose, à la maison. Privés, avait-elle dit, si jeunes de leur père. Privés. Bien sûr, la démographie de mon logis m'avait toujours paru curieuse, mais jamais source d'affliction. J'étais conscient d'être un garçon sans père. Les autres jeunes étaient prompts à me le faire remarquer, même si ce qu'ils considéraient comme ma plus grande malédiction – le fait d'avoir à endurer deux mères – était en réalité une bénédiction. « Pouah, beurk, comment peux-tu supporter ça ? » Je n'y avais jamais vu de problème. Quoi qu'il en soit, je savais que les autres enviaient ma vie familiale. Quel autre enfant pouvait se vanter d'avoir chez lui six oiseaux tropicaux et un boa de quatre mètres ? S'il faut que la vérité se sache, ma seule véritable déception de n'avoir pas de petit papa chéri lanceur-de-baseball, administrateur-de-fessées et distributeur-de-dix-sous, c'était que les petits papas chéris conduisaient les autos. J'estimais que ma famille n'avait pas d'auto parce que je n'avais pas de papa et, en réalité (sans vouloir vous offenser, père), c'était le manque de Chevrolet que je regrettais le plus. Privés, avait dit la femme. Le mot avait l'air inquiétant. Si jeunes de leur père. J'entrai à la maison par la ruelle et fis claquer la porte.

— Tu es en retard ! Tu es en retard ! caqueta Bish, le mainate de tante Emma, en se balançant sur le rouleau de l'essoreuse de la machine à laver.

— Je suis en avance, stupide volatile! répliquai-je du tac au tac.

J'allais lui parler des funérailles mais je me retins. Bish traversa la cuisine à tire-d'aile et atterrit sur le frigo. « Mange la merle ! Mange la merle ! » me conspua-t-il, la seule expression qu'on lui avait appris à ne pas prononcer comme il faut pour ne pas offenser les oreilles de certains publics et pour en ravir certaines autres.

Je jetai mon cartable et ma boîte à lunch vide sur le lit de ma chambre, ce qui fit roucouler les tourterelles et glousser Malcolm, notre ara. Alphonse et Neptune, les perruches, avaient dû faire un mauvais coup parce que quelqu'un les avait enchaînées à leur perchoir de bois. Elles me tournèrent leurs dos boudeurs. Je continuai jusqu'au salon et me laissai tomber dans le divan, où j'avais des chances d'être serré dans les bras de ma tante.

Mes larmes furent immédiates.

— Mon papa! criai-je tout de go.

Je voyais son corps carbonisé ; le cercueil descendu dans une fosse boueuse. Sans le moindre cortège.

— Il est mort! Mort! Et tu ne me l'as jamais dit! Je suis privé!

— Oh non, non, Kyle! Non.

Tante Emma imprima à la houppe de ses cheveux négligés une secousse si démonstrative que le chignon noué qui les surmontait bascula sur le côté. Avec le déplacement du lest, l'inclinaison de sa tête suivit. Ma tante était vêtue de son uniforme habituel : des jeans rapiécés et une chemise d'homme écossaise, et trop grande.

— Ce n'est pas vrai du tout, mon cœur. Qui t'a mis une idée pareille dans la tête ? Tu as ta mère et tu m'as, moi. Tu as Malcolm, Neptune, Bish et Clyde. Tu n'es pas privé.

Hoquets, rots et sanglots. Suivis du bégayant compte-rendu des obsèques, et la douleur de ma tendre Cindy devenue mienne au point que c'était mon propre père que je voyais avalé par la tombe.

Au nombre des consolations de tante Emma, il y eut de pleines cuillerées de cassonade, un verre d'eau à boire à petites gorgées du mauvais bord, le visage à l'envers penché sur le tapis – étourdissement et bulles dans le nez –, et un cri horrible et sauvage destiné à me faire peur et à chasser le hoquet d'un coup sec. Le cri chassa le hoquet, mais précipita notre volière dans la panique. Les perruches piquèrent une crise d'hystérie sur leur perchoir. Tante Emma promit alors de me montrer une photo qui, déclara-t-elle, prouverait « de manière concluante et absolue » que mon père était vivant.

— Fantastique ! criai-je. Ya-hou !

Bish poussa son cri de guerre et nous fîmes la course dans le hall. Le mainate, plongeant en piqué sous un cactus de Noël suspendu, arriva le premier dans la chambre et en fit frénétiquement deux fois le tour avant de se poser sur le perchoir mobile près de la fenêtre, ébloui sans doute par la multitude de petits panneaux de vitrail multicolores (des églises, des chats, des emblèmes floraux, des voiliers, une girafe, un koala jaune pâle et un cachalot rose) qui réfractaient la lumière et renvoyaient de rousses échappées de soleil sur les murs, le plafond et le couvre-lit. Je sautai dans le lit à baldaquin et entrevis dans le miroir de la coiffeuse mon intriguant reflet, la joue gauche zébrée de raies magenta flamboyantes et le cou embroché d'un ocre coup de dague.

— Montre-moi ! Montre-moi la photo !

— Attends, jeune homme. Il faudra peut-être chercher un peu.

Tante Emma avait l'art de la litote. Pendant que je rebondissais à genoux sur l'élastique matelas du grand lit double et que Bish avait l'air curieusement absent, ma tante fouilla pour trouver les boîtes à chaussures bourrées des clichés noirs et blancs de son passé. Elle extirpa et jeta derrière elle l'aspirateur, des boîtes à chapeau, des sacs d'épicerie remplis de vieux vêtements destinés, mais jamais livrés, à l'Armée du Salut, du linge qui n'était pas à sa place, des lumières et des décorations de Noël, d'anciens couteaux à fromage et un vieux tapis élimé. La chambre à coucher avait l'air ravagée par l'explosion d'une canalisation de gaz. Puis, comme par miracle, tante Emma découvrit, indemnes au milieu des décombres, les boîtes de photos.

— Elles ne sont pas en ordre, Ky. On devra toutes les regarder.

Chaque visage masculin suscitait, de ma part, la même question : « C'est lui ? »

— Non, Ky. Ton père n'était pas dompteur de lions.

— Et *lui*, c'est lui ?

— Ce n'était pas un petit maigrichon non plus.

Les photos rappelaient à Emma le bon vieux temps, même si elle ne parlait pas de vous, père, ni de m'man ni du cirque ambulant. Elle célébrait plutôt ses anciens compagnons : Coquille d'œuf, « Coco » de son petit nom, le cacatoès casqué, et Pénélope-le-Perroquet.

— Ah, regarde celui-là. N'est-ce pas qu'il est mignon ? Sais-tu ce que c'est, Ky ? demanda-t-elle en me tendant le cliché d'un oiseau plutôt petit avec un plumage de paon.

— Un oiseau de paradis ! m'exclamai-je.

Tante Emma m'avait toujours fait partager sa passion des oiseaux. Alors que la plupart des enfants de trois ans galopent en équilibre sur les rotules de leurs pères, hue cheval ! ou feuillettent des albums pour identifier la trompe de l'éléphant, le chat, l'ours et la vache meuh-meuh, je me blottissais au chaud près de tante Emma et parcourais *ses* livres, récitant les noms des oiseaux, goglu, mésange, cardinal, colibri à gorge rouge, chardonneret, et poussant de grands cris quand arrivait la page du puffin fuligineux ou de mon préféré, le pluvier doré. À l'école, mes amis étaient des experts quand il s'agissait de reconnaître le visage des ailiers gauches et des défenseurs vedettes sur les cartes qu'ils s'échangeaient, mais combien auraient fait la différence entre, disons, le pouillot boréal et le pouillot fitis ? J'avais des amis qui, à la pêche avec leur papa, attrapaient des perches, des truites et des brochets, mais combien avaient déjà vécu l'émerveillement, pelotonnés dans un sous-bois humide et frisquet à côté de ma tante Em, d'assister au retour de la paruline rayée après sa retraite hivernale au Venezuela ? À l'âge de sept ans, j'avais appris à ne pas remuer et j'étais capable de m'endormir debout, appuyé contre un chêne.

— Je ne savais pas que tu avais déjà eu un *oiseau de paradis !*

— Certain. Quelqu'un l'a kidnappé à l'extérieur d'Edmonton. Lui a enlevé toutes ses plumes, j'en ai peur, puis l'a relâché dans la prairie pelée. Pauvre Maxwell, il a fini en dessert pour faucons affamés.

— C'est lui, mon papa ? demandai-je en exhibant la photo d'un pittoresque gentleman qui, couvert d'un panama, arborait une extravagante moustache cirée en forme de guidon de vélo et appuyait sa haute stature sur une canne.

L'éclat perceptible dans ses yeux laissait supposer qu'il était sur le point de se lancer dans une danse à claquettes ou, après avoir répandu du sable sur le plancher, d'exécuter un numéro plus timide sans lames de métal aux semelles. Emma étudia pendant un bout de temps le portrait froissé et décoloré... Je pensais qu'elle allait dire oui et me préparais à célébrer. Mais elle soupira et me rendit la photo d'un geste brusque.

— Non, Kyle, expliqua-t-elle. Ce n'est pas ton papa. C'est le mien.

— Vraiment ?

— Ouais. Un saltimbanque jusqu'à l'os. Souviens-toi, Ky, les pères ne sont pas nécessairement tous aussi formidables qu'on le prétend. Je ne sais pas pourquoi le tien t'intéresse à ce point.

Elle réclama soudain la photo, m'enleva des mains le burlesque dandy et le glissa dans la poche de sa chemise, près de son cœur.

Mère annonça son arrivée à la maison par un grand coup de pied dans la porte d'en arrière. Je me précipitai pour lui dire bonjour, ravi à la perspective qu'un père assorti se matérialiserait bientôt. Mère, ensevelie sous trois sacs d'épicerie, ne prit pas la peine d'éloigner la cendre de sa cigarette d'un protubérant céleri. Elle se colleta pour déposer les sacs sur le comptoir. Pas besoin de vous dire, père, qu'elle était grande, particulièrement aux yeux d'un enfant, une bonne tête de plus que tante Emma. À cette époque-là, elle portait ses cheveux blonds coupés ras, une coiffure identique à la mienne. Comme elle l'avait expliqué : « Nous ne voulons pas qu'il y ait la moindre confusion sur l'identité de ta véritable mère, n'est-ce pas ? » J'étais sa revendication territoriale, face à tante Em. Il ne m'était jamais arrivé de me demander si elle était jolie ou non, mais quand je marchais avec elle dans les rues, j'avais l'habitude d'entendre siffler les ouvriers de la construction.

— Pourquoi sifflent-ils, m'man ? lui demandai-je une fois.

— Parce que.

— Parce que quoi ?

— Simplement parce que. Pour commencer, je m'habille chic. C'est comme ça, Kyle. Les hommes sifflent quand ils voient une femme bien vêtue, exactement comme les oiseaux sifflent quand ils voient le soleil se lever. Pourquoi les oiseaux saluent-ils le soleil ? Parce que. La lumière met leurs couleurs en valeur. Quand un homme voit une femme habillée de couleurs vives, il s'imagine qu'il est la lumière éclatante qui la fait briller. Les hommes comprennent tout de travers.

— Crotte, marmonna m'man dans la cuisine, après avoir découvert trois coquilles déjà brisées dans le carton des œufs. Ce serait pas mal si tu apprenais à manger les œufs cassés, Clyde.

Notre boa constrictor domestique glissait, furtif, sur le carrelage. Son ordinaire était constitué de souris et de rats, que nous gardions dans des cages à la cave. J'attendis d'être sûr de l'humeur de ma mère avant d'ouvrir la bouche. Tante Em poussa de grands cris dans la chambre à coucher. « Je l'ai trouvée ! » Bish atterrit en vol plané sur le robinet et annonça bien haut son arrivée dans la cuisine. « J'ai faim ! J'ai faim ! » Il avait repéré les sacs d'épicerie. Bish répétait toujours deux fois ce qu'il avait à dire, puis il se la fermait. Emma fonça en agitant sa découverte.

— Mon papa ! Fais voir ! m'exclamai-je en battant des mains, trop excité pour me contenir.

— Qu'est-ce que c'est, mon amour ? demanda mère d'un ton strident qui me mit sur mes gardes.

— Oh, Rose, ma chérie ! Ky est revenu à la maison en braillant toutes les larmes de son corps, dit tante Emma.

— Je ne pleurais pas.

— Il a vu le cortège funèbre de ce pauvre gnochon, ce Rocky, comment s'appelle-t-il-encore ? Tu sais, le pompier ? Kyle pensait que son papa était mort aussi. Il se sentait... *privé*. Regarde ! C'est une photo de nous trois.

— Fais voir ! m'écriai-je en sautant sur place et en essayant d'attraper la photo.

Mère s'en empara la première. Elle l'étudia, une main sur la hanche et sa cigarette calée au coin de la bouche.

— Ton père n'est pas mort, me dit-elle sans ambages et d'une voix douce dont je lui fus reconnaissant.

Souriante, elle me serra la tête contre sa hanche et me caressa les cheveux. J'avais le nez fourré dans son chandail. Elle tendit la main par-dessus ma tête pour allumer le brûleur du poêle à gaz. La flamme orange et bleue vacillait à la périphérie de mon regard. Le café de ma mère. Elle adorait en prendre une tasse quand elle rentrait à la maison. M'man se pencha et m'embrassa deux fois le haut de la tête, avec tendresse, puis elle m'étreignit et mit le feu à un coin de la photo.

— Rose ! Non ! haleta tante Emma d'une voix blanche.

Le papier brûla, un flash vert et or.

— M'man ! plaidai-je.

— Au feu ! Au feu !

Bish, notre détecteur de fumée automatique, sonnait l'alarme. Et, pendant un fugace instant, je vis brûler trois silhouettes énigmatiques, leurs longs corps s'enrouler sur eux-mêmes, s'estomper, avec leurs yeux qui clignaient dans la clarté d'un soleil estival soudain obscurci derrière une flamme turquoise. M'man regarda le papier brûler jusqu'au bout de ses doigts, le tenant très haut au cas où j'aurais essayé de souffler pour vous éteindre, ô père incandescent, comme une bougie d'anniversaire. Elle vous laissa ensuite tomber dans un cendrier à côté de sa cigarette. Écrasa le mégot dans la cendre noire de vos yeux. La fumée flottait au niveau de la tête des adultes. Nuage au-dessus de moi, odeur de chair carbonisée.

— Ton père n'est pas mort, Kyle, répéta ma mère avec ses yeux, calmes aigues-marines, posés sur moi. Il n'existe tout simplement pas.

Elle tapota ma joue que la surprise gonflait.

— Tu es le fils de l'immaculée conception et je suis l'image crachée de la sainte mère de Dieu. Maintenant va vite jouer dehors. Reviens avant qu'il fasse noir.

— Sainte Bénite ! récita Bish. Sainte Bénite !

Je me traînai les talons vers la porte. Enjambai Clyde qui, immobile, contemplait les longues pattes du tabouret de la cuisine avec l'idée de s'y enrouler. Sauvai ma veste, sur le haut du tabouret, et jetai un regard noir en arrière. Mère faisait comme souvent quand tante Emma était furieuse et enragée et qu'elle affichait son air de bœuf. Elle marchait derrière elle, puis tendait le bras et lui caressait le front. Et soufflait dans les cheveux de la nuque de tante Emma. Puis glissait une main entre ses boutons.

Mon père a existé, m'man. Il possédait une maison. Il me l'a laissée. C'est mon héritage !

Allez en paix, père. Si vous la voyez là-haut, dites-lui bonjour.

5

COMBATS DE SUMO en guise de sommeil, contre des anges et des démons gluants.

Réveillé par des cacardements d'oies. Mais attends une minute ! Garde la ligne deux secondes. Réveille, imbécile ! Ce ne sont pas des oies ! Je me traînai tant bien que mal à la fenêtre et inspectai le terrain de stationnement, source du brouhaha. Des klaxons retentissaient. La route de l'*Auberge du péage* déversait des automobiles de marques et de formats divers qui luttaient pour occuper l'espace et bougeaient comme des autos tamponneuses dans un parc d'amusement. En photo, on aurait eu l'impression d'un derby de démolition.

Chaque véhicule se stationna brusquement. Les clés s'arrachèrent des contacts, les moteurs marmonnèrent et se turent, et l'instant de silence complet qui suivit aurait pu avoir été déclenché par une secrète clochette élévatoire. Les portières s'ouvrirent, deux par deux, quatre par quatre, prélude à une bousculade immédiate, pareille à une mêlée sur un terrain de football, plaquages au sol collectifs et mises hors-jeu de chacune des exubérantes joueuses. Des boules de neige fendirent l'air. Puis la bagarre dégénéra en combat corps à corps et les perdantes furent plongées, tête première, dans le dernier banc de neige de la saison.

Le rire frappa bien vite d'incapacité les combattantes et elles décrétèrent une trêve. Les femmes se rassemblèrent comme de vieilles camarades de classe. Étreintes et baisers à la cantonade, plaisanteries et chahut trop délirant pour que je le comprenne.

Étaient-elles vraiment... des religieuses ?

Peu probable.

Il fallait imaginer une explication différente pour justifier le style et la tenue de chaque femme. Peut-être étais-je sur le point d'héberger un congrès d'instructrices de danse aérobic qui s'acharneraient à me modeler le ventre. Ou allais-je passer la fin de semaine à jouer à la canasta avec des croupières de tables de vingt-et-un d'Atlantic City et, le lundi, devoir payer ma note et quitter l'auberge après l'avoir perdue au jeu. Les quelques civilisées en sages manteaux de laine étaient des agnelles en danger de mort au milieu des fourrures des prédateurs. Un rusé renard blanc conspirait avec une savante hermine. Voyante, au milieu des hôtes de ce zoo, une dame en cuir noir avait l'air particulièrement fatale.

Des coffres s'ouvraient en bâillant. Des mains s'affairaient à sortir une quantité suffisante de bagages pour une longue croisière. Regarde ! Quelque chose de suspect ! Des sacs bruns en forme de bouteille. Qui a pu leur donner l'idée que mon auberge était du style « Apportez votre vin » ? Bon nombre de ces femmes rieuses étaient jolies. J'en repérai deux dont la beauté sortait de l'ordinaire. Mais mon attention fut attirée par une jeune femme, que les autres apparemment ignoraient et qui avançait à pas lents vers l'auberge en traînant une énorme valise.

Elle déposait fréquemment son fardeau, changeait de main, puis le soulevait de nouveau, le corps penché d'un côté, supportant avec sa hanche une partie du poids. Ses cheveux bruns, sous son béret traditionnel écossais couleur cerise, étaient vraiment courts : le style à la mode dans les prisons. Elle était mince et portait une robe blanche et puce sous son manteau de suède ouvert. Un oiseau des forêts boréales. Une aura de tristesse rehaussait sa délicate et fragile beauté.

En silence, inspiré, je sifflai le chant migratoire du roitelet à couronne rubis.

Comme si elle avait inconsciemment perçu l'attention que je lui portais, la jeune femme leva les yeux et sa concentration me surprit. Je me serais attendu à un coup d'œil timide et hésitant, prudent, interrogateur et soucieux des possibles implications, mais cette petite dame était remarquablement sûre d'elle. Aucun défi, pas de réflexe hostile dans son regard, juste de la compréhension et, en plus du bonjour, une petite lueur pour me signifier qu'elle savait qui j'étais. Elle m'avait identifié.

Mon pouls s'accéléra.

Je résistai à ma propension naturelle au sommeil. Écoutez, je suis le nouveau propriétaire de l'auberge, pas vrai ? Ne devais-je pas être à la porte pour accueillir mes hôtes ? Leur montrer leurs chambres (à condition de ne pas me perdre) et veiller à leur confort ? Trimbaler les sacs trop lourds des dames qui m'intéressent ?

Le grand miroir sur pied modéra mon enthousiasme. J'étais décoiffé. J'avais le dessous des bras qui sentait plutôt mauvais. Je réalisai que Ryder et Stamp avaient été généreux de m'accepter sans diriger sur moi un boyau d'arrosage. Je polluais carrément le Vermont. Si je voulais faire bonne figure, un bain, un shampoing et quelques coups de rasoir étaient de rigueur.

Effets de toilette et vêtements propres à la main, je traversai le corridor et me glissai jusqu'au petit sanctuaire ivoire que je serais obligé de partager avec mes invitées et où, complètement nu, je grelottai.

La pièce n'avait pas été conçue pour sa fonction actuelle. Ce qui était à l'origine, dans la retraite d'un riche vieillard, un vaste placard à balais et une lingerie abritait maintenant un lavabo, avec un espace de manœuvre réduit, et une baignoire qui, même étroite et encastrée, occupait, comme une grosse mijaurée endormie, la pleine largeur du plancher. La baignoire exigeait de l'agile et téméraire utilisateur une grande et ambitieuse enjambée par-dessus son rebord incliné, aux risques d'un plongeon peu commode et périlleux. Les candidats au bain n'avaient pas le choix. Il leur était impossible de faire couler l'eau d'avance parce que, pour atteindre les robinets, il fallait grimper d'abord sur la vieille carcasse et s'asseoir sur sa peau d'émail glacée.

Je m'ébouillantai le pied, tant l'eau était chaude. Debout sur une patte torturée, je tournai les imbéciles cadrans en quête frénétique de froid. Puis je lévitai et maintins ma position, une jambe repliée sur le côté du bain et accroché par le bout des doigts à un porte-serviettes, tout mon corps suspendu au-dessus de la surface bouillante. Mes orteils libres faisaient pivoter les manettes d'un bord, puis de l'autre, sans parvenir à décider. J'étais sur le point d'être cuit à la vapeur, rouge comme un homard, ou de couler dans l'eau comme un ragoût de cannibale. Un courant arctique ! Enfin ! La température baissa et je me laissai tomber à l'eau dans un terrifique splash, puis virai au bleu tout de suite, avant de tripoter de nouveau les manettes pour que revienne l'eau chaude, sans nul doute bouillie par des laves à fleur de sol.

Je me frottai à m'écorcher. Expression à prendre au pied de la lettre parce que le savon était truffé d'escarbilles. Et faisait une mousse incroyable dans l'eau douce. Tout rinçage était impossible ; je nageais maintenant dans un bain de bulles et maudissais la perspective de soumettre ma tête à un autre jeu de roulette russe sous les robinets. J'immergeai néanmoins tout mon corps et toute mon âme dans l'eau savonneuse, baptiste converti, et me sentis *born again* quand je tirai le bouchon – et me dis que c'est exactement ce que j'étais.

Au rez-de-chaussée, celle qui avait amené sa grosse stéréo portable augmenta le volume. À en juger d'après les vibrations de la maison, j'aurais juré que les bonnes sœurs dansaient.

Peu habitué aux us et coutumes de l'auberge, j'avais omis d'apporter une serviette. Je me rappelai que plusieurs pendaient au-dessus du pied de mon lit, ce qui en ce moment ne m'était d'aucune utilité. J'étais donc debout et je dégoulinais. Pris de chair de poule, je m'ébrouai comme un chien pour me secouer la peau du surplus d'eau et la laissai dégoutter et faire une flaque sur le plancher. J'utilisai ma chemise pour me bouffer les cheveux à la Einstein, m'éponger les parties génitales et m'essuyer l'arrière des genoux, puis avec mes jeans enlevai la condensation dans un coin du miroir.

Comme je n'avais pas grand-chose d'autre à faire, je m'examinai de près.

Si vous regardez mon visage de face, vous ne verrez pas mes oreilles. Une diseuse de bonne aventure au Tennessee m'a déjà dit que les oreilles collées indiquaient, chez un homme, la force de caractère.

— Tu ne t'épanouiras que très tard dans la vie, avait-elle dit. Ta jeunesse et ton âge mûr ont été et continueront d'être un désastre. Avec l'aide de Dieu, tu jouiras d'une retraite satisfaisante.

— Et qu'est-ce que je fais en attendant la retraite ? Je dors ?

Isabelle vivait, avec ses chats, dans une cabane de tôle aux abords de Walkerman's Creek. Féline elle-même, elle prenait son travail de tireuse de cartes très au sérieux.

— Je ne miserais pas deux sous sur ta vie amoureuse, m'avertit-elle.

— Et pourquoi ?

— À cause de ta mâchoire. Une honte !

Une seule fossette aurait été sensuelle. Deux sillons, parallèles et marqués, avaient l'air de suppurantes cicatrices chirurgicales.

— *C'est toi*, ma vie amoureuse, Isa.

— Cela me fait une belle jambe.

« En attendant d'atteindre la sagesse, prends tout ce que tu es capable de prendre. » Voilà le conseil fondamental d'Isa. Elle avait vingt ans de plus que moi. J'adorais ses cheveux. Ils lui tombaient à la taille. Feuillage rouille, taché d'or, virevoltant entre des cordelles terre de Sienne. Sueur et poux. Ma fourmillante colonie préférée.

Un grattement persistant me tira de ma méditation et je me demandai, préoccupé, si l'*Auberge du péage* nourrissait des souris dans ses murs. J'aperçus trop tard la carte de crédit insérée dans le cadre de porte, qui poursuivait son chemin vers le haut en direction du crochet du loqueteau. La clenchette se souleva. Avant que j'aie le temps de bouger, de protester ou de me couvrir – avec mon rasoir brandi pour récolter mes poils de barbe couverts de mousse – la porte s'ouvrit d'un coup et je fus exposé.

Elles étaient toute une troupe. Visages de femmes comme de brillants galets luisants sous une cascade. Charivari d'acclamations, de sifflements et d'applaudissements instigués par Bruce Springsteen qui grimpait les marches en hurlant « *Boooornnn in the U.S.A. ! I was boooornnn in the U.S.A. !* » Dans ma hâte de récupérer mon pantalon, je le laissai tomber et, quand je me penchai pour le récupérer sur le plancher, je suscitai une véritable ovation.

— T'as vu la paire de fesses !

Miaulements et hourras.

Avec ma chemise serrée comme une pathétique feuille de vigne sur mes parties intimes, je me précipitai pour refermer la porte d'un coup sec. Deux femmes, les doigts dans la bouche, rivalisaient à qui pousserait le sifflement le plus sonore et le plus strident. Les siffleuses et les autres s'éparpillèrent quand je chargeai. Je refermai violemment la porte. Elle se rouvrit derechef. Et au moment où je jetai tout mon poids contre elle pour la barricader, la jeune femme qui avait attiré mon attention dans le stationnement passa lentement, comme si de rien n'était, dans mon champ de vision. Elle trimballait toujours son encombrante valise. Un bref instant, elle jeta un coup d'œil furtif vers le bas de mon corps et mon tampon protecteur, et sourit. Puis, elle me regarda de nouveau dans les yeux. Je souris aussi. Elle leva sa valise plus haut sur sa hanche et traversa le hall d'un pas laborieux. Springsteen était déjà loin devant et, dans le silence, j'entendis distinctement la jeune femme fredonner. Un air charmant.

Je fermai la porte. Doucement.

Des religieuses ?

Voyons.

6

AVEC MES VIEUX VÊTEMENTS sur le dos, j'opérai ma retraite et quittai sain et sauf la salle de bains. Je me déshabillai et me séchai dans ma chambre. Puis, enfilai une chemise propre. Une chemise à laquelle ne manque aucun bouton me met de bonne humeur. Revêtu de mon habit d'apparat, des jeans sans taches d'huile à moteur et sans sciure de bois, j'eus envie de regarder de quoi j'avais l'air dans le miroir sur pied. Un peu courtaud, moins maigre que je ne l'aurais pensé, le dos voûté.

Peigné, pomponné et habillé, je me risquai à descendre l'escalier d'un pas décidé, sans parvenir à franchir plus de la moitié du chemin avant qu'une cliente m'accoste.

— Bienvenue à l'*Auberge du péage !* s'écria-t-elle comme si elle poussait un cri de guerre.

Élégante dans son costume de femme d'affaires à la mode, elle avait plusieurs centimètres de plus que moi. Ses cheveux noirs ondulés lui tombaient sur la nuque. Elle avait des joues rebondies comme des pommes, des yeux exorbités et des pupilles anormalement dilatées. De larges épaules. Sa bouche, au-dessus de son sympathique menton, s'ouvrait beaucoup plus d'un côté que de l'autre et barrait son sourire. Paralysie partielle qui lui donnait un air roublard et ironique.

— Merci, murmurai-je, conscient de la malencontreuse inversion de nos rôles. Bienvenue à vous aussi, ajoutai-je.

— Acceptez mes excuses pour leurs fredaines, plaida-t-elle. Je suis navrée. Vous êtes nouveau ici. Un innocent ! Vous n'étiez pas préparé. Avoir su, j'aurais mis le holà à leurs singeries.

Un fantôme de sourire lui ridait le visage. Elle était sincère, mais semblait incapable aussi de ne pas se sentir amusée.

— C'est correct, parvins-je à glapir.

— Leur excuse, je le crains, est plutôt mince. Votre père les encourageait à s'amuser comme des folles. Elles l'ont fait pour respecter sa mémoire.

— Il n'y a pas de mal.

Réponse impardonnablement peu chaleureuse. La manière de parler de cette femme me désarçonnait. Elle secouait la tête et les épaules, feintes de lutteur, avec des mouvements assortis du ventre et des hanches. Épinglé contre la rampe, comme poussé dans les cordes de coin d'un ring, je me désengageai légèrement pour rester hors de portée de son punch de boxeur. Cible mouvante, je m'arrangeai quand même pour sourire.

— Le décès de votre père nous a dévastées. Il nous manque tellement. Bien sûr, nous étions préparées... et soulagées que ses souffrances prennent fin... Malgré tout, c'est dur de perdre un ami, dit-elle, assez proche pour me donner un coup de tête. Une bonne chose... Quand Hazel nous a annoncé la nouvelle, elle nous a réjoui le cœur ! Nous ne savions pas que Kyle... Ah, excusez-moi, le plus vieux des deux Kyle, je veux dire Laîné le plus vieux... Bon Dieu ! Je m'embrouille !

Je préfère ne pas faire d'humour avec le nom des gens. La chose agaçait mon amie Cindy Bottomley. Je contribuai à la conversation par un petit rire pour remplir mes devoirs d'aubergiste, parodie de bonnes relations.

— J'essaie de dire que nous ne savions pas que votre père avait un fils. Il s'appelait lui-même « senior », mais nous pensions que c'était une autre de ses charades. Une part du masque, si vous voyez ce que je veux dire.

— Je ne savais pas non plus qu'il avait un fils.

Grâce à un intelligent jeu de jambes, je gagnai un peu d'espace pour respirer.

— Tel père tel fils, d'après ce que je vois.

— Que voulez-vous dire ?

— Vous aimez les énigmes aussi.

J'étais stupéfait. Des traits de caractère identiques à ceux de mon papa inconnu ? Gabriella profita de ma stupéfaction pour m'assener un réel, quoique espiègle, direct à la mâchoire. Tout le monde au Vermont s'exprime-t-il de manière aussi physique ?

— Bilan... Nous sommes ravies que vous preniez la relève, Kyle. Où serions-nous sans l'*Auberge du péage* ? Y venir à Pâques est notre tradition. Officiellement, soit dit en passant, si quelqu'un vous le demande, je suis la mère supérieure Gabriella. Appelez-moi Gaby tout court.

— C'est vous qui étiez l'infirmière de mon père pendant sa maladie, dis-je, pris par surprise et me sentant obligé d'ajouter : Merci.

Sans le vouloir, je venais de lui placer un crochet du gauche. Les yeux de la mère supérieure s'emplirent de buée. Elle détourna le regard et chercha de l'aide dans son coin du ring.

— Je n'ai aucun mérite... Et je ne le dis pas par modestie, protesta-t-elle très vite. Après tout... il est mort.

Je n'avais pas entendu la cloche, mais le round était apparemment terminé et Gaby n'insista pas. Comme un vainqueur qui veut féliciter et réconforter son vaillant adversaire, elle annonça d'un air radieux : « Si je puis faire quelque chose pour vous, Kyle, quoi que ce soit... vraiment... *ahaha !* Vous protéger des sœurs, par exemple... je vous en prie, n'hésitez pas à me le demander. » Ma protagoniste baissa la voix et me dit dans un murmure confidentiel, pour ne pas être entendue de celles qui se trouvaient aux premières loges : « Je vous garantis personnellement qu'à partir de maintenant vous pouvez prendre vos bains en paix. »

Mystifié d'avoir été traité en client par une Gaby qui avait porté le chapeau de l'aubergiste, je la remerciai de ses bonnes paroles. Nous nous serrâmes la main et elle me surprit en pressant, dans un geste d'affection, les doigts de sa main gauche au-dessus de la couronne de notre alliance. Après, elle bondit dans l'escalier et en gravit les marches deux à deux, et moi, les jambes molles, mais toujours debout, je me dirigeai vers le bas.

LES FEMMES S'ÉTAIENT CALMÉES. Je jetai un regard interrogateur dans les salons. L'atmosphère en était remarquablement feutrée. Les conversations se tenaient à voix basse. Une bûche craquait dans le feu pétillant ; la chaleur et l'odeur de fumée enveloppaient les pièces. J'hésitai, craignant de m'immiscer dans une ecclésiastique période de monacal silence, puis remarquai que deux têtes grises étaient penchées au-dessus d'un Scrabble, et non sur la Bible. Les lèvres qui bougeaient ne marmonnaient pas des prières, mais murmuraient des stratégies de jeu de dames. De silencieuses batailles faisaient rage sur les échiquiers.

Le grand calme.

Cette fois encore, les vêtements ne collaient pas. Tout le monde sait que les codes vestimentaires sont moins stricts depuis quelques années, mais quand même. Des jeans moulants ? Des survêtements de sport ? Un T-shirt qui avait, non seulement une inscription idiote (« Propriété des Jets de New York »), mais mettait en évidence l'absence de soutien-gorge de la femme qui le portait ? Des ongles d'orteils peints en rouge vermillon ? Une fausse blonde *décolorée au peroxyde?*

Bribes de conversation. « Je *suis* un régime. Je *ne suis pas* anorexique. Il y a une différence, *figure-toi.* » « Ce n'est pas ton corps qui me tracasse, chérie. C'est ta tête. Je veux dire, des germes de blé avec du cresson ! »

Silencieux et bouche bée, je n'avais pas encore attiré l'attention. Un décompte de mes chances de passer inaperçu me confirmait que je perdais par quinze contre un, handicap de taille. Un déconcertant grincement du plancher souligna le pas expérimental que je tentai. Quelques femmes levèrent les yeux et je paniquai. Je résistai à l'impulsion de faire un signe de croix et une génuflexion et tournai brusquement sur moi-même, soudain très occupé, un million de choses à faire, et descendis l'escalier du sous-sol à toute vitesse.

Ouf. J'étais sain et sauf, prêt à écluser les réconfortants qu'offrait le bar. Un rhum-coca me remit d'aplomb avant de trouver ce qu'il me fallait pour me préparer quelques daïquiris. Derrière le bar, je me sentais en sécurité, comme à l'abri d'un rempart. Je levai mon second verre à la santé du barman debout devant moi dans le miroir et m'en versai un troisième. Kyle Laîné. L'hôte officiel de ces lieux. Parfait, mais que suis-je censé faire ? Dites ? J'inscrivis sur le tableau noir : *K.L. 1 R-C 2 Dqi,* et un verre à la main, avec le rhum qui me coulait dans le sang, je remontai lentement l'escalier pour lancer une fois de plus mon moi embarrassé dans les salons du rez-de-chaussée.

Certaines femmes qui avaient eu un peu plus tôt un aperçu complet de ma nudité baissèrent des yeux sensuels et conspirateurs. Deux coupables rougirent.

J'avoue que ma perception était biaisée, piètre excuse pour l'indolence que je mis à centrer mon attention sur la femme que j'avais remarquée dès son arrivée. Perdue dans ses pensées, elle était assise, silencieuse, près du feu et ne réagit pas quand j'approchai, tirée seulement de sa concentration quand je m'assis à côté d'elle dans le gros divan.

Elle inclina la tête, mouvement saccadé d'oiseau, et je répondis à son long et grave regard par un sourire plébéien, toutes dents dehors. Je remarquai qu'on lui voyait très peu le blanc des yeux, comme chez les oiseaux.

— Regardez, regardez, Chantelle a fait une touche.

— Même si tu t'en soucies comme de l'an quarante, souviens-toi de tes vœux de chasteté, sœur C., fit remarquer une niaiseuse à la table de bridge.

— Devinez qui devra se confesser ce soir.

Toutes pouffèrent de rire.

Son évident agacement d'être la cible des plaisanteries fut de courte durée. Elle retrouva vite son calme et me sourit. D'un air enjoué, magnifiquement à l'aise. Ses haussements de sourcils me firent comprendre que les taquineries étaient le cadet de ses soucis.

— Salut ! dit-elle.

— Allô, dis-je, avant de tousser.

— Vous êtes habillé.

La lumière qui éclairait ses yeux, en partie reflet des flammes, avait des éclats facétieux.

— Et j'ai l'intention de le rester. À partir de maintenant je prends mes bains tout habillé. Je me laisse sécher près du feu.

— Je ne m'en ferais pas à votre place. Les sœurs ont beaucoup d'imagination. Il est peu probable qu'elles répètent deux fois la même blague, dit-elle penchée légèrement vers moi, comme si nous étions de vieux amis.

— Ce n'est pas tout à fait rassurant.

J'étendis tout naturellement mon bras droit derrière elle sur le dossier du divan.

— C'est juste, dit-elle. Si j'étais vous, je serais terrifié.

Dans cette pièce remplie de femmes enjouées, je me sentais magnétiquement attirée par celle-ci, allez savoir pourquoi. Elle était assez jolie, mais sa beauté ne pouvait rivaliser avec celle d'au moins deux de ses compagnes. Je réagissais peut-être à l'intérêt qu'elle m'avait porté tout au début. Quand, debout à ma fenêtre, elle m'avait renvoyé mon regard et m'avait reconnu, ce qui avait eu pour double effet d'éveiller mes défenses et de susciter ma confiance. Son corps serré sur lui-même, elle tendit la main et se présenta.

— Je m'appelle Chantelle Cromarty.

Le choc de sa paume froide. Pas étonnant qu'elle soit assise près du feu. Elle dégelait.

— Et moi, Kyle Laîné.

— Navrée pour votre papa, Kyle, dit-elle, un ton plus haut que le quasi murmure auquel nous nous en étions tenu jusque-là.

En prononçant cette phrase sérieuse de manière à ce que tout le monde l'entende, Chantelle tâchait de prévenir toute ultérieure explosion de pitrerie des autres sœurs.

— Merci, marmonnai-je, en me disant tout bas que si une seule autre personne me présentait ses condoléances...

— Hazel nous a dit que vous veniez juste d'arriver, dit Chantelle.

— Quelques heures à peine avant vous. Je n'ai même pas défait mes bagages. J'ai juste eu le temps de prendre un bain et de faire ce bref strip-tease.

J'attisai le feu. Des flammes jaillirent dans lesquelles des flashes rouges de Cindy secrètement dansaient. Je me rassis et tendis la main vers mon drink, avant de découvrir que mon verre était vide.

— C'est curieux, notai-je.

— Quoi donc ? demanda Chantelle qui s'anima, peut-être parce que j'avais finalement l'air de vouloir démarrer une conversation.

— Mon drink.

Des gloussements attirèrent notre attention. Une espiègle jeune femme dans mon dos faisait tournoyer ses yeux pour son public, la voix déformée par les cubes de glace qu'elle avait en bouche.

— Elles sont impossibles ! Elles n'arrêtent jamais ! s'exclama Chantelle en se joignant aux rires.

— Je possède le bar, pas vrai ? Il me reste d'autres daïquiris, dis-je avec un sourire penaud, obligé de me montrer beau joueur.

Des petits rires sots fusaient. Mais en réalité je me sentais plus en sécurité maintenant que les femmes s'étaient payé du bon temps à mes dépens. Chantelle, penchée plus près de moi, me murmura : « Savez-vous où sont les écuries ? » Son ton confidentiel me ravit.

— Des écuries ? Je possède des chevaux aussi ?

Rires comme un hoquet soudain.

— Non, idiot. L'été, vous louez les écuries à une école d'équitation. Redescendez la route de l'auberge. Ouvrez l'œil et vous apercevrez un sentier piétiné sur votre gauche.

— D'accord. À gauche, d'accord, dis-je, penché moi aussi pour saisir ses directives pressantes et étouffées.

— C'est une piste de ski de fond. Suivez-la. Au bout d'un moment la trouée dans les bois deviendra évidente. Continuez sur la piste le long du barrage. Quand vous serez de l'autre côté, repérez les rubans qui marquent la piste. Après, vous apercevrez les écuries à travers les arbres.

— Magnifique. Merci. Je traverse la rivière et je m'enfonce dans les arbres.

— Moi, je prendrai le chemin d'en arrière, Kyle. Retrouvez-moi là-bas dans, disons, vingt minutes.

Sainte Bénite.

Souffrant sur le champ de tout l'assortiment des symptômes du romantique frappé par un coup de foudre, je me sentais les jambes molles, les paumes moites, et éprouvais une sensation de brûlure dans l'œsophage. L'idée que j'étais la dupe d'un autre vilain tour me traversa l'esprit, mais comment prendre le risque de rater une aussi stratégique occasion ?

— Vous partez le premier, murmura-t-elle.

D'acc. Je m'étirai, bâillai, m'excusai et, jouant le rôle de quelqu'un qui éprouve l'irrésistible besoin de faire une sieste, rôle que je connais bien, je remontai les escaliers. Je revêtis mon armure complète, chandail et veste, et errai dans les corridors de l'auberge à la recherche d'un autre escalier pour que mon départ passe inaperçu. Je réussis à sortir sans avoir à escalader de fenêtre.

Sur le porche, à l'avant du bâtiment, je tombai fort à propos sur une pelle. Pourquoi pas ? Tant que les os étaient dans mon coffre, j'avais peur que quelqu'un les découvre. Pour le moment, tout le monde était à l'intérieur. Il me suffisait de déménager le squelette dans un endroit sûr, un endroit qui ne me compromettrait pas, en attendant la première occasion de lui creuser une tombe.

Je trouvai, dans une remise attenante, le grand sac à ordures dont j'avais besoin, ce qui mit un terme à ma tendance à remettre la corvée à plus tard. Je ne rencontrerais pas seulement la séduisante Chantelle et verrais ce qu'elle me voulait, je disposerais aussi des tristes restes de mon compagnon de voyage.

Je fourrai les os dans le sac, en prenant garde de les ramasser tous, ajoutai le crâne en dernier et me mis en route.

Je me sentais étourdi, stimulé et plein d'attentes. Les bâtiments de l'auberge disparurent rapidement derrière un bosquet de conifères. Le sac et la pelle à la main, je descendis la colline au pas de course, avec mon ombre qui gardait la cadence. Si elle venait, Chantelle arriverait après moi. Je voulais être sûr d'arriver plus tôt pour trouver un endroit où cacher mon sac d'ossements. Et j'éprouvais le pressant besoin d'inspecter les lieux, prêt à n'importe quoi, à vraiment n'importe quoi.

Et surtout, avec un peu de chance, à une belle histoire d'amour.

AH, LES FEMMES ! pensai-je en traversant le barrage. L'ocre soleil de fin d'après-midi hésitait au-dessus du sommet des montagnes. La neige était douce et peu profonde. Chaque pas crissait et s'enfonçait jusqu'à la couche de glace un peu plus bas. Les femmes. À tout le moins, les femmes que je choisissais. Ou plutôt, les femmes qui me choisissaient (même si j'approuvais chaleureusement leur bon goût).

Je n'avais pas encore réussi à déterminer vraiment si les cinglées m'attiraient ou si quelque chose dans mon caractère et ma façon d'agir les poussaient vers moi. Comme si le destin leur avait donné rendez-vous, nos vies s'arrangeaient pour coïncider.

Ou pour se heurter de front.

Cindy Bottomley, quand je commençai à la poursuivre de mes assiduités de gamin de huit ans, n'était pas ouvertement cinglée mais laissez-lui le temps. Elle était la fille de feu le pompier dont les funérailles m'avaient tant troublé. Nous avions, elle et moi, une chose en commun : pas de papa à la maison. Cindy était exceptionnellement jolie. Les garçons des deux ou trois classes avant la sienne la harcelaient. Les policiers la sifflaient. Elle était très satisfaite de sa beauté et, tôt dans la vie, décida qu'elle serait la prochaine Marilyn Monroe. « Je serai une actrice, une vedette de cinéma, un sexe-symbole. » Ambitions typiques d'une fillette de dix ans, présentées au monde avec aplomb, et que les adultes ne pouvaient ni comprendre ni démentir. Mais dont ne doutait aucun de ceux qui la suivaient. Quand elle pratiquait son déhanchement sur les trottoirs du quartier, les simples lois de la mécanique laissaient présager ses futurs succès. Les adolescents qui traînaient près du *Hill's Delicatessen* s'accordaient à la trouver trop snob pour qu'il lui arrive quoi que ce soit de bon. Elle n'avait aucune chance de s'en réchapper avec une telle démarche, jamais en cent ans, pas dans ces rues. Les garçons en veste de cuir noir, experts en menaces, cachaient leurs boutons derrière la fumée de leurs cigarettes et leurs grossièretés, mais ils avaient plus peur de Cindy qu'elle n'avait peur d'eux. En guise de complément à ses regards aguichants, Cindy avait développé un caractère coquin et une indifférence absolue à l'endroit de ses pairs qu'elle considérait comme des intouchables. Elle avait les yeux rivés sur Hollywood.

— Montre-nous ton derrière, Bottomley ! raillaient les garçons en faisant saillir leurs mâchoires et en souriant d'un petit sourire niais.

Sourde au monde, elle ne manquait jamais un déhanchement. C'est elle qui avait le dernier mot. Elle savait qu'elle hantait leurs rêves et devinait qu'elle était adorée localement avec la même ferveur que Marilyn était révérée dans le monde entier. La moitié de la population masculine de Parc Extension, le quartier populaire de Montréal où nous avons grandi, avait hâte au moment où, par magie, des seins lui jailliraient, et décomptait les heures avant qu'elle ne se transforme de mineure impubère en proie parfaite. L'autre moitié était peut-être moins patiente, mais Cindy était capable de leur régler à tous leur affaire avec sa saisissante démarche et son petit nez en l'air.

Elle me permettait périodiquement de porter ses livres. « C'est sur ma route », disais-je comme un lèche-bottes, même si je savais qu'elle savait que c'était un détour. Cindy suivait des cours de ballet et, grâce aux bons soins de tante Em, j'étais devenu le meilleur garçon-danseur de cinquième année. Cindy trouvait ennuyeux nos cours de danse en classe de gymnastique, un exercice indigne d'elle. Mais si elle était absolument forcée de danser avec de pauvres poches, alors elle méritait un partenaire qui ne lui piétinait pas ses talentueux orteils. Nos tourbillonnantes performances mensuelles qui nous catapultèrent l'un l'autre dans la valse et le reel de Virginie me valurent mes épaulettes : comme récompense, si elle avait un chargement de livres, j'étais autorisé à lui servir de mulet.

Cindy habitait rue Wiseman, près de l'école. Ce qui ne me donnait qu'un coin de rue pour l'impressionner. J'avais appris que ses cheveux se dressaient sur sa tête et qu'elle devenait une immobile statue qui n'osait plus ni respirer ni cligner des yeux chaque fois qu'un bourdon la frôlait de trop près. Pour lui prouver mon courage, j'en attrapai un en plein vol, puis le jetai rapidement vers le haut, loin dans le vent.

Cindy, prostrée, se décramponna, non sans hésitations. Elle enleva soudain le bouchon d'un sourire champagne, pétillant. Des ailes me poussaient. Je volais.

76

— Tu es courageux ! me louangea-t-elle, copieuse marque d'affection. Et, même mieux, elle ajouta : Tu es fou !

Je ripostai par des vantardises, mais Cindy eut du mal à gober que je vivais dans une maison remplie d'oiseaux tropicaux.

— Tu me racontes des histoires, Kyle. Tu n'as pas d'oiseaux.

— Oui, j'en ai. Demande à n'importe qui. Arrivés tout droit de la jungle.

— Qui *parlent ?*

Sa propre perruche refusait de dire un mot. C'est pour cela qu'elle croyait que toute l'affaire était pure invention, comme le père Noël.

— Bish me dicte mes compositions. Il ne me reste qu'à les recopier, dis-je, forcé d'exagérer en sa compagnie.

— O.K., gros malin. Si tu as tant d'oiseaux, montre-moi en un.

— Ils s'envoleront si je les amène à l'extérieur. Viens avec moi à la maison.

— Allons-y, dit Cindy qui n'accepta mon invitation que pour me poser un défi.

— Demain, esquivai-je

— Pourquoi pas tout de suite ?

Elle haussa son sourcil droit en signe de victoire, car elle croyait m'avoir coincé et me tenir maintenant à sa merci.

— Parce que. On est mardi. Ma mère est à la maison. Le mercredi, elle travaille. Ma mère n'aime pas beaucoup les enfants. Elle rouspète toujours après eux.

— Quel gros menteur tu es, Kyle. Tu me racontes des histoires. Tu sais que j'ai mon cours de ballet le mercredi et jeudi tu trouveras une autre excuse, dit Cindy qui prit ses livres et gravit son escalier, pensant m'avoir réduit en bouillie comme tous ses autres prétendants.

— O.K., viens maintenant, si tu veux.

Elle se retourna. Rétrécit son regard pour m'évaluer froidement.

— Et ta mère, menteur ?

— Eh bien ! Tu ne l'écoutes pas, peu importe ce qu'elle raconte.

Cindy, surprise que mon invitation ait survécu à son défi, réfléchit un moment.

— C'est exactement ce que je fais avec ma mère, conclut-elle. Mais si tu n'as pas d'oiseaux, je veux dire de vrais *gros* oiseaux, les perruches ne comptent pas, tu me donnes un dollar.

— Ne t'en fais pas. J'ai des masses d'oiseaux.

— Qui parlent.

— Ils ne se fermeront pas le bec.

— Sinon tu me dois un dollar, Kyle. Attends une minute, je rentre mes livres.

Elle réapparut dans la minute, tel que promis, le visage brillant de nouvelles restrictions.

— Mais comme tu le sais, je ne joue pas au docteur ni à l'hôpital ni à la bouteille.

Chez nous, la porte d'en avant était toujours verrouillée et je n'avais pas la clé. J'entrais d'habitude par la porte de la cuisine qui donnait sur la ruelle. J'avais espéré de promptes et enthousiastes salutations des oiseaux et, pendant quelques affreuses secondes, je craignis que tante Em les ait emportés pour divertir quelque congrès ou remonter le moral d'enfants entassés comme des sardines dans un hôpital. Cindy arborait un sourire triomphant et satisfait.

— Ferme la porte, Cindy, ou les oiseaux vont s'envoler.

— Tu exagères, Kyle Laîné.

Elle voulait me rabaisser, mais fit comme je demandais. La pin-up du quartier était dans ma maison ! La fille qui paradait si souvent dans mes rêves était debout dans ma cuisine. La tête m'enflait. J'espérais que la moitié de la ville m'avait vu l'attirer chez moi. Sinon, je m'en vanterais auprès de tous mes amis, et auprès de mes ennemis aussi.

Quand nous pénétrâmes dans ma chambre, je retrouvai ma confiance et repris l'avantage. De vigoureux battements d'ailes et des sifflements nous accueillirent. Les perruches volèrent en rond dans la pièce, les tourterelles se lancèrent dans un harmonique duo. Malcolm, avec son plumage jaune (ses plumes tertiaires étaient vertes), ses épaules rouges, fléchit sa somptueuse tête cobalt et sa gorge luminescente et s'éprit tout de suite de l'éblouissante jeune beauté. « Joli caca ! Joli caca ! »

— Jolie nana, le corrigeai-je. On ne t'a jamais appris à dire « Joli caca. » C'est une insulte, Malc.

Cindy restait debout, immobile et fascinée dans le torride tourbillon de couleurs, au milieu des gloussements, des roucoulements et des cris. « Je n'en crois pas mes yeux », carillonna-t-elle, émerveillée de joie, avant d'exécuter une gracieuse pirouette sur la pointe des orteils pour ce public conquis d'avance. « C'est fantastique ! Fantastique ! » chanta-t-elle, aussi totalement excitée que les oiseaux.

Elle dut se pencher pour laisser passer Bish qui planait dans la pièce. Malcolm, rejetant ses ailes vers l'arrière comme un antique prophète des cieux sur le point de livrer au monde un pronunciamento divin, poussa un cri strident, puis battit rapidement des ailes et, après un saut périlleux, atterrit sur l'épaule de Cindy. Elle retint son souffle et eut un mouvement de recul, mais Malc tint bon.

— Est-ce qu'il est propre au moins, le gros perroquet !

— Malc est un ara.

Neptune, dont la jalousie couvait depuis longtemps, attaqua sans avertir et, cherchant à atteindre le cou de son rival, parvint à le déloger de l'épaule de mon invitée inquiète qui protégeait son visage des frénétiques battements d'ailes et des becs déchaînés. Les deux oiseaux atterrirent sur des perchoirs séparés et continuèrent de s'engueuler et de vociférer.

— Qu'est-ce qui se passe là-dedans ? cria ma mère depuis la cuisine.

Elle venait d'arriver et je ne pense pas qu'elle savait que j'étais à la maison. Elle grondait plutôt les oiseaux.

— Souviens-toi de ce que j'ai dit, rappelai-je à Cindy.

J'installai Alphonse sur son perchoir mobile et le fit balancer. Habituée à être adorée par les parents des autres jeunes, Cindy ne prêta plus attention à moi. Elle tendit, comme si de rien n'était, le bras couvert de sa manche de chandail pour donner un lift à Malcolm et se déhancha vers la cuisine en proclamant d'une voix joyeuse : « Kyle me montre ses oiseaux, madame Laîné. »

M'man, apparemment, se retourna. Cafetière à la main. Cindy lâcha alors une suite rapide de perçants *staccato*. Un son tout à fait déboussolant, et Malcolm s'envola. Les hurlements de Cindy, qui auraient percé n'importe quel tympan ordinaire, devinrent plus forts, plus aigus, semant la panique parmi les oiseaux. Empêtré dans les battements d'ailes, il me fallut du temps pour arriver à la cuisine. Cindy tourna sur elle-même comme une toupie et se précipita vers la ruelle. La porte claqua. J'entendis ses cris se réverbérer plusieurs coins de rue plus loin comme une mugissante sirène d'alarme ameutant le voisinage.

L'expression de ma mère, ni particulièrement amusée ni choquée, était étrange. Impossible à déchiffrer. Comme transfigurée, elle avait le regard fixé sur la porte fermée.

4444 LE KINKAJOU

— M'man, bonté divine, faut-il vraiment que tu portes toujours Clyde autour du cou ?

À vrai dire, le boa était enroulé autour de tout son torse. Il lui encerclait la taille, les épaules, trois tours en dessous des seins, un petit tour autour de la gorge, avant de grimper plus haut par la nuque et de reposer sa tête dans le nid des cheveux de ma mère. Il lançait des regards furieux au-dessus d'elle, vicieuse sentinelle devant une grotte occulte, gueule ouverte, crocs prêts à mordre, avec ses yeux éteints de serpent diabolique aussi fascinants que des projectiles.

Ma petite maman bicéphale.

— Kyle, dis-moi, mon garçon, où donc as-tu trouvé cet ange ? demanda-t-elle, sortant de son extase, l'air à la dérive et sous le coup d'un sortilège.

Ses paroles me choquèrent parce que d'habitude mère trouvait toujours quelque chose à redire des amis que j'amenais à la maison.

Les manèges amoureux inventent leur propre logique, leurs règles et obligations. Imposent leur propre tribut. Mon éducation venait de commencer, et j'avais assimilé le tout premier commandement à garder à l'esprit dans la poursuite de mes flammes.

Règle # 1. Ne jamais, jamais, sous aucun prétexte, amener sa nouvelle conquête à la maison pour la présenter à sa mère.

Avec le temps, une seconde considération s'imposerait à moi.

Règle # 2. Garder ses serpents, réels ou imaginaires, enfermés à clef en lieu sûr.

MA MÈRE, HEUREUSEMENT, ne pouvait envahir de sa présence mon rendez-vous d'amour avec sœur Chantelle et je gardais les vipères de mon esprit résolument enfermées dans leur boîte. Mais le panier de pommes était déjà renversé et les fruits défendus répandus sur le sol. J'en étais là. Sur le point de chercher les faveurs d'une religieuse (une religieuse... étais-je sérieux ?) que mon père raréfié avait connue. Ce n'était pas tout. Le rendez-vous m'effrayait parce que, complètement seul dans un environnement qui m'était étranger, j'allais rencontrer une fille bizarre dans des circonstances inhabituelles et devoir agir sans les balises de quelque règle que ce soit.

Chantelle était en retard.

L'écurie était parfaite pour me débarrasser temporairement du squelette. Je jetai le sac dans une stalle vide et sombre et pelletai un peu de terre et de foin par-dessus. Il me serait facile de revenir le lendemain enterrer les os dans le fond du bois. Je me sentais tout à fait fier de moi.

Je restai à me morfondre dans l'écurie vide. Avec le soleil qui se couchait, le dernier brin de chaleur disparut. De caligineux et tourbillonnants coups de vent cherchaient un abri pour la nuit. La petite grange, humide encore de l'hiver, était un refuge précaire. Je battais la semelle, les pieds gelés, pendant que les antiques madriers poussaient d'amères plaintes, exagéraient chaque craquement, chaque gémissement.

Pourquoi Chantelle avait-elle voulu me rencontrer ici ? Pour tester ma connaissance du catéchisme ?

Un soleil vermeil sombrait derrière les montagnes. Le noir envahissait les lieux, élément malveillant, suscitant les murmurantes voix des vieilles poutres et poussant les créatures de la nuit à sortir de leurs repaires et à rôder. Je me dis que j'étais le dindon d'une autre farce, de la même farine que l'invasion de la salle de bains et le daïquiri goulûment avalé. Si je retournais tout de suite à l'auberge, j'y serais accueilli par les fourches caudines de deux rangées de bonnes sœurs mortes de rire, qui me tourmenteraient, me pinceraient sans doute les fesses, vêtues de leurs costumes de pingouin, et se moqueraient de mon incommensurable crédulité.

Je continuai d'attendre. La sainte nuit respirait à travers les pores de ma peau. La clarté de la lune était accroupie sur la glace mince de l'étang et mettait en relief le sombre suaire des montagnes. Oh ! Oh ! Les sœurs feraient les frais du canular. Des heures passeraient. La nuit passerait. Des jours passeraient. Elles se sentiraient tôt ou tard obligées d'envoyer une équipe à ma recherche et si, dans l'entretemps, je n'étais pas mort gelé, ce serait mon rire émacié qui serait le plus sonore, et mes ricanements les plus insensibles à leurs remords.

Et pourtant, quand je la vis arriver de ses pas pressés qui créaient l'illusion qu'elle glissait, skiait sur un rayon de lune, je sus que je n'avais pas eu d'autre choix que de venir ici. Observés dans l'encadrement d'une des fenêtres de l'écurie, son approche et son imminente présence me touchèrent au plus profond, grattements de guitare et battements de cœur, sueurs froides. Sa délicatesse et son air d'oiseau effarouché, sa vulnérabilité de petit Chaperon rouge qui gambadait dans le bois pour entrer dans la tanière de mon cœur de Grand Méchant Loup, firent tressaillir mon âme assoupie. Elle me réveilla. Je n'étais pas habitué. Je n'étais pas habitué à la joie. Ma passion était monolithique, l'amour m'agitait l'esprit tout entier.

Chantelle poussa la porte grinçante et délabrée de la grange et s'y glissa dans un tourbillon de lumière et de poudre de neige. Les charnières grincèrent. Elle appuya son épaule contre le battant pour le refermer. Puis, à ma grande surprise, elle engagea la pêne du verrou vertical dans la gâche du plancher et nous enferma, avant de se diriger vers la seconde porte de l'autre côté du petit bâtiment.

— Salut de nouveau, dit-elle, même si je n'étais plus pour elle qu'une ombre, une silhouette à peine perceptible.

Elle laissa tomber un madrier dans ses étriers de fer et barricada la deuxième entrée aussi. Ce verrouillage et l'obscurité gardaient le monde extérieur à distance. Nous étions confinés à notre propre dimension. J'attendis en silence.

— Je vous dois une explication, dit Chantelle que j'entendis marcher vers moi dans le noir. Je n'invite pas tous les hommes que je rencontre à venir faire un brin de causette dans cette écurie.

Avant de les enfermer, fus-je tenter d'ajouter.

— J'avais juste très fort envie de vous parler, dit-elle, émergeant dans la lumière que reflétait la neige et qui brillait par les fenêtres maculées de crasse.

Chantelle ouvrit la barrière d'une stalle, puis se cala les orteils entre les planches, agrippa la barre de traverse supérieure et se laissa retomber, en se balançant lentement.

— Je voulais vous expliquer concernant les autres. Vous présenter mes excuses pour elles, j'imagine. Je pense que c'est important. Vous voyez... Nous sommes sérieuses dans ce que nous faisons. C'est juste que Pâques est parfois une période de tension. Il nous arrive de lâcher la vapeur. De nous laisser aller. C'est ce qui est magnifique à l'*Auberge du péage*. Nous sommes capables d'y être nous-mêmes. Le problème, ajouta-t-elle avec un léger rire, après un moment de réflexion, c'est qu'être nous-mêmes n'est pas nécessairement tellement bon.

Chantelle avait changé de vêtements pour cette escapade. Elle était habillée sport. Un parka rouge, des jeans et de grandes bottes de cuir. J'essayai de concilier sa tenue avec le costume ecclésiastique traditionnel des sœurs. Au moins son parka avait un capuchon. Elle grimpa plus haut sur la barrière, passa une jambe de l'autre côté et la chevaucha, assise à califourchon.

— Je voulais vous parler parce que je suis... J'étais... une amie intime de votre père... Nous l'aimions toutes beaucoup, bien sûr... mais je pense qu'il est juste de dire que nous étions, Gaby et moi, plus que les autres ses intimes. Vous avez d'abord été témoin de notre côté frivole, Kyle. J'en suis chagrinée parce que ce n'est ni juste ni approprié.

Je l'imaginais sans difficulté avec un fouet, les rênes à la main, les pieds dans les étriers, occupée à entraîner son cheval aux complexités du dressage.

— Malgré les entourloupes, malgré *toutes* les apparences, nous sommes très sérieuses dans le fond, dit-elle avec un rire joyeux en promenant son pouce sur l'extérieur de sa cuisse gauche à partir de sa rotule. Étant donné les circonstances... Je veux dire la mort de votre père... J'ai trouvé que les autres se comportaient abominablement mal. Le pensez-vous ? Je n'ai aucune influence sur elles, j'en ai peur. Tout ce que je peux faire, c'est râler.

Chantelle leva une jambe et se laissa glisser le long d'un des côtés de la barrière. Puis elle vint vers moi et passa un bras autour de ma taille.

— Je vous ai donné rendez-vous ici parce que j'avais besoin de vous parler, répéta-t-elle. N'importe où ailleurs, les filles auraient joué des tours.

— Et moi, je suis venu vous rencontrer ici parce que vous m'avez bouleversé, répondis-je en guise de gentilles représailles et parce que je voulais découvrir nos limites. D'abord quand je vous ai vue depuis la fenêtre de ma chambre. Ensuite par la porte ouverte de la salle de bains. Et puis près du foyer. J'ai ressenti une irrésistible attirance. De la chimie.

— Vous avez eu une longue journée, me dit-elle comme pour me mettre en garde. Une journée mouvementée. Vous m'avez confié que vous n'aviez pas encore déballé vos affaires... Hmm, peut-être la phrase a-t-elle un sens plus profond ?

— J'ai les idées claires, l'assurai-je.

Elle eut un mouvement hésitant, comme pour s'éloigner de moi. Je l'attirai par les épaules. Elle se lova doucement contre mon corps. Nous semblions parfaitement nous ajuster. Nous nous regardâmes. Sa profonde tristesse lui faisait monter des larmes aux yeux. Et c'est alors, partageant notre pesante tendresse, que nous nous embrassâmes. Brièvement. Bouleversés, nous nous écartâmes, séparés de manière aussi radicale que les deux moitiés d'une bûche fendue par une hache. Et je me sentis réduit en morceaux de petit bois plus menus encore quand Chantelle me tourna le dos et s'en alla.

— Je suis navrée, dit-elle dans un murmure de désaveu.

— Ne vous excusez pas.

— Un de nous deux le devrait.

— Pourquoi ?

Avant d'oser se tourner de nouveau vers moi, elle sécha ses yeux sur sa manche.

— Ce n'est pas ce que j'avais en tête, insista-t-elle. Je voulais vous faire bonne impression, démontrer que nous ne sommes pas une bande de gourdes.

— Je ne pense rien de ce genre-là. De toute façon, cela n'a pas d'importance.

— Oui, ça a de l'importance ! s'exclama Chantelle comme si elle n'en voulait pas démordre. Nous sommes partis du mauvais pied, Kyle. Vous n'êtes pas préparé à ce qui vient. Personne n'y a réfléchi comme il faut. Gaby dit que ce n'est pas nécessaire, mais je ne suis pas d'accord. Je ne suis pas d'accord. Nous pourrions vous flanquer la peur de votre vie avant la fin du congé.

— Cela ne peut pas être si terrible, dis-je naïvement en m'approchant lentement d'elle d'un pas furtif comme un chasseur sur la trace d'un gibier.

— Vous voulez parier ? Les filles qui vous jouent des tours et nous deux, ici, qui nous volons un baiser... Zut ! C'est quoi l'idée ?... Tu parles d'une initiation ! Votre père nous connaissait. Il nous aimait aussi. Seigneur, vous lui ressemblez tellement. Il nous grondait chaque fois qu'il pensait que nous dépassions les bornes. Nous mettait le feu aux fesses quand nous ne nous appliquions pas assez. S'il pensait que nous étions trop sérieuses, il nous lâchait la bride. Il nous comprenait. Du moins dans une certaine mesure. Vous n'avez pas la moindre idée de ce dont je parle, n'est-ce pas ? demanda-t-elle en s'arrêtant pour reprendre son souffle, les yeux rivés sur les miens.

Elle était de nouveau à portée de baiser. J'hésitai, presque sûr qu'elle repousserait mes avances et insisterait pour m'expliquer les règles du jeu d'abord.

— Éclairez-moi.

— Ce n'est pas si simple.

— Dites-moi juste ce dont il s'agit.

— C'est ce que je veux dire. Je ne peux pas. Non pas que je ne *veuille* pas. Simplement je ne *peux* pas. Nous ne sommes pas un groupe facile à étiqueter. Nous sommes toutes différentes. Il est impossible de nous résumer en quelques mots.

— Très bien. Essayons une autre approche. Donnez-moi un exemple, Chantelle. Ou un indice, au moins, demandai-je intrigué, les cellules grises en pleine effervescence.

— D'accord. Je vais vous donner un exemple. Un tout petit aperçu de ce qui nous occupe. Juste une vague idée.

Chantelle posa ses bras croisés sur le rebord d'une stalle plus basse, destinée sans doute à des animaux plus petits, des porcs ou des chèvres, et appuya son menton sur le coussin de ses poignets.

— Laissez-moi y penser, dit-elle.

J'étudiai les courbes de son corps. Pas un examen sensuel, parce que l'émerveillement et l'étrangeté des quelques dernières minutes m'avaient complètement subjugué. Je n'aurais osé l'imaginer : nous nous étions embrassés ! Tout de suite, comme si nous étions des amis de longue date. Trop tôt pour juger de la réaction de Chantelle. Pour elle, les choses devaient être révélées, expliquées, explorées. Si nous devions tomber amoureux l'un de l'autre, il fallait que ce soit pour une raison valable et que nos laissez-passer pour les territoires du rêve soient dûment estampillés.

Son menton était un peu pointu, son nez juste un peu trop long (je pouvais bien parler !). Sa bouche, quand un sourire ne l'illuminait pas, faisait la moue. La fixité de son regard me frappa. Des yeux d'extra-lucide fanatique et trop sérieux. Peut-être avais-je mal interprété la signification de ses traits. Sa peau, un moment donné si désirable, mince et précieuse membrane qui protégeait à peine ses os et le flot de son sang, m'avait semblé refléter sa fragilité. Revois ton jugement. Je sentais maintenant que sa qualité la plus évidente était la fermeté, un courage auquel elle s'était exercée, une force d'âme sur laquelle elle avait été obligée de compter. J'avais choisi aussi de lui trouver un air vulnérable, de me dire qu'elle était démunie devant l'hypocrisie mais, à y réfléchir dans cette écurie, je notai les petites pattes d'oie de part et d'autre de ses yeux et la ride solitaire qui lui traversait le front. Je mis les choses en contraste. Et pensai qu'on l'avait essorée de son innocence, que c'était l'expérience de la vie qui avait enveloppé sa personnalité profonde de cette prégnante aura de tristesse et que sa sérénité avait été gagnée de haute lutte. Chantelle n'était pas facile à jauger et je ne me fiais pas non plus à mes talents de psychologue. J'étais incapable de préciser si je lisais en elle comme dans un livre ouvert ou si je la revêtais d'un commode déguisement pour donner libre cours à mes mythologies. J'étais inexpérimenté dans l'art du portrait. Ma main manquait de fermeté et elle était un modèle difficile. En plus, l'éclairage n'était pas fameux. Je résolus de différer mon jugement.

Une brillante idée sembla illuminer ses yeux, avant qu'elle ne me pose sa question saugrenue.

— Nous avez-vous comptées ?

— Si je vous ai comptées ? Non. Pourquoi ? Il en manque une ?

— Il faut toujours compter, me dit-elle d'un ton d'institutrice. Nous sommes vingt-huit en tout.

Elle s'accroupit, entourant ses genoux d'une main tandis que l'autre, dans la tache d'un rayon de lune sur le sol de l'étable, dégageait la paille et aplanissait la terre battue. Je me penchai en face d'elle.

— Les seuls multiplicande et multiplicateur à un chiffre qui donnent vingt-huit sont quatre et sept, exact ?

— Est-ce un cours de calcul ? Suis-je de retour sur les bancs de l'école ?

— Fermez-la et écoutez. Il se pourrait que vous appreniez quelque chose, dit-elle avec un adorable reniflement qui me chavira le cœur. Quatre fois sept font vingt-huit.

— Pigé.

— Additionnez le deux et le huit du chiffre vingt-huit.

— Dix.

— Additionnez le un et le zéro du dix.

— Ça, j'en suis capable, je pense. La réponse est un.

— L'unité. Le tout. Le Dieu unique. L'*Uni*-vers créé.

— O.K., concédai-je.

Étant donné que l'équation était précieuse pour elle, j'étais disposé à faire semblant de lui reconnaître une certaine validité. Tout autre interlocuteur qui m'aurait exprimé de telles inepties n'aurait suscité que mon mépris.

— Commençons par le quatre.

— Pourquoi quatre. Nous ne sommes que deux.

— Le quatre de quatre fois sept égalent vingt-huit. Suivez-moi bien. Une pyramide a quatre côtés, si l'on exclut sa base.

— Pas besoin de continuer. Je ne suis pas stupide. J'ai vu des photos. Les pyramides sont des triangles.

— Chacun de ses flancs est un triangle. Sa base est un carré d'où s'élèvent quatre côtés qui forment des triangles égaux. Quatre, pas trois.

— Je vous crois sur parole.

Une tache de rousseur cuivre, piécette porte-bonheur d'à peu près la moitié de la taille d'un sou, luisait quelques centimètres en-dessous du lobe de son oreille gauche, revendiquée par la barre oblique d'un rayon de lune.

— Quatre représente le carré. Le carré symbolise la perfection, parce que chacun de ses côtés et chacun de ses angles sont égaux.

— Nous avons trouvé l'unité et la perfection. Nous sommes tombés sur un filon. Et ensuite ?

— L'objectif de la pyramide est de « *peer amid* », comme l'exprime si justement la langue anglaise. Scruter l'intérieur. Regarder le dedans, dit Chantelle en dessinant un triangle sur le sol avec son majeur. Sept, ajouta-t-elle d'une voix sérieuse. Les sept pivots de l'être. Les sept marches du ciel. Les sept paradis.

— Cela semble idyllique, dis-je en me retenant de demander ce que signifiait tout ce charabia.

Chantelle fit un petit trou au sommet de la pyramide qu'elle avait dessinée vue de côté.

— Un, dit-elle.

Elle ajouta deux autres trous un peu en dessous, sur chacun des côtés du triangle. « Deux. » Elle répéta le manège plus bas, sur une ligne imaginaire à égale distance des deux autres, vers elle et du côté opposé à mes pieds. Elle travaillait, consciencieuse et efficace comme une excavatrice, pinçait la terre entre ses doigts et jetait les pincées derrière elle. Elle dessina un troisième point sur cette troisième ligne, sous le sommet.

— Trois, dis-je tout haut, élève brillant qui voulait devenir le chouchou de l'institutrice.

Chantelle continua d'ajouter des points équidistants sur chaque autre ligne subséquente jusqu'à ce que le triangle soit entièrement rempli.

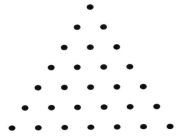

— Sept rangées, élabora-t-elle. Chaque rangée à un point de plus que la rangée supérieure ; la cinquième rangée, par exemple, a cinq points. Combien de points y a-t-il en tout, Kyle ?

Chantelle repoussa ma main et coupa court à mon mouvement de compter les points un à un.

— Faites l'addition dans votre tête. Un plus deux plus trois plus quatre plus cinq plus six plus sept égalent ?...

— Vingt-huit ? répondis-je d'un ton interrogateur.

— Précisément. En d'autres termes...

— Votre groupe est un des côtés de la pyramide.

— Façon de parler, oui. Une pyramide qui signifie l'unité, la perfection et la voie vers Dieu. Et cela révèle aussi que nous participons du flux cosmique des circonstances et des événements. Toutes les choses sont interdépendantes. Saviez-vous, pour ne vous donner qu'un exemple, que les côtés d'une pyramide forment un angle de cinquante-et-un degrés et demi ?

— Non, cela ne m'avait jamais frappé.

— Et que Stonehenge est situé à environ cinquante-et-un degrés et demi de latitude nord ? Ces choses ne sont pas des accidents. Ce sont des *faits*. C'est à ce royaume des faits que nous appartenons.

Nous nous relevâmes. Mon dos et mes articulations éclairées par la lune étaient raides de froid et je ne me sentais pas transformé par les équations de Chantelle.

— Je vois. Vous êtes donc des *religieuses*, supputai-je.

— Amusant, n'est-ce pas, comme vous n'avez soudain plus envie de m'embrasser.

La petite dame me prenait en flagrant délit. Mon désir s'était évanoui. En me sommant d'assister à sa conférence, en m'embrassant et en lisant maintenant dans ma tête, elle faisait preuve d'une inquiétante connaissance de mes pensées et de mon humeur avant même que je n'en sois moi-même pleinement conscient. Considérablement embarrassé, je déglutis, coup de glotte sonore dans le silence de l'écurie.

— Je présume que vous travaillez beaucoup sur les chiffres, dis-je, espérant ramener la conversation à un sujet moins compromettant.

— Pas mal. La numérologie est une de mes passions. Les autres ne sont pas tellement intéressées. À quoi pensez-vous ? me demanda Chantelle, comme si elle me tirait dessus à bout portant.

Son regard direct et déterminé ne donnait pas envie de répondre par un faux-fuyant. Réponds honnêtement.

— Je me demandais si ce que disaient vos amies est vrai.

— À quel propos ? demanda-t-elle en plissant le front d'un air perplexe.

— Quand elles parlaient de vœux de chasteté.

Elle pencha la tête de côté pour m'étudier. La gêne me colorait les joues. Persuadée maintenant qu'elle était cinglée, mon intérêt charnel s'était ravivé. Je détournai les yeux. Son regard était de plus en plus intense. Incapable de le supporter plus longtemps, je me lamentai : « Qu'y a-t-il ? »

— Vous êtes un drôle d'oiseau.

— Merci infiniment, dis-je.

— Quand vous serez vieux et que vous aurez des cheveux blancs vous ressemblerez au sage harfang des neiges. Pour le moment, vous êtes plus proche du miteux hibou des granges.

— Je suis capable de hululer aussi.

— Chiche ! Hululez donc !

Le cri du hibou n'a jamais été ma spécialité. Mes efforts firent rire Chantelle aux larmes.

— Vous êtes bizarre.

— Vous n'avez pas répondu à ma question, dis-je, en insistant pour lui arracher son secret.

— Vous ne me l'avez pas posée directement. Et même si vous le demandiez, je ne le dirais pas, dit-elle d'un ton flirteur qui m'alerta. Il faut que je rentre, Kyle. Avant que les autres ne partent à ma recherche.

— Un autre baiser ? osai-je demander, avant qu'elle ne me repousse, l'air espiègle.

— Vous êtes incorrigible ! dit-elle d'une voix réellement désapprobatrice. J'espérais vous avoir donné à réfléchir à autre chose.

— Un tout petit baiser. Le premier était tout à fait charmant.

— Oui. Il était charmant, m'accorda-t-elle, ce qui m'excita et m'ébahit tout à la fois.

Nous fîmes un nouvel essai. Nos bouches hésitaient, testaient les pouvoirs de l'autre. Petites gorgées rapides. Elle pressa soudain ses lèvres très fort contre les miennes, avant de rompre l'étreinte, affolée. Je m'attendais à ce qu'elle s'excuse un peu plus. À la porte, dégageant la pêne du verrou, Chantelle se retourna vers moi et, le souffle coupé par l'émotion, parla d'une voix moins calme, moins convaincue que tout à l'heure quand elle réduisait le monde à ses élucubrations chiffrées.

— Je vous verrai au souper, Kyle. Vous ne pourrez pas me reprocher de ne pas avoir essayé de vous prévenir à notre sujet. Vous nous ferez la lecture, n'est-ce pas ?

— Lecture ? Quelle lecture ? Revenez ! Chantelle !

Elle revint et, dans le noir, nous nous rencontrâmes et nous embrassâmes de nouveau. Nos corps écrasés par le contact. Nous nous cherchions à tâtons l'un l'autre et nous laissions prendre l'un et l'autre au piège d'une passion mise en veilleuse en moi trop longtemps et, j'en étais certain, déconcertante pour elle. Elle voulait et ne voulait pas tout ceci. Au même degré. Chantelle virevolta pour partir encore une fois, mais recula derrière un des poteaux d'attache des chevaux et, une main sur le visage, éclata en sanglots étouffés.

— Chantelle ?

— Mon Dieu, ça recommence, se lamenta-t-elle.

— Qu'est-ce qu'il y a ?

— Rien. Je saigne du nez.

Elle fouilla désespérément dans ses poches. Un Kleenex brilla, drapeau blanc de reddition dans la clarté de la lune. Elle tint le mouchoir de papier sur le bas de son visage comme un masque chirurgical.

— Ça va ?

— Oui, oui. Ce n'est rien, dit-elle sans donner de détails.

— Cela vous arrive souvent ?

— De temps à autre. Cela dépend de la saison. L'air raréfié des montagnes. Les jours de pleine lune aussi. Je vous en prie, Kyle, n'éprouvez pas de dégoût pour moi.

— Ne soyez pas stupide !

Je lui passai un bras autour des épaules jusqu'à ce que le saignement s'arrête. Elle jeta les mouchoirs souillés dans un seau.

— Je nettoierai une autre fois, dit-elle avec un pâle et vaillant sourire.

— Oubliez ça.

— Je ne savais pas qu'embrasser était aussi dangereux, fit-elle remarquer en éclatant de rire.

— Vous êtes certaine que ça va.

— Certaine. Quoi qu'il en soit, pour répondre à votre question, un des contes de votre père, voilà ce que vous devriez lire. Ce serait formidable ! De préférence *Un Kinkajou à Hacken-sack*, c'est notre préféré. Cette histoire nous plonge toujours

95

dans une douce nostalgie. Allez-vous nous la lire, Kyle ? ... Pour moi ?

J'avais mes réticences, mais son insistance en vint à bout.

— Ce n'est pas juste.

— Alors vous la lirez ? Super ! Je le dirai aux autres. En fait, ce sera mon excuse pour vous avoir parlé, au cas où quelqu'un nous aurait repérés. Si on vous pose la question, dites que nous nous sommes rencontrés par hasard, dit-elle, presque à la porte.

— Et mon autre question ? demandai-je, posté juste derrière elle.

— Je ne vous le dis pas, claironna-t-elle. Kyle, attendez ici une minute. Donnez-moi une longueur d'avance. Il ne faut pas qu'elles nous *voient* ensemble. Je ne parviendrai jamais à le leur faire oublier. Je me ferais taquiner à mort ! Et, en plus, je n'aurais plus aucun espoir de motiver les filles si elles savaient que j'étais venue ici vous bécoter. Restez un bout de temps, s'il vous plaît, Kyle, puis prenez le chemin par où vous êtes venu. Je couperai par le bois. À bientôt !

Petite lueur dans la forêt, fantôme de fil de la vierge à la dérive sur mon cœur. Seigneur, je suis de nouveau amoureux. Plutôt bon après quinze ans de mort au monde. Hé ! Même bon en sapristi !

JE ME CONFORMAI À SES INSTRUCTIONS et attendis dans la grange pendant un bout de temps, avec mon cœur qui pompait l'adrénaline de la passion. Quelle journée ! Une maison, une auberge, et maintenant la perspective de l'amour ! Ma vie changeait vraiment, la chance avait décidé de me sourire.

J'aurais dû me rendre à l'évidence que c'était beaucoup trop beau.

Quelqu'un m'empoigna par derrière. Des mains puissantes. On me ferma la bouche de force et un étau m'écrasa la poitrine. Mon souffle quitta mes poumons, la peur me paralysa les jambes et je m'effondrai sous le poids de mon assaillant. Je n'avais qu'une idée en tête : le squelette est revenu à la vie ! Le squelette !

J'étais à genoux. La main lâcha prise et j'avalai d'énormes quantités d'air. Je sentis soudain un os gros comme un avant-bras s'enfoncer entre mes dents comme un mors dans la gueule d'un cheval. J'avais le cou violemment tiré vers l'arrière. Et une voix, basse, gutturale, presque indéchiffrable, me marmonna dans l'oreille : « Cours ». Puis répéta l'ordre, comme en cadence. « Cours. » La douleur dans ma bouche m'arracha un cri. « Cours. »

Dès l'instant où mon assaillant me lâcha, je recrachai l'os et j'avais déjà le pied calé dans le bloc de départ, prêt à prendre la fuite. Le fantôme m'empoigna de nouveau aussi vite que la première fois. Je vis une main ramasser l'os de l'avant-bras. Au moins ce n'était pas une main de squelette. « Ouvre ta gueule », m'ordonna quelqu'un dans un murmure. J'ouvris tout grand la bouche et gémit de vagues supplications. Mon assaillant glissa l'os de côté dans ma bouche et en saisit les deux extrémités pour me tirer la tête vers l'arrière.

— Mords.

Je mordis.

— Cours.

Cette fois, je ne recrachai pas l'os quand il me relâcha. Je pris mes jambes à mon cou et courus comme un fou. Traversai à la course le bois, le barrage, remontai le sentier et la route de l'auberge. J'étais presque arrivé au terrain de stationnement avant d'oser enlever de ma bouche l'objet offensant, que je tins comme un bâton de course à relais pendant que je remontais la colline au pas de charge.

Arrivé à ma voiture complètement épuisé, je m'assis sur le pare-choc arrière et essayai de reprendre mon souffle, pour ne pas dire mes esprits et ma dignité. Je me sentais glacé de terreur jusqu'au fond de l'âme. Quand mon pouls se calma et que je retrouvai ma respiration, je m'efforçai de penser. Devais-je rapporter à la police la présence du rôdeur fou dans l'écurie ? Comment expliquer que j'y étais ? Et, pire, comment expliquer le sac d'ossements qui serait certainement découvert si les autorités étaient appelées à intervenir ? Si je prétendais qu'il appartenait au forcené, qu'il soit toujours sur place ou qu'il ait pris la fuite, comment réagir quand les policiers découvriraient mes empreintes digitales partout sur les os ?

De toute évidence, la question était délicate. Peut-être y avait-il une explication logique ? L'auberge n'était peut-être pas mon seul héritage. Un legs d'énergumènes y était peut-être inclus.

Perplexe, je levai la portière arrière de ma nouvelle Cherokee Chief et trouvai un beau petit compartiment dans lequel l'os se logeait aussi confortablement qu'un cadavre dans un cercueil. Les jambes un peu molles, je regagnai d'un pas mal assuré le sanctuaire de l'*Auberge du péage*.

7

POUR SOUPER, JE CHANTAI CE SOIR-LÀ.
À mon retour à l'auberge, je découvris la salle à manger plongée dans l'enchantement et le chaud sortilège de petites flammes de bougie, infiniment répétées sur les facettes du cristal et sur l'argenterie, et qui transformaient l'espace en nuit étoilée, galaxie tzigane détachée du firmament.

Sur l'impeccable lin blanc, les surtouts de table étaient somptueux et l'agencement des chaises parfaitement symétrique. Le feu qui dansait dans le massif foyer jetait un carnaval d'ombres sur les carreaux givrés des fenêtres et invitait les monstres de la forêt à venir se divertir. J'étais habitué à vivre dans un joyeux désordre, un désordre où l'obstacle majeur pour laver ses vêtements était de les trouver d'abord et où les piles d'assiettes sales se dressaient comme d'imprenables forteresses pour défendre l'évier. Pourtant, dans la parfaite illumination du royaume de la salle à manger, un léger désordre m'ennuyait. Les menus avaient été négligemment entassés sur le haut d'un radiateur. Poussé par mes toutes neuves responsabilités, je ramassai l'insultante pagaïe et fonçai vers la cuisine.

Oups. Ce n'était vraiment pas le moment. J'avais oublié la clause du contrat d'Hazel qui stipulait de ne pas me mêler de ses affaires. Il y avait, sur le haut des comptoirs, un impressionnant assortiment de couteaux étincelants et des monceaux de légumes coupés en dés et, dans les éviers, un fouillis de casseroles à fond de cuivre. Entrer dans la cuisine à ce moment-ci frôlait le sacrilège.

Heureusement, les onze mains d'Hazel étaient occupées. (Vous pouvez en retrancher ou en ajouter quelques-unes, elles étaient impossibles à compter dans leur confuse agitation.) Elle aurait puni le coupable d'intrusion en lui hachant menu le bout des doigts ou en lui lissant les oreilles à plat sur les tempes sous son rouleau à pâte de marbre. Intimidé par son regard assassin, je fourrai les menus sur une étagère derrière moi et battis en retraite dans un renfoncement du mur.

— Continuez, les filles... On ne danse pas le slow, s'écria Hazel. Ce n'est pas parce qu'un homme se pointe. Vous avez déjà vu des spécimens de cette race-là. Pas besoin d'arrêter et de rester bouche bée. Cassie ! Penses-tu que tu mélanges du ciment ? Touille, ma vieille !

J'étais, je le savais, la cible véritable de ses coups de gueule, le cornichon qui dérangeait leur train-train. Pas totalement intimidé, je me sentais secrètement exalté, fasciné d'être capable de payer leurs cinq salaires.

— Qu'est-ce qui mijote ? demandai-je à Hazel, abrité derrière l'épaulement du congélateur qui marquait la zone démilitarisée qui nous séparait.

Elle avança sa lèvre inférieure et souffla une intraitable bouffée d'air vers le haut pour rafraîchir son front en sueur. Des mèches de cheveux voltigèrent.

— Du poulet, siffla-t-elle. Quelque chose de mal à ça ?

Hazel, le centre de ses épaules protubérant comme une bosse, fit son gros dos de chatte en colère. Reine de sa cuisine, elle ne tolérait pas que son autorité soit contestée par la présence d'un matou errant.

— Cassie ! Je t'ai dit de touiller !

Une fille boulotte et trapue fit un bond à l'intérieur de sa peau.

— Je touille, se lamenta sans grande conviction l'aide-cuisinière.

J'étais porté à être d'accord avec elle, même si ses efforts manquaient manifestement d'enthousiasme.

— *Touille !*

L'ordre d'Hazel impliquait la menace qu'il n'était jamais trop tard pour ajouter de l'aide-cuisinière au bouillon de poulet.

— Y a-t-il quelque chose que je puisse faire pour vous... monsieur Laîné... *patron?*

Le sarcasme embua l'atmosphère comme la vapeur qui sortait des casseroles bouillantes.

— À vrai dire oui, Hazel. *Un Kinkajou à Hackensack,* dis-je. Où en trouverais-je un exemplaire ?

— *Kinkajou ?* demanda-t-elle, désarmée, le regard fixe, l'air hurluberlu, hagard, comme si elle hallucinait et que j'étais un vampire.

Le conseil que m'avait donné Franklin D. de feindre tout savoir marchait. Elle était déconcertée.

— Exact. Vous avez mentionné que les sœurs s'attendaient à ce que je leur fasse la lecture ce soir, pas vrai ? Elles aimeraient sans doute le *Kinkajou.* Vous ne pensez pas ?

Hazel opéra un lent et malaisé rétablissement, puis elle prit de l'assurance et de la vitesse. En quelques secondes, elle nettoya d'un air affairé, compulsif, un bloc de boucher, hachant presque les mains de sa plus vieille assistante qui proposait servilement de l'aider. Elle s'éclaircit la voix pour tester sa maîtrise de soi.

— Comme je vous l'ai dit, nous avons rangé ses affaires, monsieur Laîné. Je suis navrée, mais je serais vraiment incapable de remettre la main sur le *Kinkajou* ce soir.

— Je vois. Il y a autre chose où j'aurais besoin de vos lumières. Comment l'exprimer ? Ah, y aurait-il des fous qui vivent dans la région ?

— Des fous ? demanda-t-elle en agitant son rouleau à tarte dans les airs comme un sabre.

— Des gens un peu dérangés.

— La moitié de la population. Pourquoi ?

— Je parle sérieusement. Quelqu'un a-t-il récemment importuné les clients ?

— Quelle question ! Non, bien sûr.

— Hmm. Écoutez... Ne vous en faites pas pour le *Kinkajou* ! J'ai une meilleure idée !

Inspiré, je bondis et gravis sur-le-champ les marches quatre à quatre pour aller accorder mon tympanon. Si ces dames insistaient pour que je les divertisse, j'étais assurément capable de faire mieux que leur lire une histoire comme à des enfants avant le coucher.

Personne ne s'était préoccupé de me fouiller à mon arrivée. Les trucs que j'avais dans mon sac étaient intacts.

NI LE PERSISTANT ÉMOI DE L'INTERMÈDE avec Chantelle ni ma terreur après l'agression ni même ma concentration à accorder mon tympanon ne parvinrent à refréner mon irrépressible et croissante envie de dormir. Je me sentais somnolent et le lit était à portée pour m'offrir son réconfort. Une petite sieste me ferait sans doute le plus grand bien. Je me hâtai de finir d'accorder le tympanon, me dégourdis les doigts à pratiquer quelques mesures, puis déposai délicatement l'instrument dans son étui tapissé de velours et ma tête douillettement sur l'oreiller.

Quelque chose me réveilla prématurément – un grave problème à l'auberge.

Des murmures, qui n'avaient rien d'humain, m'affolèrent. Une psalmodie. Des voix de fantômes couvant sous mes rêves. Je me relevai en sursaut. *Qu'est-ce que c'était ?* Le plain-chant coulait dans les poutres des plafonds pendant qu'un bourdon plus grave, comme un chant funèbre, grondait le long des lames des parquets comme une vague léchant les rochers avec, de temps à autre, des trilles hauts et ténus ricochant sur les murs, aussi mélancoliques que des cris d'oiseaux de mer.

Le volume du bruit baissa soudain, comme si quelqu'un venait de refermer une porte ouverte sur la musique.

Étrange.

Débusqué de mon sommeil par le chœur gothique, je pris, même si je n'étais pas d'un courage à toute épreuve, le risque d'oser un coup d'œil à l'extérieur de la chambre. Aussitôt, la cage d'escalier fut plongée dans le noir. Des bruits de pas ! *Vite !* Je tressaillis et reculai à l'intérieur. J'attendis, penché, une oreille collée contre le bois. Bruits familiers : les vibrations moléculaires du pin, les constructions et destructions des termites, le tonnerre lointain du chauffage central. Des pieds détalaient devant ma chambre. J'entrouvris la porte de quelques centimètres et aperçus une silhouette de femme vêtue d'une bure noire et d'un capuchon, qui fermait d'une chiquenaude l'interrupteur d'un des plafonniers du corridor, puis trottinait sur ses orteils pour en éteindre un autre.

Toute l'auberge était à présent plongée dans l'obscurité.

J'attendis, solitaire et frissonnant d'appréhension.

Le niveau sonore de la mélopée enfla de nouveau. J'en déduisis que l'éteigneuse de lampes venait d'ouvrir la porte de la pièce où les femmes étaient réunies. Je me repliai dans ma chambre et montai le guet à genoux, un œil rivé sur le trou de serrure.

Attends !

Regarde.

De la lumière !

Les boiseries baignaient dans l'or d'une orange et fluctuante clarté. Par le trou de la serrure (je me rendis compte, abasourdi, qu'elle était découpée en forme de nonne), je vis les femmes s'approcher lentement. Elles se balançaient en cadence à chacun de leurs pas feutrés. Les capuces de leurs habits monastiques dissimulaient leurs visages. Elles avaient toutes les mains jointes en prière et serrées sur de minces chandelles blanches. Une multitude de flammes vacillaient.

La procession tourna le coin et arriva dans mon champ de vision. À chaque pas, un plus grand nombre de visages noirs m'apparaissaient et le niveau sonore du chant augmentait. Les carreaux des vitres tintaient légèrement dans mon dos et une stridente sonnerie m'assaillit les oreilles. Le chœur des religieuses était impressionnant. Leurs voix couvraient tous les registres et avaient l'air de n'en être qu'une seule. La sonorité du chant était plus pleine et plus harmonieuse à mesure qu'elles se rapprochaient. La conviction et la discipline aiguë des sopranes étaient merveilleuses. Quelle musique ! Quelle présence ! L'*Auberge du péage* vibrait et j'avais des frissons dans le dos.

Ma porte me parut un fragile rempart contre l'escalade des voix. Je pris en pitié les habitants de Jéricho, le jour fatidique. L'incompréhensible texte latin, présumai-je, devait m'accuser ou me condamner.

Des hanches se balançaient. Des pompons dansaient la rumba sur des cuisses de femme. Après s'être dirigées droit sur moi, les sœurs dévièrent au dernier moment et descendirent les escaliers. Après que la dernière ait tourné les talons, j'actionnai le loquet et jetai un coup d'œil. L'obscurité les avait toutes avalées. La procession avait disparu et, en une fraction de seconde, l'ample chant décrût, puis se tut. Dans le pesant silence, le pressentiment de l'imminence d'événements terribles déferla à travers la maison.

Les religieuses éteignirent toutes ensemble leurs bougies et, après les vingt-huit voix qui avaient chanté à l'unisson, il n'y en avait maintenant plus qu'une. Une prière latine. Le répons du chœur fit frissonner la salle à manger. Les lumières se rallumèrent à la fin de la prière, les aveuglant toutes probablement, et moi aussi, car j'étais descendu en catimini et les observais derrière le cadre de porte. Il y eut l'exubérante clameur des chaises tirées du dessous des tables. Et une fois que les femmes se furent toutes assises, les serviettes se déplièrent dans un éclair et furent ajustées dans le giron noir de leurs robes monacales.

Comme j'étais idiot de n'avoir pas deviné !

C'était l'heure du souper.

— C'EST QUOI CETTE PATENTE À GOSSE ? demanda Gaby en sirotant son V8.

Après avoir bondi à l'étage pour me laver les mains et chercher mon tympanon, j'étais revenu et me tenais debout dans la porte, orphelin laissé en rade, cherchant une chaise où m'asseoir. Complètement intimidé. Une serveuse impatiente de servir le flanc est de la salle à manger me poussa du coude. Deux autres jaillirent des portes battantes de la cuisine, comme un escadron de la police tactique.

Les dames enlevaient leurs capuces. Leurs têtes blondes et rousses apparaissaient, touches de couleur dans la pièce, qui rendaient leur identification possible. Je souhaitais naturellement me trouver à côté de Chantelle, au moins être assis à sa table. Elle me vit, oh oui, elle me vit, mais quand son regard triste croisa le mien, elle fit comme si elle ne me reconnaissait pas. Elle voulait garder notre liaison secrète.

Ne sachant où m'installer, je pensai battre en retraite sur une chaise dans la cuisine et me nourrir des restes que m'accorderait avec parcimonie mon chef grognon. La mère supérieure Gabriella agita la main et m'intercepta.

Sa table était la seule où cinq couverts avaient été mis. J'étais attendu. J'appuyai l'étui du tympanon contre une colonne, m'assis avec un sourire courageux et ingénu, et répondis à la question de Gaby.

— Ce n'est pas une patente à gosse, c'est un tympanon.

— Vous en jouez, je présume.

— Cela me garde en forme. Jouer est mon meilleur exercice. Une résurrection cardio-pulmonaire. Mon petit doigt m'a dit, Gaby, que vous aviez l'habitude d'entendre mon père vous faire la lecture.

— Votre père avait un talent extraordinaire pour lire en public, Kyle. Il avait une voix merveilleuse. Il en remettait.

— Moi pas, j'en ai peur, dis-je en jetant un rapide regard aux autres femmes assises à notre table.

La grave et royale beauté à ma droite avait la politesse de me regarder chaque fois que je parlais. Ses amies faisaient systématiquement comme si je n'étais pas là.

— Vous ne devez pas vous sentir gêné avec nous, Kyle, affirma Gaby. Je suis certaine que vous vous débrouillerez très bien.

— Je n'ai pas confiance en... ma voix quand je parle, plaidai-je (je faillis dire « en ma voix humaine »). Surtout quand je ne connais pas l'histoire.

— On s'en fiche. Tout le monde s'en fout. Personne ne vous demande d'être aussi bon que votre père, dit-elle en brandissant son poing gauche dont le direct devait être fatal

— Je ferai quelque chose d'original à la place.

J'avais un troisième choix. Refuser de faire mon numéro. Sauf que j'avais une dame à impressionner. Chantelle était dans la salle et attendait de moi que je me matérialise sous le feu des projecteurs. Gaby ne me quittait pas des yeux. Ses rides formaient un nœud enchevêtré sur son front. Elle avait le regard d'un boxeur décidé à démolir les défenses de son adversaire avant le coup de cloche de fin du premier round.

— Vous allez jouer de cet instrument, n'est-ce pas ? conclut-elle d'une voix grave, visiblement inquiète.

— Oui ! répondis-je par pure bravade.

Gaby, avant de formuler sa réponse, jeta un coup d'œil discret aux autres femmes autour de la table et déduisit ce qu'elles en pensaient à leurs lèvres pincées, leurs sourcils plissés et leurs soupirs.

— Je vous en prie, Kyle, rien de trop joyeux. Nous sommes jeudi saint. *Un Kinkajou à Hackensack* nous mettait dans l'état d'esprit approprié. Nous devenions sombres. L'histoire nous donnait à réfléchir. Nous rendait tristes. C'est la soirée où nous nous rappelons que Notre Seigneur, le soir de la dernière Cène, a averti Ses apôtres de Son imminente exécution et leur a prédit qu'Il allait être trahi. Nous avons besoin d'une atmosphère sérieuse et pénitente.

— Je vois.

— Vraiment ? Cette nuit est une nuit de perfidie.

La parfaite réplique pour tuer une conversation.

Un halètement. À l'une des tables, non loin. Puis un cri étouffé. Une fourchette tomba, mais sans bruit. Je vis Chantelle ployer vers l'arrière comme sous l'effet de la douleur. Comme si elle avait été poignardée. Ses compagnes, de chaque côté d'elle, lui saisirent le haut des bras et l'immobilisèrent. Elle leur fit signe de la tête après un moment, murmura apparemment des remerciements ou une excuse, et ses amies la relâchèrent. Chantelle secoua ensuite plusieurs fois la tête, un peu comme un poney libéré de son harnais. Sa courte chevelure brilla d'un côté, puis de l'autre, et elle se massa la nuque. Ce qui me rendit particulièrement perplexe, c'est que personne ne posait de questions concernant ce spasme. Ses causes et ses effets ne semblaient intéresser aucune des femmes.

Les convives à ma table – pas par hasard, je le crains – choisirent ce moment pour commencer la conversation. Les sœurs Dierdre, Sophie et Jane avaient été silencieuses jusque-là, à la limite de l'impolitesse. Elles voulaient soudain toutes parler et se mirent à jacasser comme des mitraillettes, les pétarades de leurs voix me distrayant de la détresse de Chantelle. Je répondis de mauvaise grâce au rapide feu croisé de leurs questions.

Sophie voulut savoir depuis quand je jouais du tympanon. « Depuis les premières années de mon adolescence », lui dis-je. Elle trouva la chose absolument fascinante. Dierdre intervint avec ses propres instantes demandes et je répondis, peu sûr de moi : « En réalité, mon intérêt s'est développé comme le prolongement naturel de ma passion pour les oiseaux et leurs chants. Je trouvais que le tympanon était l'instrument qui s'accordait le mieux aux chants des oiseaux. » « Les chants d'oiseaux », répéta-t-elle.

À Jane : « J'ai grandi à Montréal. » À Jane encore : « Non, j'ai vécu au Tennessee. J'y étais descendu pour m'acheter un tympanon artisanal. Puis de fil en aiguille, je suis resté. » Sophie tira une nouvelle salve, mais je choisis d'arrêter les frais et de raconter une histoire à mes clientes, une histoire vraie.

— Le Tennessee était parfait, jusqu'au dernier Halloween, dis-je. C'est alors que des squelettes ont commencé à apparaître sur les pelouses de quelques notables. Personne ne découvrit les auteurs de ces blagues d'un goût douteux. On accusa les jeunes. Les jeunes, en général. Mais le problème ne cessa pas. Le maire ouvrit un jour la portière de sa voiture et un crâne en tomba. C'était aux alentours de Noël. Le reste du squelette était installé sur le siège du conducteur, avec les os du pied collés sur la pédale du frein. Non, je ne plaisante pas. Un autre squelette fut retrouvé dans le frigo d'une ménagère, avec sa colonne vertébrale qui dépassait d'un pudding au caramel. Et on en trouva un autre couché sur un matelas pneumatique flottant dans la piscine olympique flambant neuve de la municipalité. Il fallut annuler le cours de natation pour bébés.

« Personne ne trouva jamais de quel cimetière ces os provenaient. Certains prétendaient que les morts s'extirpaient de terre tout seuls. Prématurément. Un prêcheur évangéliste dit qu'ils avaient mal calculé la fin des temps, mais pas de beaucoup, car elle est à la veille d'arriver. Je ne le crois pas, mais c'est quand même terrifiant. Donc, pour répondre à votre question, Sophie, j'étais vraiment heureux de quitter le Tennessee et de venir ici. Les morts du Vermont ne pavanent pas leurs os dans les rues, pas vrai ? »

Les femmes m'avaient laissé laïusser parce que ma diatribe convenait à leur secret dessein, empêcher mes questions. Suffisamment de temps s'était écoulé qu'il n'était plus à-propos de demander ce qui était arrivé à Chantelle. Comme je n'avais aucune envie de m'étendre plus longuement sur le sujet, nous nous permîmes les uns et les autres de conclure en silence notre repas, après avoir tacitement convenu d'une trêve.

Gaby se leva et, avant de me présenter, cogna sa cuillère contre un verre, comme si nous étions à une réunion du Club Kiwanis. La bande de femmes était disciplinée. Chaque tête se tourna docilement dans sa direction.

— Mes sœurs, votre attention, s'il vous plaît. Il nous fait particulièrement plaisir cette fin de semaine de rencontrer et d'avoir la chance de connaître le fils de notre cher et regretté bienfaiteur et ami, Kyle Laîné senior. La bonne nouvelle, c'est que Kyle junior à l'intention de garder l'auberge ouverte et nous lui en sommes reconnaissantes.

Des applaudissements polis accueillirent l'annonce et je jouis de leur attention.

— Comme vous le savez, nous espérions que Kyle junior, dans la grande tradition de son père, consente à nous faire la lecture ce soir. - Elle leva les mains pour couper court à une seconde petite salve d'applaudissements. - Je suis navrée de vous dire qu'une surprise d'une autre nature nous attend.

Le timbre de sa voix mettait ses amies en garde contre le pire : un traquenard peut-être. Les dents serrées, je souris à Gaby.

— Mes sœurs, Kyle junior honorera de ses talents tout personnels notre humble podium et jouera pour nous de son, hmm... Tympan ?... Bien, de sa petite boîte à musique.

Aucun applaudissement ne m'accompagna jusqu'à la scène. Les sifflements qui avaient célébré ma nudité demeurèrent muets. J'avançai dans un silence de plus en plus épais vers le coin du foyer surélevé devant lequel j'avais l'intention de chanter. Je perdis tout espoir de n'avoir pas affaire à un public horriblement difficile quand, arrivé à hauteur de la chaise de Gaby, elle me grommela son bref rappel à l'ordre : «N'oubliez pas! Rien de joyeux!»

Calembredaines! Je n'avais aucune intention de m'en tenir aux grincements de charnière rouillée du quiscale. Pas plus que je n'étais particulièrement bon pour imiter les plaintes lugubres et solitaires du huart. Et pas inspiré non plus pour créer sur mon « tympan », ma « petite boîte à musique », des accords de roselins.

Le bois dans mes mains me redonna vie. Le tympanon transmettait ses translucides pouvoirs. Fabriqué d'après mes propres directives, l'instrument avait moins d'un an. J'avais exigé une variété de maillets légers, maniables, capables de créer des octaves de doux soprano. Des maillets qui me permettraient d'accompagner, disons, la mésange bicolore et, dans le registre supérieur, le chant aigu et strident du passerin indigo. Je ne me servais pas du tympanon pour chercher à imiter les oiseaux. Pour cela, j'utilisais mes cordes vocales. Non, j'étais à la recherche d'un son harmonieux et rythmé, une musique d'orchestre. Pincements de cordes symphoniques. Je voulais comme toile de fond au chant vocal les bruits mélodieux, mythiques des bois. Musique de la forêt. L'essence du soleil sur la prairie, de l'averse dans la ravine. Les miaulements suaves du vent sur un marais, l'entrechoc des joncs, l'esprit de l'air posé sur l'eau.

Il n'était pas possible de savoir ce que je m'attendais à réussir exactement. Ma forme d'art a ses limites et je n'ai pas eu de maître. Bon. Comme tout artiste qui veut sauver sa peau, je sais comment divertir. Personne ne détecte mes véritables intentions. Et quelles sont-elles? Je veux dissoudre le monde. Recréer la matière pour qu'elle redevienne esprit. Chanter les résonances de l'âme, rendre obsolète le langage élimé de l'humain. Suspendre la corporalité une harmonique au-dessus du grand vide imparfaitement perçu, risquer le corps sur le rebord abrupt de l'univers, où le sang de cette poussière d'étoiles brille comme de l'argent et chante, accompagné de cordes d'or.

Je fis une erreur. Une fois assis sur le tabouret à dossier haut, le tympanon installé sur mes genoux et posé sur son pied, je jetai un coup d'œil au morne aréopage. J'aurais dû ignorer les femmes. Je vis, dans la pénombre, qu'elles s'étaient de nouveau couvert la tête. Je pense bien qu'elles s'étaient bouché les oreilles aussi pour faire bonne mesure. Le haut des corps était voilé pour le concert. Il n'y avait plus que les soubresauts des flammes des chandelles et, en guise de feux de la rampe, les rougeoiements du foyer. Je me lançai. Chaque visage qui me surveillait était un cercle noir et revêche. Pas un muscle ne bougeait. Tout au long de ma carrière, j'ai dû, lors de mes prestations, tolérer des chahuteurs : ils me manquaient amèrement ce soir.

Je commençai par les cadences du troglodyte familier. Ah, voilà qui mobilisa leur attention ! Elles s'attendaient à de la musique de tympanon, pas à ma voix. Le joyeux bavardage bégayé et gloussé du troglodyte familier est idéal pour créer un rythme.

dou dou dou dou tcheûtcheûtcheûtcheû taïtato...

Au milieu de ces notes rapides, l'oiseau parsème à l'occasion quelques trilles, habitude que je copie systématiquement. Le mâle se délecte de chanter, le bec plein d'insectes dont il nourrit ses insatiables petits. Dans les bois, le chant devient parfois monotone – il se chante sans discontinuer d'avril à juillet – mais c'est précisément son obsédante répétitivité qui est idéale pour créer une ligne mélodique de base et un rythme effectif.

tou tou tcheûdeli tcheûdeli tcheûdeli
tou tou tcheûdeli tcheûdeli...

Je remarquai que de nombreuses têtes encapuchonnées se tournaient et se regardaient. Formidable ! Les stoïques dames gigotaient, se demandaient ce qui, diable, se passait. Peut-être m'attribuai-je un crédit injustifié, mais je fantasmai que quelques-unes cherchaient partout l'oiseau qui volait dans la salle.

J'abandonnai progressivement les rythmes du troglodyte familier pour passer à ceux du troglodyte des forêts. Les deux swinguent. Le gazouillis du troglodyte des forêts s'achève dans un trille haut et clair, qui rappelle le son du piccolo.

tou to tou taï to taï ta taï tiiraaaay taï ta riii...

À ce stade, le tympanon invoque la cadence qu'abandonne le troglodyte familier et, quand les deux tempos se mélangent, j'introduis la voix voluptueuse, soudaine et volubile du troglodyte de Caroline. Un sifflement clair, mélodieux, plutôt grave. L'ample registre de ce chant me propulse dans la musique. Le tympanon, complètement impliqué à présent, se lance dans des riffs de son crû, certains originaux, d'autres inspirés par les oiseaux. Ma voix passe aux crépitements gutturaux du troglodyte des marais qui marquent la transition avant la musique des hirondelles. La mélodie glouglounante de l'hirondelle noire remplace les crissements rauques de l'hirondelle à front blanc. Je remarque qu'Hazel et les aide-cuisinières sont sorties, l'air de rien, de leur cuisine pour découvrir ce qui se passe. Après un pot-pourri de chants des différentes variétés d'hirondelles (l'hirondelle bicolore, l'hirondelle des granges, l'hirondelle de rivage, l'hirondelle à ailes hérissées), ma composition passe, par étapes, à une phase plus jazzée dont les tournoiements culminent quand le tyran huppé entonne sa berceuse des petits matins, puis ses appels libres et sauvages.

Je les reprends encore et encore, m'efforçant d'atteindre un crescendo, sons discordants, rêches, sifflements pareils à ceux du vent, avec le tympanon qui au loin s'effondre, mes maillets, un vivant tourbillon, et c'est alors que je pousse le cri de guerre du tyran tritri

kit kit kaïkaï kitteûr kitteûr
kaïtteûr kaïtteûr kaïtteûr kaïtteûr...

que prolongent ensuite les sifflements plaintifs et doux du piou de l'Est, les soirs de fin d'été. Le decrescendo se poursuit. Le tympanon s'estompe et j'entonne le chant fragile, plutôt morose, du moucherolle phébi, que vient interrompre de nouveau l'appel lointain, matinal, strident et grinçant du tyran tritri.

Je passe ensuite au chant de la grive à joues grises, ténu comme un filet d'eau, et poursuis avec les sifflements euphoriques, éoliens de la grive à dos olive, une musique qui s'élève jusqu'aux cimes d'une splendeur inconnue. La phrase que j'imite compte quatorze notes, reliées par des sons humides de consonnes. Le contre-chant du tympanon graduellement s'éteint. Chaque ligne mélodique commence bas, la seconde note est encore plus grave, mais la troisième est perchée plus haut que la première. La quatrième, qui répète le motif, est plus aiguë encore que toutes celles de la séquence précédente. Cela s'élève. Plus haut. Plus haut. Ouvre la voie, comme Jean-Baptiste dans la forêt, au chant de la grive solitaire. Je ressens, chaque fois que je tente cette mélodie, ma terrible insignifiance ; et j'y verse tout mon cœur. Toute modestie mise à part, les résultats sont fréquemment spectaculaires.

Le tympanon ne chante plus.

Dans l'obscurité, mon larynx et mon âme explorent les notes éthérées.

Oh lalay aïlalo aïlalo aïlo
ah laylaïla laïlalo laïlalo laïla...

Une myriade de variations. Quand je termine, je suis épuisé. La salle est plongée dans un inquiétant silence. Il fait nuit noire, une nuit lourde de menaces. Et ma réputation d'excentrique est assurée. Je prends une profonde inspiration. Pendant quelques instants, j'ai du mal à discerner qui je suis et encore plus où je suis. Puis je redescends de la simplicité du ciel aux complexités de la terre. Et pense à Chantelle. Chantelle ! Sa seule présence me rend heureux d'être revenu.

L'instant d'après éclate un tonnerre d'applaudissements.

Sainte Bénite.

8

J'ATTENDIS EN VAIN, CETTE NUIT-LÀ, un *toc-toc-toc* furtif contre la porte de ma chambre. Une voix pressante qui chuchoterait mon nom. Incapable de m'endormir sans le réconfort d'un bec de bonne nuit. L'objet de ma mûrissante flamme ne viendra-t-elle pas me voir ce soir ? Je t'ai attendue, Chantelle, avec mes doigts qui ne cessaient de tambouriner sur la table de chevet comme un galop de battements de cœur.

J'étais étendu et j'écoutais les murmures pyramidaux et les silences oblongs de mes clientes. Elles étaient rassemblées dans la suite mont Washington, celle équipée d'un foyer et d'un puits de lumière. Et nous préparaient quelque mauvais tour, j'imagine. Sorcellerie, vaudou, magie noire, *numérologie*. Les cognements qui me firent sursauter n'avaient rien d'un signal amoureux clandestin. Ils ébranlèrent ma porte comme avant l'intrusion fracassante d'un policier. Hazel entra d'un pas martial avec du thé et des biscuits sur un plateau d'étain.

— Buvez, c'est de l'orange pekoe, m'ordonna mon royal huissier d'armes.

Hazel, pour nous protéger des voyeurs sur échasses qui scrutaient les montagnes, tira les lourdes tentures doublées de noir, activité destinée aussi à ne pas laisser paraître les graves considérations qui l'agitaient. Ces prudents louvoiements m'étaient familiers. Même certains amis très proches ne savaient pas comment prendre mes concerts.

— Ne vous en faites pas pour moi, lui conseillai-je. Je me contente de chanter comme un oiseau, mais je mange comme un humain. Vous n'aurez pas à mettre des graines au menu.

J'aimais Hazel. Elle disait ce qu'elle pensait.

— Quelle conduite ! Imaginez ! Vous pensiez-vous devenu dinde et qu'on était l'Action de grâces. La prochaine fois, j'apporterai ma hache.

— Les religieuses ont aimé mon numéro. Elles ont applaudi. Très chaleureusement, je dois dire. En fait, leur enthousiasme m'a impressionné.

— Réfléchissez à la cause de cet enthousiasme. Elles battaient des mains après les histoires de votre père aussi. *Un Kinkajou à Hackensack...* Mon œil ! Votre père n'a jamais vu de kinkajou de sa vie, c'est ce qu'il m'a dit, juste les os dans un musée. Savez ce qu'il m'a dit d'autre ? demanda Hazel qui ne semblait pas croire aux vertus de l'accumulation prolongée des secrets.

— Quoi ?

— Vous ne devinerez jamais.

— Dites-le moi.

— Il n'a jamais mis les pieds à Hackensack ! Pas une seule fois ! s'exclama-t-elle, les mains sur ses hanches vigoureuses, avec une expression de mère chagrine sermonnant un enfant turbulent. Il a tout inventé. J'ai dû lui montrer où était Hackensack sur la carte. Et les bonnes sœurs, *béates d'admiration*, suspendues à chacun de ses mots comme si une histoire, une pure *fiction*, l'aventure d'une bestiole sud-américaine moitié singe moitié raton laveur, arrivée aux États-Unis, et dont les os arrachés ont été éparpillés

117

dans les rues et le squelette reconstitué au *Smithsonian,* avait une quelconque signification. Cela ne devait pas en avoir. Cela n'en avait pas. Signification, chiennification, voilà ce que j'en dis, *moi.*

— Qui sont ces femmes, Hazel ?

Je cherchais à profiter de son envie de parler. La solidarité jusque-là évidente entre les religieuses et elle s'était fracturée quelque part. Comme médecin traitant, j'avais une chance d'en apprendre plus.

— C'est à moi que vous posez la question ? J'en sais moins sur leur compte que j'en connais de vous. Je ne pense pas que c'était trop demander, pensez-vous ? demanda-t-elle en secouant la tête et en poussant un soupir d'opprimée.

— Qu'est-ce qui était trop demander ?

— Je sais que ce sont des clientes, mais je pensais que nous étions amies.

— Qu'avez-vous demandé, Hazel ?

— Rien d'extraordinaire. Une petite faveur, pas une grosse affaire. J'ai été polie, pas le moins du monde impertinente. J'ai demandé quelques volontaires, eh oui, pour laver la vaisselle. De façon à ce que le personnel ait la chance de s'en aller un peu plus tôt ce soir.

— Qu'ont-elles répondu ?

— « Désolées, Hazel ! Trop occupées ! Nous avons notre programme ! »

— Vous l'avez dit vous-même, la réprimandai-je doucement, ce sont des clientes.

Hazel tirait le bord de la tenture qu'elle avait si précautionneusement fermée et regardait l'obscurité du dehors. Sa voix se perdait dans le royaume occulte de la nuit.

— Après tout ce que nous avons vécu ensemble l'an passé...

— Mon père, vous voulez dire ?

— Ouais.

Je présumai qu'au cours de la maladie de mon père, Hazel en était arrivée à connaître personnellement les femmes. Elles avaient enduré côte à côte des moments éprouvants. Les barrières sociales s'étaient érodées. Elles avaient supporté ensemble l'agonie quotidienne de mon géniteur inconnu. Les sœurs s'étaient fiées sur Hazel et Hazel sur les sœurs pour reprendre espoir, partager le fardeau, se remonter le moral. Peut-être même pour laver la vaisselle. Le retour abrupt au *statu quo ante* attachait Hazel à son évier de cuisine. Je me sentais navré pour elle. Après quelques moments de réflexion, ne voyant peut-être rien d'autre dans la vitre que son image têtue, malheureuse, solitaire, elle dit, avec un évident mépris : « Écoutez-les. »

Les sœurs avaient recommencé à chanter. Le bourdon n'était pas entièrement désagréable. Je commençais à m'habituer à la mélopée funèbre, comme on s'habitue au vent qui saccage les branches ou cogne aux volets comme un délinquant.

— Je pensais que nous étions amies, grommela de nouveau Hazel.

J'eus l'impression qu'elle n'avait pas tout dit concernant sa prise de bec avec les femmes. Elle avait peut-être autre chose en tête quand elle leur avait demandé un coup de main pour alléger ses corvées domestiques. Elle avait peut-être ajouté : « Je pourrais me joindre à vous plus tard. » Inconsciente de la portée de sa requête, s'attendant simplement à être admise au sein d'un groupe d'amies animées des mêmes sentiments et qui adoraient toutes le chant grégorien (mais qui est parfait ?), Hazel s'était vu refuser l'admission à leur occulte clique. Que connaissait-elle de la valeur secrète des chiffres et des conséquences des pyramides dessinées sur le sol ? En quoi cela la concernait-elle ? Hazel portait les effets de sa solitude comme un bouclier, pendant que le rituel assourdi des femmes prenait d'assaut ses stoïques remparts comme des roulements de canon sauvages et distants.

Comme je ne pouvais pas faire grand-chose pour la soulager, j'essayai de la distraire.

— Vous disiez, Hazel, qu'un kinkajou est une sorte de singe-raton laveur ?

— Qui sait ? Et qu'est-ce qu'on s'en fout ! Voulez-vous boire votre thé, s'il vous plaît ?

— Je suis curieux, répondis-je.

J'enlevai le couvre-théière, me versai du thé et bus à petites gorgées.

— Vous avez failli m'avoir, gros malin. Vous seriez capable de rouler le diable lui-même.

— Je ne vous suis pas...

— Si vous êtes si curieux, pourquoi ne pas vous faufiler tout de suite dans le corridor et découvrir ce que manigancent ces louves ?

— Hazel ! Vous me déconcertez ! dis-je, en éclatant d'un rire qui faillit me faire recracher une pleine bouche d'orange pekoe.

— Vous risquez d'être poursuivi, insinua-t-elle d'une voix lourde de menaces.

— Poursuivi ?

— Pensez-y ! Si quelque chose tournait mal... Si quelqu'un était tué...

— Hazel, je ne pense pas...

— Ça, c'est évident. Si vous vous serviez de votre cervelle, vous découvririez ce qu'elles fabriquent. C'est ce que ferait tout propriétaire d'auberge qui a le sens des responsabilités.

— Mon père l'a-t-il fait ?

— De la drogue, je serais prête à parier jusqu'à mon dernier dollar, dit Hazel qui, ignorant ma question, entreprit d'arpenter lentement le plancher de la petite chambre. C'est pour ça qu'elles sont si secrètes. Que direz-vous s'il y a une descente de police ? « Ohmondjeumondjeu, juge, Votre Honneur, je m'excuse, mais ce n'étaient pas mes affaires, je vous le jure. »

— Soyez juste, Hazel. C'est de la dévotion. Comme aller à l'église. Nous sommes jeudi saint. Elles se préparent pour Pâques. C'est comme se préparer pour le Super Bowl. Je vous garantis qu'aucune d'entre elles n'est occupée à sniffer de la cocaïne.

— Qui fait ses dévotions en cachette ? L'affaire de la dévotion, c'est mettre son plus beau linge pour rencontrer du monde. Comme pour la procession aux flambeaux. Elles peuvent bien se qualifier elles-mêmes de religieuses, je dis que ce sont des sorcières.

— Qu'elles soient ce qu'elles veulent, elles ont le droit à leurs coutumes et à leurs traditions.

Comme nous n'allions nulle part, j'en vins au cœur de la question : « J'en conclus qu'elles ne vous ont pas admise à leur séance. »

— Je n'aurais jamais demandé d'y participer ! s'exclama Hazel en se donnant un coup de poing sur la cuisse. Et si elles avaient osé m'inviter je les aurais envoyées promener !

Son emportement passager eut pour curieux effet de plonger son corps dans une raideur cadavérique. Elle resta debout, incroyablement immobile, les oreilles aux aguets pour tenter de décrypter les bruits mystérieux et le regard comme un feu couvant sous la cendre.

Je m'approchai d'elle, surpris moi-même par l'authentique et soudaine affection que j'éprouvais pour cette femme vigoureuse et sympathique, et passai un bras protecteur autour de ses épaules. Hazel affrontait la vie avec l'enthousiasme qu'elle mettait au travail et d'inébranlables convictions. Son style bourru était sa technique pour laisser mijoter de la même façon ses rancœurs et ses tendresses et elle était consternée de découvrir qu'un élément de son domaine échappait à son contrôle ou à sa compréhension. La montagne de l'auberge était sa montagne, et les gens qui quittaient la vallée du monde pour la gravir d'un pas lourd étaient des pèlerins qui montaient à son lieu saint. Tout ce qu'elle était incapable de comprendre ne devait pas valoir la peine d'être compris, et devait facilement pouvoir se jeter par-dessus la falaise. Sauf que les religieuses continuaient de venir. Elles revenaient tous les ans, et Hazel n'était pas plus capable de les comprendre que de les flanquer dehors. Elle était mystifiée.

— Calmez-vous, mon lapin, dis-je pour apaiser sa volonté de fer quelque peu cabossée. Mon père, que disait-il des bonnes sœurs ?

— Il me disait de me mêler de mes affaires, admit-elle en levant la tête vers moi. Que Dieu bénisse son âme, Kyle, mais des fois votre père était un sale con de fondamentaliste.

Sa description imagée provoqua chez moi un éclat de rire qui me valut un sourire.

— Elles restent entre elles, Hazel. Elles ne nous font pas de mal. Suivons leur exemple, d'accord ? Pourquoi nous en faire à cause d'une bande de cinglées ?

— Pas de mal ? demanda Hazel, qui recula d'un pas, ahurie par mon point de vue. Vous n'avez jamais entendu parler des sectes ? Les sectes détruisent les familles et kidnappent des bébés et extorquent de l'argent, eh oui. *Elles lavent les cerveaux.* Et je vais vous dire autre chose encore que vous êtes manifestement trop naïf pour croire. Vous dormirez peut-être cette nuit, si vous avez de la chance. Mais demain, la nuit du vendredi saint, vous ne fermerez pas l'œil. Garanti. Le tintamarre ne cessera pas ! C'est pour ça que j'ai déménagé dans la cave et que j'ai installé ma chambre près du bar. En bas, je n'entends rien, même si je sens les vibrations.

— Je suis capable de dormir, même en plein champ de bataille. Pire : même pendant les scènes de ménage, lui dis-je car j'avais un talent singulier pour le sommeil.

— Prenez les choses à la légère, vous vous en repentirez.

Hazel leva le menton dans une moue de défi. Mise en garde tacite. Mieux valait la prendre au sérieux que risquer des représailles. Je revins à mon thé et à mes biscuits. Elle ne semblait pas disposée à s'en aller et je me dis alors que mon père avait dû faire plus que remettre à sa place son plongeur-chef cuisinier. Il avait refréné radicalement sa curiosité. Si je ne la circonscrivais pas de la même manière, Hazel deviendrait un problème.

Sois astucieux, Kyle. Aiguise ton intelligence.

Sers-toi de la *psychologie.*

— Bon, Hazel, il est évident que cette période n'est pas la plus lucrative de l'année. Les pistes de ski de fond ont fondu et le ski alpin s'achève. Il n'y a plus que les mordus qui réservent. Bientôt les montagnes seront des champs de boue et ce sera terminé. L'été arrivera quand ça lui dira d'arriver. C'est vrai, n'est-ce pas ? Mais les religieuses sont des clientes régulières. Des clientes indispensables. Elles remplissent pratiquement l'auberge. Elles ne sont pas difficiles et ont peu d'exigences, à part un concert de l'aubergiste. Si le temps se gâte, elles ne déguerpissent pas en catastrophe et, aux repas, elles prennent toutes le même menu, ce qui vous facilite la tâche. Pour être à la fois pragmatique et direct, je veux garder leur clientèle. Ce qui veut dire, ma chère, ne jamais les contrarier, ni par nos actes ni par nos attitudes. À moins qu'elles ne mettent le feu à l'hôtel et le réduisent en cendres, nous les laisserons se débrouiller. Si elles ont envie de rester seules, nous serons aussi discrets que dans un petit motel peinard. Nous n'apprendrons aucun secret, ne répandrons aucun commérage. Étouffez les rumeurs. Passez les insinuations malveillantes à l'aspirateur. À la fin de leur séjour, nous leur présenterons la facture avec un sourire. Puis compterons le butin. D'accord ? dis-je à Hazel en lui tendant la main droite de la conspiration.

— Bien sûr, souffla-t-elle.

Les saccades solennelles et brusques de sa poignée de main, qui me démirent le coude, l'engageaient sur l'honneur à bien se comporter. Il me restait à aborder un autre sujet délicat.

— Hazel, je veux que vous ouvriez l'œil. Alors que je me promenais à l'extérieur avant le souper, j'ai repéré un fou. Sans doute un vagabond. Je crois bien l'avoir effrayé, mais...

— Je m'assurerai que les portes soient verrouillées, dit-elle, heureuse d'avoir à s'acquitter d'une tâche qui lui donnait l'excuse de quitter la chambre.

Pour ma part, j'étais doublement ravi. La sécurité de l'auberge était garantie, et maintenant qu'Hazel était moralement cadenassée, les corridors seraient exempts de trafic inutile s'il me prenait l'envie cette nuit de marcher dans mon sommeil, espion fantôme, omniprésent et attentif.

EN ATTENDANT QUE LA NUIT s'approfondisse, tache de plus en plus épaisse étalée sur le tissu des vies, je montai la garde et, par mon fidèle trou de serrure, observai les sœurs qui, deux par deux, se rendaient aux salles de bains à la lueur des chandelles. Procession disciplinée. Intervalles réguliers entre chaque duo de femmes. Cadence nocturne de portes ouvertes et fermées. Bruits rythmés de chasse d'eau. Tuyaux gargouillant des harmonies quand les bouchons de lavabo étaient enlevés. Récurées et bichonnées, les dames ne se retiraient pas dans leurs chambres, mais gagnaient plutôt la suite mont Washington où elles se joignaient à la chorale.

Je ne vis pas Chantelle.

Le sommeil, indifférent à mes meilleures intentions, eut raison de moi. Prenez en pitié le veilleur de nuit qui désespère de rester éveillé. Ses épaules s'affaissent, ses paupières tombent, son menton s'incline. Il s'allonge pour quelques secondes et bien vite se met à ronfler. Puis, la charité des rêves. Dans les miens, il y eut d'abord un kaléidoscope d'images colorées, suivies par des danseuses polynésiennes sur des banquises à la dérive. Dans le cercle couvert de givre de ma lunette d'approche, elles perdaient leur bronzage. L'interlude était périodiquement déchiré de cris brefs et perçants. Un de ces cris me réveilla, terrifié et en sueur.

J'étais désorienté. Que se passait-il ? Est-ce que je respirais toujours ? Est-ce que je vivais toujours, crétin, sur terre ? Je jetai un coup d'œil aux murs qui s'éloignaient au galop de moi comme des voyous surpris en pleine agression. J'étais couché sur les couvertures, exposé aux courants d'air et à l'air glacé de la nuit, regrettant amèrement le sommeil perdu et me demandant dans quel trou pourri du bon Dieu je me trouvais. J'étais épuisé, j'avais les muscles engourdis. Retrouver la position verticale fut un dur combat. Puis mon envie de dormir mit définitivement un terme à mes velléités romantiques et subversives. Après un vigoureux étirement et un puissant bâillement, je commençai à enlever ma chemise.

Mes doigts détachaient le troisième bouton quand j'entendis crier de nouveau.

Un cri subit. Aigu et saccadé au milieu d'un jaillissement choral renaissant. Riposte rapide, l'impact d'un coup de revolver tiré au hasard dans le noir. La balle ricocha dans la nuit. Je crois vraiment m'être baissé.

J'étais tout à coup complètement réveillé, aspirant à rôder dans l'obscurité en quête d'une proie.

Chercheur d'ombres, comme disait Homère, et ombre furtive moi-même, je m'aventurai dans le corridor et dans l'aveugle vent du son. Les lumières étaient éteintes et l'auberge, dans l'immobilité la plus complète, était concentrée sur soi. Aux aguets. J'avais les antennes sur le qui-vive, les nerfs à vif. Et me sentis soudain traversé par la peur que celui qui m'avait agressé dans la grange ait pénétré dans la maison pour y agiter les os du squelette.

La prudence me conseillait d'oublier toute l'affaire. Regagne ton lit, Laîné, tu as entendu des voix. Mais je passai outre et me faufilai lentement dans le couloir. Chaque pas était à la fois pressant et retenu. Les planchers de bois franc craquaient à mon discret passage.

Le bout de mes doigts cherchaient la sécurité d'un mur. Plus loin, les murmures avaient faibli, comme si certaines des voix s'étaient tues. Une mutinerie dans les rangs ? Ou bien les religieuses étaient-elles conscientes de ma prochaine intrusion ?

Une porte s'ouvrit. Le courant d'air du corridor la referma dans un claquement. *Ssshh !* Un bruit feutré de pieds qui courent ! Je reculai juste à temps dans un coin plus sombre. Deux sœurs passèrent à la hâte devant moi. Mon pouls battait à tout rompre et je faillis lui mettre un bâillon. M'orientant du bout des doigts, je me cachai dans un corridor latéral, une marche plus haut, et m'aplatis contre le mur. Les éclaireuses revinrent après un moment, passèrent en coup de vent sous mon nez, puis leurs pas décrurent et je les perdis de vue.

L'intensité sonore augmentait à mesure que le chant reprenait de l'ampleur. Il me serait impossible d'exagérer le pouvoir physique de cette musique. Je me faufilais dans ce corridor comme si je pénétrais le corps convulsé du son. La chair palpable, sacrée, solennelle, dérisoire de la lamentation.

— Aïïïïï-e !

La peur fonça sur moi, avec la violence d'une locomotive, sifflante, roues d'acier claquant sur les rails. Mon Dieu ! Hazel avait raison ! Elles devaient assassiner quelqu'un là-dedans.

Me donnant un moment pour retrouver mon souffle et rassembler mes esprits poltrons, j'attribuai aux religieuses un délit moins grave : la torture. Une des leurs avait enfreint un règlement : elles l'écorchaient pour la châtier.

L'intensité de la musique s'accrut encore de manière radicale. Les voix s'élevaient par vagues, couvertes maintenant par un vacarme de tambourins, de cymbales, de crécelles, de maracas et de sifflements. Le plancher vibrait. Les murs avaient des haut-le-cœur. Il aurait été plus facile de me frayer un chemin à travers un nuage de gaz asphyxiant. Je me sentais assailli et écrasé.

Je déplaçais mon corps avec autant de prudence qu'une pièce sur un échiquier. Pion contre la tour et la dame. Quelqu'un avait drapé la lampe de la sortie de secours d'une serviette brun foncé comme un drapeau sur un cercueil, et elle jetait une lumière macabre qui maculait les murs de lueurs couleur de sang coagulé. Dans cet espace sinistre et clos, ma volonté était mise à rude épreuve. Je trouvai une dizaine de bonnes raisons de battre en retraite. En quoi tout cela me concernait-il ? Il me suffisait de suivre mon propre conseil et de les laisser faire. Après tout, c'était peut-être ainsi que s'amusaient les habitants du Vermont.

Je parvins quand même jusque devant la porte close de la suite mont Washington. La musique, le bruit, le délire des tambourins, des sifflements et des voix se mélangeaient comme dans un accès de rage de quelque inquisiteur. Un vacarme qui vibrait dans mes os. Tellement physique, tellement intense. Et puis, par intermittences, en solo, la voix de la douleur s'élevait plus haut que les chœurs de l'affliction, une douleur absolue qui m'enfonçait des échardes dans le cœur.

La lumière des chandelles vacillait sous le seuil. Par le trou de la serrure, je repérai des silhouettes de têtes qui se trouvaient assez loin de la porte. Si j'étais d'une extrême prudence, avec la pièce plongée dans le noir le plus complet et dans cet extraordinaire vacarme, je devais être capable d'ouvrir et de jeter un coup d'œil sans que personne ne me remarque. Mon gros bon sens soupesa le pour et le contre et je cherchai à élaborer une stratégie.

Avant que mon intelligence n'ait une chance de mettre le holà à ma témérité, ma main agrippa hardiment la terrible poignée de porte. *Ne fais pas l'imbécile!*

Elle bougea.

Le chant déferla par la porte entrouverte, comme une énorme vague. J'ouvris un peu plus. La cadence battait jusque dans mes tempes. J'hésitais, m'attendais à être repéré. Après un soupir, j'ouvris la porte encore un peu et, collé contre le chambranle, risquant la décapitation instantanée, je passai ma tête à l'intérieur.

Dans l'obsédante lueur des chandelles, j'aperçus un demi-cercle de corps voûtés, dont les torses tournaient sur eux-mêmes et dont les têtes, couvertes de leurs capuces, étaient agitées de secousses. Les femmes étaient assises sur le sol autour du grand lit et la plupart me tournaient le dos. Elles avaient le haut du corps penché dans une obscène communion avec les cadences de la musique et leurs têtes tournaient autour de leurs cous comme des bouchons. Les mains libres s'agitaient, frénétiques, sur leurs instruments. Les quelques-unes qui auraient pu m'avoir vu, visages squelettiques dans la clarté des chandelles, chantaient et se balançaient, les yeux clos.

Les femmes étaient en transe. J'aurais pu entrer dans la pièce en motoneige et n'être pas remarqué. Protégé par le bruit et la relative obscurité du coin où je me trouvais, je décidai de poursuivre. Je me glissai à l'intérieur et refermai la porte derrière moi.

J'y étais.

Une femme, vêtue d'une chemise de nuit blanche, était étendue sur le lit. Un amoncellement d'oreillers soutenait son dos, ses épaules et sa tête. La chambre était moins sombre que je ne l'avais escompté. La clarté de la lune tremblait à travers le puits de lumière et, comme un projecteur de scène dont on aurait intentionnellement réduit l'intensité, brillait sur ce corps solitaire, raide et douloureux. J'observais, cloué sur place, envoûté, hébété par la musique des sœurs. Un spasme propulsa vers l'avant la silhouette couchée sur le lit et sa tête apparut dans la clarté du rayon de lune. Elle pressait ses coudes contre ses côtes et tendait les mains, paumes tournées vers le haut. Puis se secoua comme transpercée par un courant de haute tension, se raidit et, après que son corps se soit détendu de cette terrible convulsion, hurla. Oh, mon Dieu, quel hurlement ! Mes yeux picotaient à cause de la chaleur. Mes nerfs se crispèrent comme sous l'effet d'un coup de fouet et quand le corps se souleva de nouveau, je fus certain que c'était Chantelle.

Des zébrures verticales maculaient ses joues, hideuse peinture de guerre. Une substance sombre barbouillait aussi ses paumes tendues. Le lit baignait dans un jeu d'ombre et de lumière, reflets de lune étincelant sur les draps blancs couverts par endroits de plaques noirâtres. Ses congénères, qui entouraient Chantelle, se contentaient d'agiter leurs tambourins et de hurler, sans lever le petit doigt pour la soulager.

Le corps de Chantelle s'affaissa de nouveau dans les oreillers et se recroquevilla comme une feuille mouillée. Puis ses jambes s'agitèrent et elle donna de violents coups de pied.

Je pris de profondes inspirations, entouré de nuages d'encens. La fumée m'assaillit les yeux. Chantelle eut un autre spasme et, tordue de douleur, poussa un autre hurlement. J'étais cloué sur place. Le cauchemar était trop horrible pour que je continue de le supporter seul et dans le noir. Je tâtonnai désespérément pour trouver l'interrupteur et allumai la lumière.

Le souvenir que j'en ai n'est peut-être pas tout à fait exact, mais j'ai l'impression que la musique se poursuivit comme avant, les chanteuses croyant sans doute, avec cette lumière qui brillait derrière leurs paupières closes, avoir pénétré dans une sphère plus élevée du ciel. Elles avaient glissé du jeudi saint à la Pentecôte. Et, pendant cette brèche-surprise dans le temps, je vis plus clairement Chantelle. Évidence impossible à réfuter : le cauchemar devenu réalité. Les taches noires sur le lit étaient des mares rouge sang. Non. Sois précis. Accepte la réalité. C'étaient des mares de sang rouge. Les blessures qu'elle avait aux mains coulaient à gros caillots. Et ses yeux – mon Dieu, *ses yeux !* – saignaient.

Chantelle !

Le choc m'avait pétrifié. Je ne parvenais plus à penser ni à parler ni à réagir. J'aurais voulu que l'univers s'immobilise.

Chantelle !

Elle fut la première à se rendre compte que la lumière était allumée, et aussi la première à me regarder. Elle abrita ses yeux de l'éclat brutal du plafonnier avec une main mouillée, ensanglantée. Du sang rouge foncé coulait du bas de ses yeux comme des larmes. Du sang coagulé formait des croûtes sur ses joues, canyons jumeaux au milieu desquels le sang nouveau ruisselait. Quand elle me reconnut, il y eut dans son regard du chagrin mêlé au plus profond des remords. La bande de femmes m'assaillit sans crier gare, bras, coudes, mains, visages mauvais, fausses lunes des tambourins, brouhaha de voix inquiètes qui me menaçaient, me défiaient, guerrières qui cherchaient à me pousser dehors mais, en fait, me tirèrent de ma pétrification.

Je me débattis, puis perdis l'équilibre et tombai. Une forêt de jambes. Je me relevai, hors de moi, longeai un des murs de la pièce pour éviter les mains qui voulaient m'agripper et fonçai comme une brute dans la cohue de mes assaillantes. Je parvins à poser un genou sur le lit de Chantelle, mais les femmes m'immobilisèrent les bras dans le dos.

— Chantelle !

J'escomptais et voulais qu'elle m'appelle, se blottisse contre moi, me supplie de la délivrer de sa cruelle souffrance. Vus de près, ses saignements étaient horribles. J'étais incapable d'imaginer même le martyre qu'elle endurait – des yeux, des *yeux* qui saignaient – mais elle ne se précipita pas sur moi et n'implora pas ma protection. Elle cacha partiellement son visage derrière sa main ensanglantée et l'inexplicable sentiment de honte qu'exprimait ce geste me toucha au plus profond.

La bousculade atteignit son paroxysme et m'arracha du lit. Je me tortillai et réussis à me libérer. Les coups pleuvaient. Je trébuchai et me retrouvai soudain solidement empoigné par deux femmes qui me maîtrisèrent. « Chantelle ! » hurlai-je encore une fois, inutilement, car je n'étais même plus capable de tourner le cou pour la regarder. Elles me maintenaient plié en deux et me firent traverser la pièce, puis me flanquèrent dehors comme un ivrogne après une bagarre dans un bar.

J'étais étendu sur le sol.

Je haletais.

Et quand je levai les yeux, je vis, plus haut que moi, le corps de championne olympique de mère supérieure Gabriella.

9

GABY SE TENAIT DEBOUT au-dessus de moi comme un videur satisfait, qui espérait juste que je fasse mine de recommencer à me battre. Atterré d'avoir été traité sans le moindre ménagement et me croyant blessé, je cherchais désespérément à retrouver mon souffle.

— Vous ne devriez pas être ici, Kyle, dit-elle.

Après l'affolante terreur, les chants, les cris, le sang, l'échauffourée, elle avait l'audace de me parler d'une voix égale, comme si de rien n'était. Cette femme était cinglée.

— J'exige de savoir ce qui se passe ici, immédiatement !

Les dames qui m'avaient flanqué dehors étaient debout derrière Gaby. En renfort.

— Cela ne vous regarde pas, Kyle. Vous n'avez pas à savoir.

— Chantelle saigne ! Elle est blessée ! criai-je d'une voix stridente de peur, qui s'éleva jusqu'aux notes les plus aiguës de l'indignation.

C'est quand je tentai de bouger et que mes membres refusèrent d'obéir que je me rendis compte à quel point j'étais psychologiquement écrasé. Mes jambes restaient immobiles. Mes bras étaient inertes.

— Kyle, écoutez-moi maintenant. Je sais ce que vous avez vu. Ou pensez avoir vu. J'imagine ce qui vous traverse l'esprit,

133

mais les apparences sont parfois trompeuses. Vous devez croire que les choses ne sont pas toujours ce qu'elles paraissent. Chantelle va bien. Elle ne court aucun danger.

J'étais incapable de concilier le ton d'institutrice de Gaby et l'horrible scène dont nous avions été, tous les deux, témoins. Les yeux levés vers elle, assis par terre à me masser les cuisses pour les désengourdir, je marmonnai la seule provocation dont j'étais capable dans ma piteuse position.

— Je l'ai vue, ma petite dame, vue de mes deux bons yeux. Ne me dites pas qu'elle n'est pas blessée.

— Vous ne comprenez pas le contexte, Kyle, dit Gaby en s'agenouillant à côté de moi. Nous reparlerons de toute cette affaire plus tard, mais pour l'instant je dois y retourner...

— J'appelle la police, dis-je en tentant de me relever.

Gaby, plus rapide qu'une murène, m'assena un coup et me maintint écrasé au sol.

— Pour l'amour du ciel, Kyle, reprenez-vous !

Me reprendre ?

Je me tortillai, me libérai et m'appuyai contre le mur pour me relever. Mes genoux faisaient mal où les sœurs les avaient piétinés et une crampe nouait un muscle de ma cuisse. Gaby me donna un peu d'espace, mais ses deux acolytes se rapprochèrent de moi. Dans un éclair prémonitoire et précis, je me vis immobilisé sur le lit moi aussi, avec mon sang plus vermillon que celui pourpre foncé de Chantelle, et mes cris aigus de fausset accompagnant le contralto de ses hurlements.

C'était à peine croyable mais, derrière la porte, les chants avaient repris. Mon intrusion n'avait donc été, dans leurs rites d'initiation au meurtre, qu'un contre-temps mineur.

— Que comptez-vous faire ? Me poignarder aussi ? dis-je

d'une voix pleine de sarcasmes à mes garde-chiourmes, mais en reculant car j'avais certains doutes sur la manière dont je me comporterais sous la torture.

— Dieu sait que tout ceci doit être éprouvant pour vous, Kyle, dit Gaby. Croyez-moi, je sympathise. Et j'apprécie que vous vous inquiétiez de Chantelle. C'est tout à fait naturel. Et noble. Permettez-moi de vous rappeler, si cela peut vous aider, que votre père savait ce qui se passait ici.

— Bien sûr qu'il le savait. Pensez-vous que quelqu'un puisse dormir avec tous ces cris ?

Les chants, qui avaient graduellement repris du rythme et de l'ampleur, nous obligeaient à hurler.

— Si vous respectez la mémoire de votre père, gardez à l'esprit qu'il s'attendrait à ce que vous restiez dans votre chambre. C'est ce qu'il ferait.

— Je n'ai jamais connu le bonhomme.

— Je vous demande pardon ? Je ne vous entends pas, Kyle.

— Il était sans doute aussi sadique que vous.

— Parlez plus fort ! Je ne vous...

De nouveaux cris jaillirent de la chambre, une intolérable douleur marquée au fer rouge qui me glaça le sang. Je fonçai, dépassai les trois femmes, atteignis la porte et pensai avoir réussi... quand elles m'épinglèrent. Cruelles et efficaces, elle me clouèrent le visage contre le sol. Gaby et une de ses comparses s'assirent sur mes omoplates et me saisirent chacune un bras. La troisième m'immobilisa les genoux.

— J'ai quelque chose à vous dire et maintenant vous allez m'écouter, dit Gaby.

— Descendez ! Lâchez-moi ! Je vous avertis ! Débarquez de mon dos !

— Kyle...

— Fermez-la ! hurlai-je.

— Fermez-la vous-même !

— Je ne peux plus respirer ! haletai-je.

— Sheryl, donnez-moi votre cordelière, ordonna Gaby.

— Non ! Ne la lui donnez pas, Sheryl ! Je me calme, je me calme... Vous voyez ? Ne me ligotez pas.

— J'allais vous bâillonner, admit Gaby.

— Ne me bâillonnez pas ! Pas de bâillon ! Je me la ferme ! Ne me bâillonnez pas, Gaby !

— Alors, d'accord, dit-elle avec calme, mais d'une voix forte, pendant que, sous elle, je décochais régulièrement de furieuses ruades. Ne m'interrompez pas, Kyle. Tâchez de comprendre ce que je vous dis.

Je n'en croyais pas mes oreilles. J'avais le visage écrasé contre le sol, aplati comme une marmelade d'orange sur un trottoir et Gabriella me donnait un cours.

— Chantelle n'est pas en danger, dit-elle. Elle vit une expérience extatique. Une expérience religieuse, si vous préférez. Ce sera difficile à comprendre pour vous. Et pour moi difficile à expliquer. Contentez-vous de l'accepter pour le moment. Le Saint-Esprit de Dieu est descendu dans cette chambre. Personne n'inflige de blessures à Chantelle, elles apparaissent toutes seules, continua-t-elle en hurlant dans mon oreille. Ce sont les plaies du Christ, Kyle. Elle a été touchée par Dieu.

— Foutaises ! Elle est blessée !

— Les stigmates, vous n'en avez jamais entendu parler ?

Aplati sous le vigoureux et lourd amoncellement des trois femmes, je perdais de l'énergie et les paroles de Gaby étaient à la fois incompréhensibles et inquiétantes.

— Ce qui se produit cette nuit se produit tous les vendredis saints, poursuivit-elle. Un jour plus tôt cette année, nous ignorons pourquoi. Chantelle revit la Passion de Notre Seigneur. Nous sommes navrées, mais il nous était impossible de vous avertir. Nous ne nous attendions pas à ce que le phénomène se manifeste ce soir. Maintenant, écoutez attentivement, Kyle. Concentrez-vous ! dit-elle en me tirant la tête vers l'arrière par les cheveux pour insister sur le caractère impérieux de son ordre. Ni vous ni moi ni la police ni personne sur terre ne peut rien pour cette enfant en ce moment précis. Écoutez-moi ! Ce que Chantelle endure, elle l'endure. Cela semble un supplice, je suis certaine que c'en est un, mais je suis certaine aussi que c'est de l'extase. M'entendez-vous ? De l'extase. C'est de la douleur et c'est aussi l'illumination. Ce dont elle n'a pas besoin, jamais besoin, c'est d'être publiquement humiliée. Il est malheureux que vous l'ayez vue. Malheureux pour vous, mais encore plus pour elle. Ne permettez pas qu'elle soit plus humiliée encore.

Gaby, de ses mains de poseur de briques, bloquait net toutes mes tentatives de me libérer. Je gargouillais et tâchais désespérément de retrouver mon souffle. Elle finit par ôter une partie de son poids de mon corps.

— Nous vous attacherons jusqu'à ce que vous retrouviez vos esprits, si c'est ce que vous voulez, dit-elle. C'est facile à arranger. Bernice est experte en nœuds. N'est-ce pas, Bernice ? Vous voulez une démonstration, Kyle ?

Gaby n'était pas du genre à proférer des menaces gratuites. L'autre femme, installée sur mon dos, se leva aussi et nous attendîmes que ma respiration se régularise. J'en profitai pour réfléchir à la fois au peu d'orthodoxie de ses paroles et aux choix que j'avais. Je finis par céder et répondis à sa question avec résignation.

— Ne m'attachez pas, dis-je.

Elles me relevèrent sans ménagement. Je me sentais à la fois soulagé et mortifié. Mon intrusion avait-elle été humiliante pour Chantelle ? N'avait-elle pas tourné son visage ensanglanté vers le mien, des yeux d'assiégée, un regard grave et attristé, pour ensuite se replier sur elle-même ? Je ne l'avais pas entendue contester la brutalité du traitement que les autres m'avaient réservé.

La frénésie de sa crise était évidente, comme aussi sa honte, son sentiment d'être profanée. Ses cris étaient les cris d'une victime de bourreau mais, quand j'avais regardé dans la chambre, personne ne l'agressait. Je n'avais vu ni armes ni entraves. Chantelle avait tourné le dos à celui qui venait à son secours. Si son regard avait condamné quelqu'un, c'était moi qu'il avait condamné.

— Je veux voir Chantelle, dis-je.

— Impossible. Pas maintenant.

— Plus tard alors.

— Si elle est assez en forme. Et si elle est d'accord, dit Gaby.

— Cela ne me suffit pas.

— Je viendrai vous voir plus tard. Dès que je peux. Je vous expliquerai ce qu'il m'est permis de vous expliquer, dit Gaby.

— Quand viendrez-vous ?

— Plus tard, Kyle. Vous le méritez bien. Pauvre vous. Je suis réellement navrée que vous ayez eu à assister à tout ceci sans aucune préparation.

Mécontent d'être obligé de céder, je restais debout, immobile et haletant.

— L'autre matin, j'étais au Tennessee, me lamentai-je, mortifié. Là-bas, les morts promènent leurs os comme les vivants. À midi tapant, ils font la sieste sur les pelouses. Ici, les vivants saignent à mort. Ils ne dorment pas dans leur lit, ils hurlent dans leur lit. Leurs amies appellent ça de l'extase, dis-je alors qu'une crampe m'escaladait le dos et éclatait dans mes bras. Prenez soin d'elle, Gaby. Je vous en tiens personnellement responsable.

— Responsabilité acceptée. Même si Chantelle, en réalité, est entre les mains de Dieu.

— Dépêchez-vous de venir me parler, ordonnai-je à Gaby d'une voix bourrue, vaine tentative de sauver la face.

— Dès l'instant où je suis capable de m'éloigner.

Conscient des risques que je courais dans le noir, je regagnai ma chambre. Assis sur ma chaise, tour à tour déprimé et inquiet, je piquai des crises. Par trois fois je me levai et donnai de grands coups de poing dans le lit. Puis me blottis en tas sur le plancher comme une vieille machine détraquée. Les mains collées sur mes oreilles pour ne plus entendre la primitive sauvagerie de la musique, essayant de bloquer mon cerveau contrarié par de sordides imaginations.

Chaque fois que Chantelle hurlait, je m'entendais gémir aussi.

10

TU ÉTAIS DONC AU COURANT de tout ceci, mon petit papa ? Gaby t'a impliqué, a dit que tu savais ce qui se passait. Est-ce la raison pour laquelle tu t'es arrangé pour me donner l'illusion de la prospérité et m'entraîner ici ? Fâché que je te survive, tu t'es arrangé pour me jeter en pâture à ton harem de mangeuses de chair humaine ? Pourquoi ? Quel tort t'ai-je fait ? J'aurais dû rester à Walkerman's Creek où les squelettes, le dimanche, dansent les valses du Tennessee.

Les hurlements diminuèrent progressivement et les chants se turent. Les batteries des bonnes sœurs étaient à plat. Le vent, à l'extérieur, finit par cogner plus fort et par couvrir le ramdam intérieur.

Une heure plus tard, quelqu'un cogna à ma porte.

— Chantelle !

— Puis-je entrer ?

Son épuisement pendait sur son corps comme un grossière toile de jute. Je reçus, dans ma paume, le poids de son bras bandé. Ses yeux avaient séché. Elle s'était lavée et changée. Seuls les gros bandages autour de ses mains et de ses poignets indiquaient qu'un événement fâcheux s'était produit.

— Je voulais que vous constatiez par vous-même que je vais bien, dit-elle.

Vêtue de blanc, elle paraissait angélique.

— Vous allez bien ? Vraiment ? Qu'est-ce... Qu'est-ce qui se passe ?

— Kyle... je suis épuisée. Sheryl et Bernice...

— Mes garde-chiourmes.

— ... sont mortes de fatigue aussi. Je vous en prie... faites-moi confiance. Ne téléphonez à personne et n'intervenez pas. Je suis vraiment désolée pour ce soir. Ce qui est arrivé était inattendu. Nous n'avons pas eu le temps de vous prévenir. Nous espérions, je pense, que vous restiez au lit et nous laissiez tranquilles.

— Gaby a dit... les stigmates.

— Les gens ont besoin de donner un nom aux choses, dit-elle d'une voix où perçait le regret. Les mots leur donnent une dimension, ils ont l'impression d'avoir du pouvoir. L'impression de la connaissance. Les stigmates... Ouais, d'accord, mais méfiez-vous des idées préconçues. Surtout... des idées préconçues à mon sujet. Je veux dire... Kyle... Je ne suis pas une sainte. Et... je ne suis pas tellement excentrique et anormale non plus, dit-elle sans détourner une seule seconde ses yeux des miens.

Ma colère contre moi-même de n'avoir pas trouvé de réponse adéquate ne fit qu'aggraver ma fâcheuse position ; son regard me suppliait de ne pas éprouver de dégoût pour le supplice qu'elle avait enduré.

— Êtes-vous certaine que ça va ? Et si j'appelais un médecin ? Vos mains ? demandai-je.

Sa force fléchit, une fissure à la surface de sa volonté et de sa contenance. Ses lèvres tremblèrent très, très légèrement. Chantelle localisa du bout de ses doigts émergeant de la gaze la poignée de porte. Elle ne parla plus, et peut-être ne le pouvait-elle plus, mais hocha imperceptiblement la tête et disparut comme un feu follet.

Le silence de la nuit bourdonna dans mon sang.

Je traversai d'un pas hésitant l'espace étroit du plancher et m'effondrai sur le lit. Capitulai devant les vagues d'épuisement. Doux Seigneur, que se passait-il ? Quelques heures plus tôt, Chantelle, le corps transpercé, harnaché par l'hystérie, avait souffert le martyre. Pas d'explication valable ni de cause logique. Espérant vaguement que Gaby me rende toujours visite et clarifie les choses, je m'efforçai de rester éveillé. Comme si dormir n'était plus qu'une vague possibilité.

Après un moment je me rendis compte, surpris, que même étendu de tout mon long sur le lit, je résistais au sommeil. Ne m'endormirais pas, même si j'essayais. En règle générale, cela m'était impossible, et je devais maintenant me concentrer pour me rappeler la dernière fois que j'avais dormi. Les yeux grand ouverts comme un cadavre, j'eus peur de n'être plus jamais capable de trouver le sommeil.

À WALKERMAN'S CREEK, Isabelle, ma voyante extra-lucide et sexy, m'avait un jour fait la remarque : « Tu sais, c'est quoi ton problème ? »

— Accouche, Isabelle.

— Pendant que tu grandissais, tes diaboliques perroquets t'ont jeté un sort.

— Diaboliques, ma petite Isabelle ? Tu ne penses pas que tu pousses un peu fort ? Mes perroquets étaient des oiseaux tout ce qu'il y a de plus corrects.

— En tant qu'oiseaux. Mais en tant que modèles, ils laissaient un peu à désirer. Le perroquet, vois-tu, est l'emblème de l'imitation. Et c'est ce que tu es : un superbe imitateur, mais sans les couleurs. Un jour, tu es une hirondelle, le lendemain une grive, jamais Kyle Laîné. L'imitation ne demande pas d'énergie créatrice originale. C'est un style de léthargie qui mène à la paralysie. Tu deviens un arbre endormi, pétrifié, Kyle. Tu ne siffles pas. Ce sont les oiseaux dans tes branches qui sifflent.

J'ai dit à Isabelle que la réalité du monde extérieur m'était étrangère. Elle a compati.

— Chante-moi quelque chose, Kyle, avant qu'on baise. Je veux être séduite par un chant ce soir. C'est romantique.

— Un chant *humain* ? Désolé, je ne suis pas capable de chanter de chant humain.

— Alors, yodle !

— PERFIDIE ! cria mère supérieure Gabriella, préférant hurler sa laconique accusation que cogner à ma porte, qu'elle claqua violemment sur ses talons.

L'air échevelé de Gaby donnait à penser qu'elle venait de se battre avec un second intrus et le sang-froid avec lequel elle avait refréné ma rageuse intervention avait pris le bord.

Dans la faible clarté de la lampe de chevet, sa peau avait la texture blanchâtre d'un fromage devenu blanc suite à sa rencontre fortuite avec un esprit frappeur. Elle avait à présent l'air d'un fantôme elle-même et gardait obstinément le regard rivé sur la fenêtre.

— En cette Nuit des Nuits, dit-elle, Notre Seigneur a averti qu'Il serait livré à Ses Bourreaux. En cette Nuit des Nuits, Il a prophétisé le Baiser Fatal. En cette nuit de Perfidie. En cette heure de Supercherie. Ce moment de Vérité.

Gaby se retourna et concentra son regard sur moi. Mon silence m'incriminait. Et ce silence, ou mon attitude craintive et soumise, lui inspira sa conclusion : « Trahison », dit-elle. Je me sentais effectivement coupable. Mon rendez-vous galant avec Chantelle dans les écuries, même innocent, prenait de vilaines proportions, aux limites de la dépravation et du méfait. Ma cache secrète d'ossements aurait aussi bien pu se trouver sous mon oreiller. Je me recroquevillai.

Je n'avais, dans l'espace réduit de la chambre de mon père, aucun endroit où me cacher, pas de mensonge irréfutable à proférer et pas suffisamment d'énergie pour opposer quelque démenti que ce soit.

— Comme Notre Seigneur l'a révélé, poursuivit Gaby qui me regardait de haut avec la morgue et l'acuité de l'aigle guettant un mulot, la main de l'Homme tremperait avec Lui le pain dans le Plat. La main de Celui qui le trahirait. La main de Judas Iscariote était la main de l'Homme, l'incarnation manifeste de la volonté humaine, la sorcellerie du Péché.

Complètement d'accord ! J'avouerai tout !

Je suis la plus pernicieuse petite merde qu'une chasse d'eau ait jamais envoyée à la mer !

Mais je me rendis compte que la nomenclature de mes péchés allait devoir attendre, car je remarquai un geste de Gaby qui compliqua la situation.

Au début, je crus qu'elle pressait une main sur son cœur pour y apaiser la douleur et la souffrance avant qu'elles ne fassent exploser ses mortelles capacités. Mais ce n'était pas ça. Gaby avait empoigné son sein gauche. Elle en pressait en cadence le globe lourd et, les yeux fixés sur un point du mur, imprimait avec un de ses doigts un mouvement de va-et-vient au mamelon sous le tissu.

Je regardais le mamelon grossir, pointer de l'autre côté de sa bure.

Une autre idée se planta dans ma tête. Ce n'était pas moi qu'elle accusait. Elle n'était pas venue dans cette chambre pour me condamner, même si la tâche aurait été des plus faciles. Mes plaies, elle était décidée à les laisser suppurer. Non ! Gaby était ici pour se déclarer coupable et se condamner elle-même.

— Perfidie. Sacrilège. Tromperie, psalmodia-t-elle. Kyle, j'ai aimé votre père, plus qu'il ne l'a jamais su. Je l'ai aimé de toute mon âme et de tout mon cœur. De tout mon corps aussi. Ce que j'ai fait, je l'ai fait parce que je me souciais de lui. Vous devez le croire ! Dieu ! Que nous sommes méchants ! Que nos mains sont souillées ! Nos vies malpropres ! Regardez ! dit-elle en tendant brusquement sa paume droite, barbouillée de rouge.

— Les stigmates ? demandai-je, ouvrant la bouche pour la première fois, d'une voix qui n'était plus qu'un faible chevrotement.

Une maladie contagieuse ? J'avais envie d'être au Tennessee, de dormir sous la pluie, sans avoir connaissance de rien, sinon de son raffut sur le toit percé et des apparitions de squelettes sur le terrain de golf du village.

— Non ! Le sang de Chantelle ! hurla-t-elle. Le sang de votre père ! Le sang de la tromperie ! Le sang du subterfuge. Du... de... le sang de la perfidie ! De... la trahison ! Comme nous nous trahissons les uns les autres ! Que nos vies sont mesquines ! Que nos mobiles sont dérisoires... et désespérés !

La douleur physique que j'avais réussi à m'épargner depuis ma première rencontre avec Gaby me terrassa brusquement. Sans crier gare, elle brandit sauvagement ses mains et un de ses poings fermés m'envoya au tapis. Je m'assis sur le lit, en tenant mon nez qui me faisait mal et, clignant les yeux de douleur, je lui demandai : « Quels *sont* exactement vos mobiles ? »

145

— Quoi ? dit-elle dans un hoquet aigu, vraiment inquiétant car il indiquait que Gabriella avait à peine conscience de ma présence.

— Vos mobiles. Quels sont-ils ?

Gaby soupira, comme si elle portait de lourds fardeaux. Elle releva le bord de sa bure et essuya sa main ensanglantée sur la rude étoffe, avec la célérité et la minutie d'un criminel qui effacerait ses empreintes digitales, laissées sur une arme.

— L'amour, finit-elle par dire comme si elle lisait son testament. Juste ça. Juste l'amour. Nous avons misérablement échoué, dit-elle en s'effondrant à côté de moi.

— Gaby... marmonnai-je.

Je voulais la consoler, mettre fin à ce désastre, moins intéressé maintenant à y trouver une logique qu'à y mettre un terme. Qui étaient ces femmes ? Qu'est-ce que je fabriquais au milieu d'elles ? J'avais une terrible envie de dormir.

Gaby bondit soudain sur ses pieds, dénoua la cordelière qui lui ceignait la taille et la tira par les deux boucles de sa ceinture. Une série d'images m'explosèrent dans la tête. Elle avait peut-être quand même l'intention de me ligoter après tout, et appellerait Bernice pour s'assurer que les nœuds soient solides ou me tresserait le nœud coulant du bourreau. Macramé fonctionnel. Mais je me sentis dérouté quand elle la jeta simplement sur la chaise qui se trouvait à côté du lit.

Sans la cordelière, sa bure était droite comme une robe-sac.

— Kyle, dit-elle en trouvant le moyen de miauler mon prénom, malgré l'occlusive sourde de sa première syllabe.

— Gaby ? demandai-je, sur mes gardes, car je n'étais pas né de la dernière pluie.

Le bas de sa bure s'éleva lentement. Révéla ses mollets, ses genoux, le milieu de ses cuisses.

— Gaby.

Le mouvement était lent, mais pas le moins du monde hésitant. Elle me laissait m'habituer peu à peu à l'idée.

— *Gaby !*

Le blanc de ses hanches, au niveau de mes yeux, emplissait tout mon champ de vision. Quand sa tête disparut dans les plis de son ecclésiastique vêtement, la touffe noire de son pubis galvanisa mon attention. La bure s'arracha, comme emportée par une rafale. Gaby était debout devant moi, nue comme un ver. Avec ses seins blancs qui gîtaient de chaque côté. Une fois de plus, mon étonnement me figea sur place : je ne tirai aucune sonnette d'alarme. Je n'étais préparé à rien de ce qui se passait, ni à son numéro d'exhibitionniste ni à l'ordalie de sa supplique.

— Fais-moi l'amour, s'il te plaît, Kyle.

Sainte Bénite. Double et triple sainte Bénite.

Elle dépassait les bornes. Mon seul espoir résidait dans mon esprit d'initiative, mon astuce et mon indomptable énergie. « Gaby, pour l'amour de Dieu ! » Je ne fis preuve d'aucun des trois. Ma voix tremblait et je n'osais pas me relever. La chambre était trop petite pour que nous y soyons tous les deux debout sans risquer de nous toucher, même si, cible fixe plus bas qu'elle sur le lit, j'étais en fâcheuse position.

— Quelle sorte de religieuse êtes-vous donc ? lançai-je, remplaçant les excuses par de la provocation.

— Une vraie, affirma-t-elle. Nous sommes des religieuses plus authentiques que les grognasses dans les couvents.

Elle s'assit sur le lit (je n'attendais que cela pour me lever), puis s'y allongea. Elle s'étira et replia une jambe. Malgré toute ma volonté et mon peu d'attirance, mon corps réagit. J'avais été chaste trop longtemps. Pour me donner meilleure contenance, je tournai la chaise et m'assis de manière à ce que les barreaux du dossier nous séparent. J'essayais de ne pas regarder sa main qui caressait de nouveau son sein. Un sein bleu dans l'aléatoire clarté.

Son autre main errait, vagabonde, entre ses jambes.

Je restais bouche bée.

Ses deux cuisses s'entrouvrirent et le désir, comme une drogue, s'empara de mon corps. Je me disais : « Seigneur, non, non. Pas ça en plus. » J'avais été déraciné, j'avais reçu un manoir, j'avais grimpé dans l'échelle sociale, j'avais hérité d'une entreprise ; j'étais tombé amoureux, avais été privé de sommeil et terrifié jusqu'à l'os. Tout cela dans la même journée. S'il vous plaît, pas ça. Pas le désir, en plus.

— Kyle, dit Gaby, les yeux ardents comme de la braise et la voix de plus en plus douce à mesure qu'elle se touchait. Cette nuit est la nuit de la perfidie. Elle nous a traitées d'assassines. Chantelle, de sa voix mystique, nous a traitées de condamnées. Elle a raison. Nous sommes vouées à l'échec. Chacune de nous, vouée à l'échec à jamais. Damnées pour ce que nous avons fait jusqu'à la fin des temps. Damnées pour trahison. J'aimais votre père, Kyle. Je l'aimais. Un amour qui me rendit cruelle. Kyle, Kyle, pour l'amour de Dieu, enlève tes vêtements, qu'est-ce que tu attends ? Couche-toi à côté de moi. Touche-moi, Kyle, dit-elle, les dents serrées.

L'image de Chantelle était claire dans mon esprit, impossible à effacer. Chantelle dans les écuries. Délectable et pétillante, gênée et hardie. Chaperon de sa propre passion. Chantelle sur le lit. Ensanglantée. Le souffle coupé par la démesure de sa douleur. Chantelle dans ma chambre. Blanche et apaisée, mais effrayée et entravée dans sa liberté. Chantelle riant, Chantelle pleurant, Chantelle s'écartant très vite de moi avec son nez qui saignait. Les jeux des sœurs ne me concernaient pas. Leurs préceptes n'étaient pas les miens.

Nuit de trahison, peut-être. Pour elles, pour Gaby, et peut-être pour Chantelle : pas pour moi. Chantelle m'embrassant, Chantelle se détournant de moi, honteuse que je l'aie vue dans ses moments d'extase et de détresse. Je ne voulais pas gâcher le contact secret, merveilleux, mystifiant que notre attirance mutuelle avait provoqué. Cette communion était plus poignante que la femme qui se prélassait nue devant mes yeux.

Le numéro de Gaby était érotique et une part de moi y réagissait, mais je n'ai jamais pensé que mes impulsions étaient bonnes conseillères.

— Sortez, lui dis-je sans ménagement, plus brutalement que je n'en avais l'intention, ayant perdu quelque peu le contrôle de moi-même.

Je tirai sa bure d'en dessous ses genoux et la lui jetai sur le corps.

— Oh. Kyle. Non. Seigneur. S'il te plaît. Ne fais pas ça. Pas maintenant. Ne me fais pas ça *maintenant*. Pas cette nuit, Kyle, ne...

— Navré, Gaby. Vous devez partir. C'est mieux. Je vous en prie et merci beaucoup.

— Non, Ky...

— Dehors !

Mon intransigeant rejet eut un effet certain. L'indignation remplaça la passion. Gaby fit tournoyer son vêtement pour essayer d'en trouver le bas. Elle se colleta avec la bure et la glissa par-dessus sa tête et, quand elle réapparut, des larmes humectaient ses joues.

— Allez au diable ! dit-elle.

Si se répandre en injures l'aidait à surmonter sa honte, je la laisserais faire. Et tâcherais même de l'aider de mon mieux à ne pas perdre la face.

149

— Oubliez tout cela, Gaby. Nous avons vécu une nuit infernale. Une autre fois... Qui sait ? Nous en reparlerons demain, quand nous aurons repris nos esprits.

— Est-ce tellement bon, reprendre ses esprits ? Je ne pense pas, dit-elle, l'air mécontent, en glissant ses orteils dans ses sandales et en passant la cordelière autour de sa taille.

— Le moment était vraiment mal choisi.

— Vous êtes peut-être un tata, dit-elle. Vous aimez les garçons ? Ou bien le sexe est-il trop salissant pour cet enfant sensible qui chante comme les gentils petits oiseaux ? Je suis peut-être trop femme pour vous, c'est ça ?

— Peut-être, Gaby. Bonne nuit.

— Bonne nuit, épais.

J'avais fait ce qu'il fallait faire. Pour le meilleur ou pour le pire, je m'étais comporté comme un sapré vrai propriétaire d'auberge.

Inutile d'essayer de dormir. Des images sanguinolentes de Chantelle me flottaient devant les yeux chaque fois que je les fermais. Ou l'impression d'avoir un os entre les dents. Une seule phrase se répétait sans cesse dans ma tête : « Cet endroit est trop dément. Tu ne peux pas rester ici non plus, Laîné. Cet endroit est beaucoup trop dément. »

Assertion peut-être vraie pour tous les autres endroits du monde aussi, mais je voulais m'en aller. Peut-être même retourner vivre dans la vallée de la mort du Tennessee.

11

VIEUX NAVIRE AU LONG COURS oublié, l'*Auberge du péage*
craquait dans son sommeil, laissait échapper de périodiques
et éloquents ronflements, des toux et, à trois reprises, le gargouillis
et le giclement d'une toilette. Officier de quart pendant toute la
nuit, assis, la fenêtre entrouverte pour laisser pénétrer l'air frais
et le babil matinal des oiseaux, je montais la garde et guettais
d'autres catastrophes inconnues.

Le chant de l'aube se réduisit à la morne agitation des hirondelles et aux agressifs *cââ! cââ!* des corneilles. Changement no-
table par rapport aux chœurs du Tennessee qui m'avaient réveillé
ces quinze dernières années. La forêt n'hébergeait que les espèces
qui avaient hiverné ou celles qui avaient migré tôt et, regrettant
le gazouillis et les pépiements de mes vieux amis, je ressentis une
profonde tristesse. Je me sentais laissé pour compte. Un dur-bec
des pins – jeune mâle s'empiffrant de graines à la mangeoire extérieure, vite rejoint par d'autres membres de sa famille – me ra-
gaillardit. Un vol de chardonnerets alluma les arbres. Les montagnes
s'éveillaient et le malaise de ma solitude sembla se dissiper.

Merci, Seigneur, pour les oiseaux entrevus si tôt, parce que je
n'en observerais pas d'autres ce jour-là. Un brouillard ondulant et
épais roulait vers le haut de la vallée, comme un employé endormi

151

qui se présenterait tard au travail, rejoint par un nuage gris, esseulé qui, après avoir erré dans les collines environnantes, s'installait sur ma montagne. Une journée cafardeuse, bruineuse, morne. Pyorrhée de récriminations. J'avais l'intention, après le déjeuner, de dormir plusieurs éternités de suite.

Je profitai de l'heure matinale pour me laver et me raser. Je revins revigoré et raisonnablement dispos dans ma chambre. Le train-train familier éloignait les événements morbides de la nuit, comme s'ils s'étaient déroulés en rêve, un rêve puissant, impressionnant, mais dont il m'était difficile à présent de me souvenir. « Ces clientes ne seront pas toujours ici », me répétai-je constamment pour m'encourager. Aussi délirante qu'elle soit, ma passion pour Chantelle finira inévitablement par s'édulcorer. Si tu es capable de survivre aux combats avec des nonnes pugilistes, me disais-je, il te suffira, pour réussir, de simplement persévérer. Des clients qui se plaignent du service, ce sera du gâteau, par comparaison à des clients qui saignent.

Convaincu de mon avenir radieux, je me reposai, tranquillement allongé sur mon lit. Des réveille-matin sonnèrent à brefs intervalles à travers toute l'auberge, suivis par les pas traînants des sœurs hébétées qui faisaient la file pour les toilettes. Quand une clochette tinta comme un délicat carillon dans la brise, je pensai que nous avions droit aux prières du matin. La cavalcade dans les escaliers, comme celle de prisonniers libérés, suivie par les bruits de chaises et les grincements sur le plancher m'indiquèrent que je me trompais. Le signal était celui d'Hazel.

Déjeuner ! Une simple et merveilleuse fête. Œufs et bacon. Rôties et café. Crêpes au babeurre, miammmm, avec du pur sirop d'érable du Vermont. Supersucculendélicieux. L'arôme ondoya dans ma chambre, dans mes pores, dans mon âme. Nourris-moi,

Hazel ! Vas-y, douce enfant ! Je me languis de ta nourriture depuis l'instant de ma naissance !

Debout et au trot !

Sœur Sophie faillit me jeter à terre juste en haut de l'escalier. Elle avait grimpé les marches quatre à quatre et nous nous lançâmes chacun dans une gigue compliquée, à la fois pour éviter la collision et, plus important, pour ne pas renverser la tasse de thé chaud qu'elle tenait à la main.

— Donnez-moi ça, dit une voix.

La voix de Gaby. Debout devant la porte de la salle de bains, le dos tourné vers moi, elle portait une robe de chambre bleue en tissu-éponge. Je ne l'avais pas reconnue. Sophie lui tendit la tasse.

— Hazel m'a demandé de vous préciser... lui dit Sophie qui, après avoir commencé à transmettre le message, s'arrêta au milieu de sa phrase pour reprendre son souffle ...que c'était du Darjeeling.

— Merci, répondit Gaby en me jaugeant d'un regard méprisant.

— Êtes-vous certaine de ne rien vouloir d'autre ? demanda Sophie, l'air peu sûre d'elle, comme si elle avait aussi peur que moi que Gaby enlève son peignoir et, les seins à l'air, se retrouve en maillot de boxeur.

Amante, pugiliste ou mère supérieure, qu'était Gabriella ce matin ?

— Positif. Ne vous occupez pas de moi, dit-elle.

Sophie n'avait pas besoin d'autre encouragement pour battre en retraite vers le rez-de-chaussée. Je m'apprêtais à la suivre, mais Gaby m'arrêta net avec un sardonique : « Bonjour, Kyle ».

Qui me figea.

Comment devais-je réagir à ces gens ? S'attendait-elle à ce que j'oublie ce dont j'avais été témoin la nuit passée ? Je ne suis pas contrariant de nature et préfère fuir la confrontation, mais je ne suis pas non plus expert en faux-fuyants. Il m'était impossible de faire semblant que rien d'anormal ne s'était produit.

— Bonjour, hasardai-je.

Rien de plus, un échange froid ponctué par la porte de la salle de bains qui s'ouvrit de l'intérieur et dont émergea Chantelle. Le plancher sur lequel je me trouvais se transforma en second tremplin de piscine ou en planche de flibustier d'où je plongeai dans l'océan de mes émotions.

Les yeux de Gaby se posèrent sur moi, puis sur Chantelle, puis de nouveau sur moi. Un pâle sourire, proche du ricanement, se dessina sur ses lèvres.

— Tenez, mon cœur. Cramponnez-vous à ceci jusqu'à ce que je ressorte, me dit Gaby en me tendant la tasse et la sous-tasse. Vous êtes l'aubergiste. Rendez-vous utile, ajouta-t-elle, le cou tourné vers moi, juste avant de pénétrer dans la salle de bains, sans même un petit « hou ! » à Chantelle.

Le visage de Chantelle avait retrouvé ses couleurs, peut-être à cause de son embarras, mais c'était un soulagement. Elle portait, ce matin, une robe de tissu imprimé blanc, rehaussée par un motif mauve et bleu diamant qui lui soulignait la taille et tombait sur ses hanches. Son cardigan était blanc aussi et rendait ses bandages moins évidents. Les bouts de ses doigts pointaient de la gaze comme des boutons floraux dans un champ de neige.

— Salut, gazouilla Chantelle.

— Bonjour. Comment allez-vous ? demandai-je, après que ma question soit restée pendant un moment coincée dans ma gorge parce qu'elle n'était ni banale ni une simple formule de politesse.

— Bien. Bien.

— Bon, opinai-je et, par égard pour la symétrie, je redis : Bon.

— Je m'excuse de vous avoir fait peur la nuit passée, Kyle. Vraiment.

Pour confirmer son regret, elle me toucha le poignet de sa main bandée. Je frissonnai.

— C'est O.K... Bien... C'est juste que... J'aimerais...

Qui m'aiderait à formuler les questions ? Comment fouiller le mystère d'événements aussi étranges ?

— Ta, ta, ta, Kyle. Pas maintenant. Descendons juste prendre un bon petit déjeuner.

Je la regardai dans les yeux sans parler. Dans un effort pour pénétrer ses secrets. Car je voulais éviter de faire semblant que rien ne s'était passé, que la vie parmi ses femmes était tout à fait normale. Je voulais que la vérité soit dite parce qu'il était plus effrayant de ne pas savoir.

— N'éprouvez pas de dégoût, insista Chantelle, sans laisser transparaître de honte cette fois, mais comme si elle émettait un ordre précis.

— Bien sûr que non, dis-je, évitant de me compromettre et roulant sans le vouloir mes épaules pour me défaire de l'envoû-tement.

— Descendons-nous dans la tanière d'Hazel ?

C'est à ce moment-là que Gaby émergea de la salle de bains. Ses ablutions n'avaient en rien amélioré son air hagard. Elle avait les yeux au bord des larmes. Des touffes de cheveux dressées par-tout sur la tête. Elle prit le Darjeeling, nous jeta à tous les deux un regard de franche aversion, but une gorgée et s'éloigna à petits pas dans le hall.

— À une condition, stipulai-je.

— Dites, répondit Chantelle en souriant.

— Que nous nous asseyons ensemble.

Chantelle posa une de ses ailes blessées au creux de mon coude, me fit tourner vers elle et me dit en boutade : « Facile ! » Nous descendîmes ensemble sans nous presser les escaliers.

NOUS NOUS INSTALLÂMES à une petite table ronde près d'une fenêtre avec vue sur le brouillard qui commençait à éclore.

— Il y a quelques heures, dis-je, vous hurliez et souffriez le martyre. En extase ou peu importe. Vous saigniez sans raison, et plus abondamment que le corps humain n'est capable de saigner.

Elle poussa un petit rire courageux et gêné.

— Si vous pensez que votre situation est délicate – elle leva son verre de jus pour me saluer –, imaginez ce que je ressens. Me voici, Kyle, assise à table avec un homme qui, hier soir, chantait des chants d'oiseaux. C'est plus qu'un peu saugrenu.

— Très juste ! dis-je avec une moue ambivalente.

Je réussis à me fendre d'un sourire. Une serveuse plaça devant nous des rôties beurrées dans un élégant porte-toasts d'argent. Chantelle avait peut-être réussi à faire tomber ma nervosité d'un cran, mais je redevins inquiet quand je la vis se débattre pour étendre la confiture sur son pain.

— Vos mains vous font mal ? demandai-je.

Elle secoua la tête de gauche à droite, savoura sa première bouchée et enleva les miettes des coins de sa bouche.

— On posait la même question au padre Pio, dit-elle. Vous savez ce qu'il répondait ? « Madame, les plaies ne sont pas de la décoration. » Oui, elles me font mal. Certaines. Pas trop ce matin. J'ai de la chance.

— Qui est ce padre ?

— Pio. Un moine italien. Il est mort en soixante-trois. Imaginez, Kyle... Il a eu les stigmates pendant cinquante ans. Non-stop.

Je dois juste les supporter un jour par an. À vrai dire, une nuit par an. Pio a saigné sans discontinuer pendant un demi-siècle !

— Hmm, émis-je en grognant plus ou moins.

— Et il saignait des pieds aussi ! Et, en plus, il avait une plaie au côté. C'était un gâchis ambulant.

J'ignore pourquoi, mais je me sentais contrarié que Chantelle ait des héros. Je suppose que j'étais jaloux. Je me servis de confiture de fraise liquide et, avec la cuiller, la versai dans mon assiette.

— Êtes-vous capable... Je ne sais pas comment exprimer la chose, dis-je en me grattant la tête. Pouvez-vous expliquer le phénomène ? Les stigmates ?

La confiture était délicieuse. La serveuse me versa du café et nous gardâmes un silence discret jusqu'à ce qu'elle soit assez éloignée pour ne pas comprendre ce que nous disions.

— Cela me dépasse complètement, ajoutai-je.

— Moi aussi, dit laconiquement Chantelle, dont le visage s'épanouit en un large sourire et qui rattrapa *in extremis* la coulée de confiture de framboise qui lui dégoulinait du menton. Tout le monde est contrarié, murmura-t-elle en se penchant vers moi, parce que ce n'était pas supposé se produire la nuit passée. Cette scène n'arrive d'habitude que la nuit du vendredi saint. Nous n'étions pas préparées, et votre intrusion n'a rien fait pour vous gagner des amies. Son impact a été dur sur les autres. C'est la raison pour laquelle certaines dames, comme Gaby, sont grognonnes. Comment cela m'est arrivé un jeudi saint, tout le monde se perd en conjectures. Gaby s'est même demandé si Dieu n'était pas dans les patates. Pensez-y, Kyle. Imaginez le chaos dans lequel nous serions plongés si Dieu avait perdu Son calendrier !

L'amour est aveugle, dit-on. Dicton dont je doute. Parce que l'amour aiguise la perception, mène le cœur et l'esprit à un niveau

supérieur de conscience et d'émotion. J'étais amoureux de Chantelle. Il m'était impossible de réduire son martyre à un simple
truc d'illusionniste. Même sans explication plausible, le doute ne
m'effleurait pas.

Qu'elle soit impliquée dans des rituels bizarres n'avait, sur
moi, aucun effet dissuasif, car personne d'autre, plus que moi,
n'avait l'habitude de femmes qui s'adonnaient à d'étranges pratiques. Ma mère adorait les pythons. Ma tante élevait ses oiseaux
comme des enfants et leur enseignait le parler en langues. Ma
mère et ma tante dormaient ensemble sur l'élastique matelas
d'un grand lit de cuivre. Au Tennessee, Isabelle disait la bonne
aventure et dormait avec des adolescents et des chiens galeux.
Comme je n'avais jamais été intime avec une femme intéressée,
même vaguement, par un mari et une famille ou, tant qu'à faire,
par une véritable carrière professionnelle, je ne m'attendais pas
à en rencontrer une un jour. En un sens, j'étais prédisposé aux
incongruités de Chantelle, aussi pénibles et insondables qu'elles
soient.

Les crêpes arrivèrent, fumantes. Je beurrai généreusement les
miennes. Les fis flotter dans une mare de sirop d'érable. Chantelle
coupa les siennes en seize, puis n'en grignota qu'une seule bouchée. Après les litres de sang qu'elle avait perdus, elle carburait
essentiellement, pour se fortifier le système, au café.

— Soyez sérieuse, Chantelle, implorai-je.

— D'accord Hector. Si vous insistez. Voyons voir. Comme je
suis vraiment incapable de vous offrir aucune réponse, parce que
je ne suis pas assez érudite, je vous poserai les questions. Qu'en
dites-vous ? demanda-t-elle d'une voix où perçait l'amertume, et
je vis dans la dureté de son regard un désespoir, parent du mien.

— Je ne suis pas difficile.

— Très bien. Prêt ou pas. Kyle, question à cent dollars, dites-moi, pensez-vous que j'endure les stigmates, chaque Pâques, parce que je suis une âme hystérique qui cherche un exutoire en Dieu et en trouve un dans la névrose ?

— Je suis incapable de répondre. Je ne sais pas.

— Ou, question à mille dollars, diriez-vous que je suis une âme hystérique pour que Dieu Se serve de mon corps comme canal de communication ?

— Vous vous moquez de moi, dis-je en prenant du café pour juguler mon désarroi.

— C'est vous qui vouliez une conversation sérieuse.

— Ma faute ! Je sais ! Je n'ai rien dit. Plus d'autres questions... Pour le moment.

Nous mangeâmes dans le calme pendant un bon bout de temps et j'étais ravi de constater le retour graduel de son appétit. Le sourire était notre mode de communiquer. Je me sentais dérouté, mais me permis quand même de jouir confortablement de la prébende de sa présence.

— Si j'avais posé ces questions à votre père, nous en aurions parlé jusqu'à la fin des temps, finit par dire Chantelle. Je suis contente que vous ne lui ressembliez pas *en tous points*.

Nous tourner pour regarder les jeux du brouillard de l'autre côté des vitres participait du cérémonial.

— J'ai hérité une auberge d'un père que je n'ai jamais connu, récapitulai-je. Des religieuses arrivent. Par plaisanterie, elles ouvrent la porte de la salle de bains et sifflent quand elles me voient flambant nu. J'en rencontre une dans le lot qui a du punch. Une autre me désarçonne. Ce que j'apprends d'elle ensuite, c'est qu'elle saigne par tous les pores de sa peau sur le meilleur matelas de mon établissement et hurle à s'en cracher les poumons pendant que les sœurs de sa communauté tapent sur leurs tambourins. Comment dois-je m'arranger avec tout ça, Chantelle ?

Elle me toucha légèrement la manche et le mouvement de sa main bandée jusqu'à mon côté de la table me donna le frisson.

— Le problème est vieux comme le péché, Kyle, dit-elle d'une voix plus imperceptible qu'un murmure, mais qui se réverbéra dans ma tête. Question à dix mille dollars : les faibles embrassent-ils Dieu parce qu'ils ont besoin d'une béquille ? Ou, question à quarante mille dollars : Dieu Se révèle-t-Il aux faibles parce que ceux qui sont artificiellement forts, les satisfaits d'eux-mêmes, ne sont préoccupés que par leur petit ego ? La question derrière toutes ces questions est simple. Question à soixante-quatre mille dollars, Kyle : Dieu existe-t-Il ?

Je fus apparemment pris soudain de tics et de spasmes. Mon épaule droite bondit d'un coup comme un crapaud, mon œil gauche se mit à clignoter sans raison et mon coude glissa sur le dessus de la table.

— Dieu existe-t-Il ou bien c'est nous qui L'inventons ? poursuivit Chantelle. Voilà le nœud du problème. Quelques-unes de mes amies mettent leur foi en jeu cette fin de semaine. Suis-je une enfant hystérique ? Ou une élue parce qu'Il S'est révélé à moi ? Ou les deux ? Ou ni l'une ni l'autre ? La question se pose parce que...

Pour la première fois, Chantelle laissa transparaître son stress. Sa lèvre inférieure, imperceptiblement, trembla et la peau autour de ses yeux se contracta.

— ... parce que jusqu'à présent Dieu a toujours su quel jour on était. Il a toujours distingué le vendredi saint des autres jours de l'année. Peu de personnes trouveront un névrotique aussi digne de confiance. Donc, si nous présumons que Dieu dans Son paradis possède un calendrier...

— Vous voilà de nouveau exaltée, dis-je pour la calmer.

— ...alors c'est moi qui dois être le problème. Ce qui amène la question à un million de dollars. Le nœud de toute l'affaire. Mes stigmates, mes mains qui saignent, mes larmes rouges comme du ketchup Heinz, ne sont peut-être que des manifestations hystériques venues de mon enfance.

Je fus, comme d'autres dans la salle à manger, offusqué quand elle commença à défaire le bandage de sa main gauche.

— Peut-être les choses changent, dit-elle d'une voix incantatoire. Peut-être à partir de maintenant saignerai-je deux fois l'an. Ou saignerai-je tout le temps comme le padre Pio. Nous sommes toutes impatientes de voir ce qui se passera ce soir. Si je saigne, alors Dieu Se tire d'un mauvais pas. Il est gras-dur. Nous saurons qu'Il n'est pas devenu sénile, qu'Il a juste imposé un fardeau plus lourd, serré la vis d'un autre tour. Si je ne saigne pas, alors c'est moi. Qui suis dans le pétrin, je veux dire. Même si mes contemporains seraient probablement plus disposés à me voir clouée sur une croix, ce qui, je le confesse, a le charme de la tradition.

Tout le monde dans la salle observait sa main. Je voulais qu'elle se taise. L'agressivité de sa voix me bouleversait. Comme si elle défiait effectivement le ciel. Ne dévoile rien et ne prouve rien. C'est pour cela que les religions existent. Pour combler ce trou. Pour tendre, entre le connu et l'inconnu, un pont de promesses. Pour permettre des tours guidés des mystères, mais sans en résoudre aucun. Quelle importance si les croyances de Chantelle étaient une béquille ? Tant mieux pour elle si elle y croyait. Contente-toi de ne pas exhiber une paume qui saigne sans raison.

Ou une paume qui ne saigne pas du tout, pensai-je au moment où elle me la mit sous le nez. Chantelle l'agita devant la salle comme un drapeau. Sa main était lisse, blanche. Pas de croûte. Pas de cicatrice. Et pas le moindre sang. Elle défit l'autre bandage. Sa seconde main était intacte aussi.

Une femme s'approcha d'elle par derrière et Chantelle sursauta quand elle lui toucha l'épaule.

— Laisse-moi tranquille, Barb.

— Chantelle chérie, s'il te plaît...

— Je vais bien.

Pour montrer que c'était vrai, Chantelle tapota affectueusement la main de son amie, ce qui la calma et Barb regagna sa table. La salle était plongée dans la tranquillité la plus profonde, un silence mélancolique et nerveux dans lequel personne ne mangeait ni ne parlait. Les serveuses avaient l'air complètement déconcertées. Dans les prochains jours, j'allais me remémorer ce moment et m'émerveiller de la bizarre synchronisation des événements qui avait ménagé un calme aussi pénétrant pour accueillir le hurlement saugrenu qui s'éleva soudain d'ailleurs dans la maison.

L'étonnement de Chantelle accentua le mien car, l'espace d'un instant, j'avais escompté une explication de sa part. Hazel brisa l'enchantement. Elle se précipita avec fracas de sa cuisine, en tempêtant, l'air outragée : « Pas de cris pendant le jour aussi ! Trop, c'est trop ! »

Le second cri, plus étouffé, moins violent, qui venait également du haut de l'escalier, indiquait, à y repenser, que la victime avait surmonté sa crise et voulait maintenant simplement communiquer sa détresse. Elle réussit à se contrôler et appela : « Montez toutes ! Montez ! »

La surprise nous avait tous cloués sur place. L'appel décloua les religieuses et me décloua moi aussi. Nous nous levâmes à toute vitesse de nos chaises et nous précipitâmes dans l'escalier. Je suivis Chantelle dans la bousculade. La belle Dierdre, immobile comme une statue, attendait notre ruée. Au moment où j'atteignis l'étage, elle pleurait dans les bras d'une compagne. J'essayai, sans grand succès, de me frayer un chemin à travers l'attroupement. Beaucoup de sœurs étaient hébétées, d'autres poussaient des cris. Je me rendis compte ensuite que la plupart des femmes se trouvaient dans ma chambre.

Je fonçai dans le tas, éperonné par la colère et, saisissant une des sœurs par les épaules, je la tirai brutalement vers l'arrière et, d'un coup de coude, en poussai une autre sur le côté. « Laissez-moi passer ! Laissez-moi passer ! » Chantelle suivait dans mon sillage et c'est ensemble que nous découvrîmes, couchée sereine entre les draps de mon lit, mère supérieure Gabriella. Un bouquet de fleurs ornait ses mains nichées confortablement sur sa poitrine dans une attitude de prière et d'abandon. Sa tasse de thé vide était déposée sur ma table de chevet, la cuiller dans la soucoupe.

Elle reposait, tranquille, les coins de la bouche relevés, et une grimace lui fermait solidement les paupières. Comme pour faciliter son identification, les boucles de ses cheveux avaient été dégagées de son visage. Elle ressemblait à une athlétique Belle au bois dormant d'âge mûr qui attendait le baiser de son Prince charmant. Je ne me qualifiais pas et ne m'étais pas, la nuit passée, montré à la hauteur de la besogne.

La couverture – ma couverture – dont je ne m'étais pas servi, mais qui était restée chiffonnée sur les draps pendant toute la nuit avait été convenablement pliée et rangée sur le montant au pied du lit. Le drap du haut était pudiquement tiré jusqu'au cou de Gaby et sagement replié, comme si quelqu'un l'avait bordée. Sous les draps, nous l'apprîmes plutôt vite, la mère supérieure était complètement nue. Et, oui, elle était effectivement knock-out.

En temps utile, le coroner nous informerait que Gaby avait été empoisonnée.

LIVRE DEUXIÈME

« L'affaire de la tasse de thé fatale »

1

L'EXPÉRIENCE M'A ENSEIGNÉ que l'imprévu participe du tissu même de la vie. La routine est un linceul noir qui recouvre nos existences et nous donne l'illusion d'être capables de prévoir l'avenir. Le cours secret du destin tourbillonne, mais nos horaires chargés, nos pressantes petites tâches nous font paniquer. Il faut oser. Sortir du périmètre de sécurité. Changer de régime. Enlever la grande houppelande de l'habitude.

À deux reprises dans ma vie, j'ai pris mes cliques et mes claques et je suis parti. La première fois pour le Tennessee, et récemment pour venir au Vermont. Dans les deux cas, je me suis hasardé au cœur du danger, poussé par un maelström d'événements qui m'a emporté comme un fétu de paille dans le cours tumultueux d'un torrent.

La mort de Gabriella avait un air de *déjà vu*. Mon installation au Tennessee avait été aussi traumatisante et aussi fatale. Ignorant la puissance et l'ampleur de l'imprévu, j'étais loin de me douter que mes premiers jours au Vermont ressembleraient à ce point à mon arrivée au Tennessee et qu'une époque révolue de ma vie allait bientôt resurgir et se réactiver dans ma nouvelle existence.

Tard dans la matinée, j'allai me promener dans le brouillard et la pluie. La brume sur les montagnes correspondait parfaitement à mon humeur : fermée sur soi, frileuse et humide. Pas un jour propice pour contempler le paysage ou le percevoir dans son entièreté. La mort de Gaby m'avait consterné et, touché par les réactions des autres religieuses, je me sentais moi aussi le cœur morose.

Heureusement qu'Hazel Stamp – notre centre, notre Gibraltar – était là pour nous organiser tous. C'est elle qui s'occupa d'appeler la police, un médecin et une ambulance. Elle délégua celles des femmes qui avaient su garder la tête froide auprès des affolées avec mission de les réconforter. Dans le grand salon de l'auberge, les manifestations de douleur et de culpabilité se mélangeaient aux voix qui offraient réconfort et consolation.

Je finis par m'échapper du bâtiment.

Je pataugeai dans des flaques d'eau et écoutai mes bottes faire de grands bruits de succion dans la boue. À cause du plafond bas des nuages, il m'était difficile d'imaginer que j'étais au sommet d'une montagne. En équilibre sur un tronc d'arbre abattu, j'aurais tout aussi bien pu, le regard aux aguets cherchant à repérer des vaisseaux fantômes et des rivages, me trouver sur le beaupré d'un grand navire perdu dans un banc de brume en mer.

Les deux ornières boueuses qui faisaient office de chemin me guidaient plus haut dans la montagne. Je n'osais pas m'aventurer dans les parages des écuries. Je perdis l'auberge de vue et escaladai un tertre rocheux, puis redescendis jusqu'à une fourche où je pris à gauche. Le sentier me conduisit plus loin qu'une remise bourrée de machinerie agricole. Un tracteur John Deere, équipé d'un chasse-neige, en semblait le principal trésor. Le sentier continuait en pente douce jusqu'à un dépotoir puant où des animaux sauvages et des charognards avaient éparpillé les détritus. Je revins à la fourche et pris à droite.

Le sentier, un chemin forestier qui n'avait pas été utilisé pendant l'hiver, continuait de descendre. La pluie inondait les empreintes de mes pas dans la neige. Le chemin prit fin brusquement : une falaise à pic. On risquait de ne plus jamais entendre parler des clients qui venaient flâner par ici au clair de lune. Je jetai un coup d'œil par-dessus le bord. Le mur vertical avait environ sept mètres ; plus loin, la montagne tombait à un angle de quarante-cinq degrés. Les promeneurs imprudents venus observer les oiseaux feraient une culbute de soixante-dix mètres avant de s'écraser contre une muraille de gros rochers. Je me pris à espérer que j'étais couvert par de solides assurances de responsabilité civile.

Étrange. Regardez là-bas ! Des morceaux de carrosserie d'automobile, surtout des toits et des pare-chocs, disposés comme des pierres tombales, tachettent la neige.

Je repérai un sentier et quittai le chemin. Descente périlleuse sur les rochers glissants. Dans l'ombre de l'escarpement, abritée du soleil, la neige était beaucoup plus épaisse et d'occasionnelles petites avalanches l'avaient probablement accrue. Dure glissade. Je parvins à un endroit où pointait un pare-choc arrière et en enlevai la neige granulée. La rouille ternissait le chrome et je me rendis rapidement compte que le pare-choc était attaché à une voiture. Je continuai d'enlever la neige à la main et une vieille Buick émergea. Tout bien considéré, cet endroit n'était pas le plus pratique des terrains de stationnement.

J'étais dans un cimetière d'autos. Mon père et ses prédécesseurs qui ne croyaient apparemment pas aux vertus des échanges de voiture, avaient préféré pousser les leurs jusqu'à ce qu'elles expirent, avant de les propulser par-dessus la falaise. Trois générations d'automobiles étaient éparpillées sur le flanc de la montagne et les vieilles guimbardes des voisins semblaient faire partie du lot. Une Lincoln Continental accidentée dans une collision sur la grand-route, de petits camions et des pick-up, d'antiques torpédos, des voitures sport anglaises des années cinquante, des conduites intérieures familiales que la terre dévorait lentement. À les dégager de leurs draps de glace et de leurs couvertures de neige, je fus bientôt, dans le brouillard qui baptisait les carcasses, complètement trempé moi-même.

L'endroit me plongea dans une de ces brèves méditations dont j'avais coutume. Les débris de métal et les lambeaux de tissu évoquaient des voyages, des étés perdus, des générations d'excursionnistes qui se baladaient à travers le continent et atterrissaient sur les plages, les perpétuels déplis de l'histoire, strate sur strate, accumulés sur la peau de la terre. Une brillante idée illumina mon moment de réflexion et, dynamisé par mon heureuse inspiration, je regagnai à longues et rapides foulées l'*Auberge du péage*.

Mais je dus reporter à plus tard l'exécution de mon plan, parce qu'à mon retour Hazel m'appela pour le lunch, et je ne peux rien refuser à cette femme.

— ASSEYEZ-VOUS LÀ, dit Hazel qui m'avait préparé une place dans un coin confortable et discret de la cuisine.

Un important contingent de religieuses était attablé dans la salle à manger et je voulais voir si Chantelle était du nombre.

— Dans les circonstances, je devrais peut-être me joindre à mes clientes, suggérai-je.

— Asseyez-vous ! m'ordonna Hazel.

Et je m'assis. Elle avait installé deux couverts.

— Vous comptez vous joindre à moi ? demandai-je.

— N'y pensez pas.

Elle laissa tomber, d'une hauteur considérable, un plein panier de petits pains qui sortaient tout juste du four et qui bondirent sur la table comme des lapins.

— Hazel !

Comme elle ne daignait m'accorder aucune attention, je suivis la direction de son regard. Un monsieur que je ne connaissais pas, joyeux spécimen de cette race qui a toujours l'air d'avoir quelque chose à vendre, était la cible de son venin.

— Pas mon genre de compagnie, s'il faut que je dise la vérité ! s'exclama-t-elle.

— Merci, Hazel ! répondit l'homme, sans prêter attention à son animosité. Gentil à vous de sustenter ma carcasse affamée ! ajouta-t-il en se précipitant vers moi, la main droite tendue. Elle vous a retracé, monsieur Laîné. Monsieur. Je vous ai cherché partout. Comment allez-vous ? Isaïe Snow, pour vous servir, mon jeune monsieur. Honoré de faire votre connaissance.

En un clin d'œil, il était assis en face de moi, remarquablement agile pour un personnage aussi corpulent. Ses doigts boudinés fourrageaient dans les petits pains chauds. Il en rompit un et le beurra avec application, bien décidé, semblait-il, à garder le silence jusqu'à ce que sa faim soit assouvie.

— Quelque chose ne va pas ? demandai-je d'un ton caustique à Hazel en me penchant pour attirer son attention

Je me fiais à son franc parler pour m'informer si l'intrus était un casse-pieds. Hazel raidit ses épaules et, se départissant du calme dont elle avait fait preuve toute la matinée, permit à son langage corporel d'agonir l'étranger d'invectives, tout en restant affairée à ses fourneaux.

— Le sel de la terre, me murmura Isaïe Snow. Ne faites pas attention à Hazel. C'est ma faute. Elle me pardonnera.

171

— Que s'est-il passé ? demandai-je en me servant d'un petit pain avant qu'ils ne disparaissent tous.

— Mon sens de l'humour. Ce ne serait pas la première fois qu'il tombe à plat. Hazel est épatante. D'habitude, elle accepte les plaisanteries, mais il y a des limites. Je lui ai laissé entendre que son thé Darjeeling, ce matin, était peut-être un tout petit peu trop corsé. Elle l'a mal pris.

— Cela ne me surprend pas. Excusez-moi, mais qui êtes-vous ?

— D'abord et avant tout, un vieil ami d'Hazel. Une amitié qui remonte à... nos années d'école, Hazel ? demanda-t-il à voix haute. Notre amitié remonte à nos années d'école ? Es-tu prête à l'admettre au moins ?... Faut pas s'en faire, dit-il, de nouveau dans un murmure. Elle me pardonnera. Elle m'a toujours pardonné.

Hazel apporta un bouillon de fèves et d'orge qui sentait délicieusement bon et je me dis que si elle était toujours disposée à nourrir ce jovial balourd, le degré de son mécontentement ne devait pas être trop élevé.

— Merci, Hazel. Voilà qui me remontera le moral, proclama mon visiteur dans une évidente tentative de rétablir son statut.

— Je suis surprise que tu aies le cran d'y goûter, intervint Hazel. Si tu penses que mon thé était meurtrier, la soupe risque d'être deux fois plus corsée.

— Monsieur Snow me disait que vous étiez de vieux amis, réussis-je à intervenir.

— *Inspecteur* Snow, m'informa judicieusement Hazel. C'est une policier. Il *n'a pas* d'amis.

Je remarquai que l'homme tiqua. Il aurait voulu garder ce détail secret. Hazel, victorieuse, reprit ses labeurs d'un air conquérant.

— Cette femme. Elle veut toujours avoir le dernier mot, gloussa tout bas Snow d'un ton désapprobateur.

Même si j'étais ennuyé de me montrer sur la défensive, je sentis que je n'avais pas d'alternative, sinon de signaler que j'avais déjà parlé à la police, le matin même.

— Police locale, dit-il, en balayant l'évocation de ses collègues du revers de la main, comme s'il s'agissait de fatigantes mouches du coche. Moi, j'appartiens à la police de l'État.

Il exhiba un insigne métallique et me donna un moment pour le contempler, comme s'il me montrait avec amour une magnifique photo de ses petits-enfants, avant de fourrer le badge dans la poche avant de ses pantalons.

Pour toute une série de mauvaises raisons, je me méfiais de cet homme.

— Un lamentable gâchis, dit-il d'un air compatissant en soufflant sur sa cuiller remplie de soupe. Quelle manière de bousiller votre arrivée. Mais ne vous faites pas de souci, mon jeune monsieur. Nous rétablirons la situation. Tout sera oublié en moins de temps qu'il ne faut pour le dire.

Je dois avouer que mes préjugés m'empêchaient d'accepter cet homme. Je préfère que les représentants des services chargés de l'application des lois aient l'air de vrais policiers. Hâlés par les longues heures de guet sous la neige. Parcheminés par des décennies de contrôle de la circulation, burinés par les intempéries. J'aime les voir débraillés à la fin de leurs quarts de travail à cause de leur promiscuité avec la racaille, alors qu'au début de leur service on les repérait à un kilomètre à la ronde comme le prototype même de l'Homme : costumes ridicules, cravates absurdes. J'aime que mes policiers sentent mauvais et, pour avoir passé tant de temps à fouiller dans les poubelles des ruelles à la recherche d'armes du crime, qu'ils en viennent à aimer la puanteur. À force de tirer des épaves humaines du lit, ils ont attrapé mauvaise haleine. J'aime que mes policiers aient les yeux cernés de fatigue, qu'ils soient divorcés, qu'ils adorent prendre un double scotch à midi et qu'ils jouent au football avec leurs petits gars chaque fois qu'on leur accorde le privilège du droit de visite. Les policiers devraient être las de la vie, sinistres et cyniques, toujours amers à cause de la lettre de blâme qui traîne solitaire dans leurs dossiers, un coup monté, et coupables à jamais des deux ou trois occasions où un pot-de-vin avait semblé le seul moyen raisonnable de mettre fin à un conflit. J'aime que mes policiers soient bourrus et qu'ils aient un caractère de chien, qu'ils affectionnent les mauvaises manières et s'expriment comme des charretiers. L'étiquette des salles de tribunal les fait vomir. À la fin de leur carrière, ils avisent leurs patrons de l'endroit où se fourrer la montre en or. J'aime que mes policiers, sous un vernis de discipline, soient des barbares, qu'ils soient justes cependant et appliquent le règlement neuf fois sur dix, mais quand les circonstances le méritent, j'aime qu'ils isolent un récalcitrant et lui refassent au complet le portrait. J'aime que mes policiers aient un faible pour les putains, qu'ils couchent avec les barmaids, qu'ils jouent au poker avec les autres gars, et qu'ils s'accrochent les chnolles chaque fois qu'ils se lèvent de table après souper. J'aime que mes policiers gardent leur chapeau sur la tête à l'intérieur.

Je *n'aime pas* que mes policiers sourient comme des membres du Club Rotary, qu'ils soient prospères et replets, aussi joviaux que des vendeurs d'assurances, avec leurs vaisseaux capillaires rougeauds qui zèbrent leurs joues joufflues, à cause d'un abus de vin fin français. Je n'aime pas qu'ils portent des lunettes (Je vous le demande, des lunettes ?), qu'ils soient bien habillés, bien chaussés, ou déclarent, jubilant d'allégresse : « Mon jeune monsieur ! J'ai su dès l'instant où j'ai posé les yeux sur vous que vous étiez le fils de Kyle. Mes condoléances pour son trépas. Même si c'est bien triste, nous devons tous y passer. Je vous en prie, appelez-moi Isaïe, monsieur, et bienvenue au Vermont. »

Son maniérisme stupide m'amena à présumer qu'en me montrant poli et en feignant l'intérêt, je n'aurais aucune difficulté à le manipuler.

— En êtes-vous arrivé à des conclusions sur l'affaire, inspecteur ? demandai-je.

— Affaire ? Affaire ? Pourquoi ce mélodrame ? Il n'y a pas d'affaire. Le coroner rédigera son rapport, une enquête de routine suivra et le dossier sera classé. C'est toujours triste, un suicide.

— Alors, elle s'est suicidée.

— Oui. Oui, elle s'est suicidée. Le suicide est tellement dur pour l'entourage. En tant que société, nous devrions prendre des mesures préventives. Chaque fois qu'il y a suicide, la famille devrait se réjouir, organiser une fête, danser sur la tombe du défunt. Je pense que nous verrions alors une réduction considérable de l'occurrence de ces tristes événements. Supprimez l'aspect amour posthume, et vous supprimez la principale motivation de très nombreux suicidaires.

— Vous pensez ?

— Je le sais. Cela n'arrivera jamais, bien sûr. Nous vivons dans un monde trop gnangnan. Alors ! Comme je suis tombé sur vous, aussi bien sauter sur l'occasion et vous poser quelques questions. Cela ne vous dérange pas, n'est-ce pas, monsieur ? Simple routine. Sans plus.

Une petite salve d'avertissement retentit dans ma tête. Snow n'était pas « tombé » sur moi ; il avait, de son propre aveu, organisé cette rencontre, à l'écart des autres. Je pris note de la prémonition et, n'ayant pas le choix, je dis : « Posez donc. Je suis à votre service, inspecteur. »

— Merci ! Le docteur Tanner qui soit dit en passant sera désigné coroner, il l'est toujours, le docteur, donc, se demande si la femme a été empoisonnée.

— C'est l'opinion générale. Que voulez-vous que ce soit d'autre ? Une surdose peut-être ?

— Du poison. Qu'elle a peut-être ingéré mélangé à son thé. Le fameux thé qu'Hazel a préparé, dit Snow en baissant la voix pour ne pas être entendu par l'oreille indiscrète de ma cuisinière. Hazel a donné la tasse à Cassie Baxter, une serveuse, qui l'a passée à une femme nommée Sophie. Sophie a apporté le thé à l'étage, comme l'avait demandé, semble-t-il, Gabriella Deschenes, et elle dit, Sophie dit, que vous étiez là. Est-ce exact ?

— Tout s'est passé comme vous le décrivez, inspecteur.

— Appelez-moi Isaïe. Nous ne sommes pas collets montés au Vermont. Donc, vous avez vu Gabriella recevoir la tasse. L'a-t-elle bue tout de suite ?

— Une gorgée ou deux peut-être, dis-je après y avoir repensé. Je pense qu'elle le trouvait trop chaud.

— Ou pas encore à son goût. Avez-vous bavardé avec elle, Kyle ? « Bonjour, comment allez-vous ? Avez-vous bien dormi ? » Le genre de choses que dit un aubergiste. Vous devez faire la causette à vos clients, vous savez, si vous voulez que votre auberge soit prospère. Comment vous a-t-elle semblé ?

— Semblé ?

— De quoi avait-elle l'air ?

— Fatiguée. Mais pour le reste en forme, répondis-je avec un haussement d'épaules, me rappelant le visage mélancolique de Gabriella, mais ne souhaitant pas pousser cette conversation trop loin, car je considérais que les événements de la nuit passée étaient un sujet tabou.

— Mais pas exagérément désemparée ou, dirions-nous rétrospectivement, suicidaire ?

— Je devrais mentionner qu'elle m'a donné la tasse de thé.

— Elle vous a donné le thé, dit-il sans manifester de surprise, ce qui m'indiqua qu'il avait déjà parlé à Chantelle.

— Gabriella attendait Chantelle, ou plutôt, elle attendait la salle de bains, et quand une femme en est sortie...

— Cette Chantelle ?

— Exact. Chantelle est sortie de la salle de bains et Gabriella, avant d'y entrer, m'a demandé de tenir sa tasse de thé.

— Pourquoi vous, Kyle ?

— J'étais là.

— Pourquoi pas Chantelle ?

— Gabriella est entrée dans la salle de bains, dis-je avec un nouveau soupir, car je trouvais sa question peu pertinente. Quand elle en est sortie, elle avait la larme à l'œil...

— Donc elle *était* désemparée, nota Isaïe Snow.

Je m'étais arrangé pour me contredire.

— Et vous lui avez rendu son thé.

— C'est ça.

— Ensuite qu'est-il arrivé ?

— Je suis descendu.

— Avec Chantelle ?

— Elle m'a précédé. Non ! À bien y penser, nous sommes descendus ensemble. Je me souviens maintenant. Et nous avons déjeuné ensemble aussi.

— Oui, bien sûr. Excellent ! cria Isaïe avec une excitation

excessive, comme s'il était heureux d'assembler les pièces du casse-tête et content de me voir réussir comme homme d'affaires. De bonnes relations commerciales ! Vous devez dîner avec vos clientes à l'occasion. Et ensuite ?

Je n'avais rien d'autre à lui offrir.

— Nous avons entendu un hurlement pendant le déjeuner. Nous sommes montés au premier...

— ...et vous avez trouvez une femme morte dans votre lit.

— C'était tout un choc, inspecteur.

— Quelque chose d'effarant ! Avez-vous pris un copieux déjeuner ?

— Pardon ?

— C'est le chronométrage que j'essaie de déterminer.

— Oui. Un copieux déjeuner. Copieux pour moi, en tout cas. Je n'ai pas eu le temps de le terminer.

— Quel dommage ! Et pourquoi cette femme a-t-elle choisi de mourir dans votre lit, Kyle ?

— Comment le saurais-je ? Je ne la connais même pas, répondis-je en perdant mon sang-froid pendant un instant.

— Émettez une hypothèse intelligente. Vous lui avez parlé hier, n'est-ce pas ?

— Oui, je crois, dis-je en évitant de répondre. Mais j'ai parlé à plusieurs de mes clientes.

Comme je n'étais pas certain de ce qu'on lui avait dit, je ne voulais pas risquer de m'accuser moi-même.

— Bravo ! Vous étiez assis avec Gabriella pendant le souper, pas vrai ?

— Exact. J'étais assis près d'elle, maintenant que vous le mentionnez, inspecteur.

— Appelez-moi Isaïe.

— Isaïe.

— Et au cours de la nuit, avez-vous eu l'occasion de parler à la défunte ?

— Elle était tout à fait en vie à ce moment-là.

Qu'avaient révélé les religieuses ? Une espionne vagabonde avait-elle signalé l'indécent numéro de strip-tease de Gaby dans ma chambre à coucher ?

— Vous lui avez donc parlé.

— Oh, peut-être. Brièvement.

Je tournais en rond pour trouver des réponses. Je ne voulais pas avoir à expliquer qu'une de mes clientes saignait des yeux, que d'autres sifflaient et se trémoussaient, et que je m'étais laissé piéger, livré en pâture aux appétits sexuels d'une folle dans mes propres appartements.

— Au milieu de la nuit, Kyle ? Vous proposez-vous de réveiller régulièrement vos clientes pour leur faire la conversation aux petites heures du matin ?

— Non, inspect... Isaïe. Non. Nous nous sommes simplement rencontrés dans le couloir. Devant les toilettes. Je ne me rappelle pas ce qui a été dit. Des politesses.

— Vous semblez passer beaucoup de temps autour des toilettes.

— Nous n'avons pas de salles de bains privées, inspect... Isaïe. Cette auberge est une vieille auberge de campagne.

— Exact. Mais, d'après notre amie Hazel, il y avait des cris et de considérables hurlements. De quoi s'agissait-il ?

— Je n'en ai pas la moindre idée. Je dormais. J'avais eu une rude journée. Monter jusqu'ici en auto et tout le reste.

— Vous étiez éveillé pour aller aux toilettes, n'est-ce pas ?

— La maison était calme à ce moment-là.

— À ce moment-là ?

— Hazel a peut-être eu un cauchemar, supputai-je, l'air stupide.

— Le sel de la terre, cette femme, me rembarra Snow, avec une brusquerie qui se réverbéra dans le recoin de la cuisine où nous étions retirés. Et vous êtes incapable de deviner pourquoi la défunte a choisi de mourir dans votre lit ?

— Je n'en ai pas la moindre idée.

— Grands dieux ! hurla Snow. Nous avons peut-être une affaire ! L'affaire de la tasse de thé fatale ! Qu'en pensez-vous ?

— Je pensais que c'était *moi* qui avais l'imagination fertile, répondis-je, effrayé maintenant par les facéties de mon persécuteur.

— Six personnes ont eu l'occasion de mettre du poison dans le thé. Hazel, cette Baxter, Sophie, vous, Chantelle et la victime elle-même. Mince alors ! Je me sens l'âme de Sherlock Holmes !

— Je suppose que vous avez du pain sur la planche, Isaïe, dis-je en riant timidement avec lui.

— Tout ça grâce à vous, Kyle.

Sa remarque me fit fléchir d'inquiétude. Qu'avais-je dit ?

— Écoutez, je viens d'avoir une idée formidable. Oh ! C'est merveilleux, s'exclama Snow.

— Quoi donc ?

Conscient qu'il se moquait de moi, j'avais du mal à garder mon air aimable.

— Nous faisons l'essai d'un tout nouveau modèle de polygraphe en ville. Le fabricant nous l'a envoyé à tout hasard. J'ai l'ordre de le tester. Voilà notre chance de l'essayer ! Du vrai travail pratique ! Nous tirons de cette machine tout ce qu'elle a dans le ventre et vous clarifiez votre nom.

— Qu'est-ce qu'il a mon nom ? demandai-je, furieux au bout du compte, en me disant qu'il était grand temps de me montrer plus agressif et de cesser d'essayer de m'attirer les bonnes grâces de l'inspecteur Snow.

— Oh. Rien du tout. Je me suis mal exprimé. Je ne vous soupçonne de rien, mais vous savez comment c'est. Nous avons, sous nos apparences civiles, des tempéraments d'insulaires, et vous êtes l'étranger. Des rumeurs risquent de se répandre. Mauvais pour le commerce, Kyle. Extirpons l'oiseuse calomnie à la racine. Vos clientes, vos employées et vous, avez raconté à peu près la même histoire. Les détails collent. Mieux vaut que je vous fasse subir ce désagrément à vous, plutôt qu'à elles. En un sens, je me servirai de vous pour tester toutes les autres. Vraiment ! Nous avons besoin d'expérimenter cet équipement et le résultat convaincra mes supérieurs que toute cette affaire est transparente. Prouvez à la communauté, Kyle, que votre histoire tient l'eau...

— Quelle histoire ? Que se passe-t-il ici ? Je n'ai pas d'*histoire* ! Tout ceci ne me concerne pas.

— Exactement ! Laissons le polygraphe le confirmer ! Certaines personnes appellent ces appareils des détecteurs de mensonge. Je les appelle, pour ma part, des vérificateurs de vérité. C'est plus positif. Ce sera le test idéal pour notre machine, Kyle. En réalité, certaines personnes m'accusent d'être vieux jeu, me dit mon inquisiteur sur le ton de la confidence, même si Hazel n'était pas revenue et que nous étions seuls. J'essaie de prouver que je ne me laisse pas dépasser. J'ai même un ordinateur à la maison. Je ne m'en suis pas encore servi, bien sûr. Mais j'en ai un.

Hochant la tête, je continuai de dévorer à belles dents un morceau de pain de seigle garni d'oignons, de fromage et de bacon. Quand je croisai de nouveau les yeux de mon interlocuteur, je choisis d'être direct.

— Je passerai votre test, l'informai-je.

— Merveilleux, répondit-il en me regardant droit dans les yeux.

— Parce que je n'ai rien à cacher.

— Bien sûr. Même s'il est évident que quelque chose vous met sur la défensive. Et toutes les autres aussi.

— J'ai également l'intention de téléphoner à mon avocat.

— C'est votre droit le plus strict, fit remarquer l'inspecteur en feuilletant du pouce les pages de son agenda pour proposer une date et une heure. Et c'est somme toute plutôt prudent, ajouta-t-il avec une véhémence égale à la mienne.

J'aime aussi que mes policiers soient moins effrontés que l'inspecteur Isaïe Snow.

PRÉVOYANT DES ENNUIS, je m'étais muni d'une pelle pour ma petite excursion après le lunch. Et ne passai sans doute pas inaperçu car je dus m'y reprendre à six fois pour gravir la première colline dans ma vieille Mercury. Les pneus patinaient dans la boue. Le pot d'échappement vomissait de la fumée noire. Le moteur toussait, crachait et le vacarme des valves était épouvantable. L'engin finit par rugir comme s'il comprenait ce qui se passait : c'était son dernier voyage. Je mettais un terme aux misères de la malheureuse minoune. Nous parvînmes, dérapant, tournant dans le beurre, glissant et caquetant, à grimper cette première côte abrupte.

Le seconde partie du trajet fut plus facile. La voiture accepta mes directives sans trop rechigner et, en première, une main sur le bras de vitesse pour l'empêcher de sauter, je vins à bout de la pente. La tristesse gonflait en moi car je me séparais d'un pan considérable de ma vie. C'est l'impression que j'avais. Ce rituel symbolique était nécessaire pour pénétrer de plain-pied dans mon nouvel univers. Balancer la voiture. L'ajouter à l'amoncellement de reliques rouillées. Combiner mon histoire à celle de mon père. Dire adieu à la médiocrité ancienne, entrer dans l'ère nouvelle au volant d'une Cherokee Chief.

Devant moi, une montée à pic me parut particulièrement glissante et je m'arrêtai pour évaluer la situation. Je mémorisai la topographie des accotements effondrés et des nids-de-poule les plus profonds et calculai exactement où il me fallait ziguer, accélérer et zaguer. Après avoir examiné le parcours à pied, un peu comme un cavalier avant une course d'obstacles, je revins à la Mercury et attachai ma ceinture. C'est alors que j'aperçus Chantelle dans mon rétroviseur extérieur. Elle venait de mon côté. Après la découverte du corps de Gabriella, j'avais été incapable de lui parler à l'écart des autres et j'étais parti marcher sous la pluie. Au moins elle était seule. Je sortis de la voiture et Chantelle, arborant un sourire courageux, se réfugia dans mes bras.

— Je suis tellement navré pour Gaby, lui dis-je pour la consoler, car ses yeux mouillés et le tremblement de ses lèvres trahissaient sa détresse.

— Je suis, pour le moment, incapable de le supporter, Kyle. S'il vous plaît, parlons d'autre chose.

— D'accord. De quoi ?

Je suspectais que les autres sujets que j'avais en tête ne conviendraient pas plus à son humeur.

— Je ne sais pas. De n'importe quoi. De quelque chose, dit-elle.

Elle s'écarta de moi pour réfléchir. Quand elle virevolta, sa jupe se releva jusqu'au-dessus de ses genoux.

— Que diable fabriquez-vous, Kyle ? demanda-t-elle.

Je le lui expliquai et elle offrit de m'aider. Dans les circonstances, nous passâmes, marinant dans la lourde humidité, une merveilleuse après-midi, revigorés par l'air frais et la brumeuse quiétude du sommet de la montagne, à pousser et aiguillonner mon dinosaure automobile, les pieds, les jambes et les mains couvertes de boue. L'excursion parfaite pour tuer quelques heures de chagrin.

Ma gymnastique mentale et mes talents de conducteur ne réussirent pas à empêcher la bonne vieille Mercury de trouver l'ornière la plus profonde et d'y enfoncer ses deux roues droites. Nous nous épuisâmes à creuser, pousser et à la cajoler pour la dégager. Nous finîmes par prendre un moment de répit et bavarder un peu.

— Passez aux aveux, Kyle. Crachez le morceau ! Comment donc êtes-vous devenu oiseau chanteur ? me demanda-t-elle.

— J'ai été élevé dans une volière, dis-je en guise de préambule. Ma tante Emma qui n'était pas vraiment ma tante, mais ça c'est un autre embrouillamini, organisait des spectacles avec des oiseaux tropicaux qui parlaient. Vous voyez ce que je veux dire : ils avaient un vocabulaire, des expressions toutes faites. Je participais à ses numéros.

— Vous avez donc commencé jeune dans le monde du spectacle, déduisit Chantelle.

— Si vous voulez, dis-je. J'ai grandi en parlant l'anglais aux oiseaux. Communiquer avec eux ne m'a donc jamais semblé saugrenu. Un moment donné, les choses ont changé. Un incident est survenu qui m'a amené à comprendre que parler leur langue serait un exploit plus grand qu'être le simple faire-valoir de leurs talents comiques. Je veux dire, c'est nous, les humains, n'est-ce pas, qui sommes censés être l'espèce intelligente ?

Nous nous assîmes sur le coffre de la Mercury. La pluie avait cessé. Le brouillard filait au-dessus des cimes des arbres et des nuages montaient vers le ciel ou déferlaient vers nous comme

d'énormes vagues. Je portais les gros souliers de travail à bouts
d'acier qui m'avaient servi de pieds pendant les cinq dernières
années et Chantelle avait de grandes bottes de cowgirl en cuir
brun avec en filigrane un motif floral. L'humidité glaçait l'air frais
et nous avions pris la posture appropriée, les bras serrés autour
du corps et les mains abritées sous nos biceps. Le froid m'engour-
dissait les lèvres et j'avais du mal à articuler. La morve qui me
pendait au nez et que j'étais obligé d'essuyer avec la manche de
ma veste me mortifiait au plus haut point.

— Qu'est-ce qui a provoqué le changement ? s'enquit Chantelle, d'un ton réservé qui me mit mal à l'aise.

Nous demeurions embarrassés l'un face à l'autre. La question
que me posait Chantelle, je voulais qu'elle y réponde à propos de
sa vie à elle. Elle devait le savoir. J'étais persuadé que si je répon-
dais d'abord, elle s'accoutumerait à l'idée de se confier et qu'elle
avait besoin de cet encouragement pour être plus intime avec moi.

— Un jour assez malheureux, me remémorai-je. M'man ou
ma tante Em, l'une des deux, était dehors et accrochait du linge
sur la corde pendant que je jouais dans la cour. J'entendis soudain
un terrible cri. Une hirondelle noire s'était coincée une aile dans
la poulie de la corde à linge à l'autre bout, loin de la maison, très
haut dans un poteau. Le pauvre oiseau criait et se débattait. Des
voisins sortirent jeter un coup d'œil, mais sans savoir quoi faire.
Ils ne voulaient pas que l'oiseau se blesse davantage. Ramener la
corde me semblait raisonnable, mais les adultes prétendirent que
cela abîmerait l'aile encore plus. Valait mieux que quelqu'un grimpe
dans le poteau et enlève la corde de la poulie. J'étais impatient de
le faire.

« Quoi qu'il en soit, nous étions là, à vitupérer, moi qui affirmais être capable d'y parvenir, ma mère qui me disait de ne pas

m'y risquer et qui me tapait chaque fois que je m'aventurais trop près du poteau, et quelqu'un d'autre qui partit au pas de course chercher un adolescent disposé à grimper. La scène était épouvantable. Ma tante Em était hystérique et l'oiseau avait pratiquement l'aile arrachée. Pendant que nous attendions tous, un chat, un imbécile de chat, grimpa dans le poteau. Nous n'avions dès lors plus le choix. M'man ramena la corde, ce qui sectionna l'aile. Comme prévu. L'oiseau tomba sur le sol de l'autre côté de notre clôture et avant que je n'y arrive, l'imbécile de chat était déjà redescendu au galop. Le même imbécile de chat qui d'habitude était incapable de descendre d'un poteau sans l'aide des pompiers. Cette fois-ci, il s'empara de l'hirondelle à demi morte. Je le chassai et il grimpa dans un arbre où, impuissant, je le vis déchiqueter sa proie. Je crois que j'avais neuf ou dix ans à l'époque. L'âge idéal pour assimiler d'importantes leçons. »

Chantelle se frotta les yeux pour soulager un reste de douleur. Peut-être d'avoir pleuré la mort de Gaby ou d'avoir saigné la nuit précédente, je n'osai le lui demander

— Je comprends que l'expérience a été marquante, mais quelle en est la leçon ? demanda-t-elle en hochant la tête.

— Pendant que le chat dégustait son snack, je remarquai que les autres oiseaux faisaient tout un vacarme. Les hirondelles noires nichaient dans une fente du mur du garage, près de l'arbre, et elles commencèrent à harceler le chat. Je ne raconte pas d'histoires, insistai-je devant son air sceptique. Elles se laissaient tomber en piqué sur le stupide félin. Avant longtemps, elles le chassèrent de l'arbre et le poursuivirent dans la ruelle. Les hirondelles sont de féroces guerrières ! En vol, elles sont incroyablement habiles. Elles importunèrent ce chat jusqu'à le rendre fou. Il était humilié, désorienté et, quand elles cessèrent de lui bourdonner autour des tempes, complètement déprimé. Je trouvais cela formidable. Je me précipitai à la maison ; ma mère m'appelait. J'entrai dans la cuisine et Bish, notre mainate qui savait parler, me dit : « Sainte Bénite ! Sainte Bénite ! » Une de ses expressions favorites. J'étais trop jeune, bien sûr, pour exprimer de manière cohérente ce que je pensais d'instinct, mais une chose me frappa : je me sentais plus d'affinités avec les oiseaux qui, à l'extérieur, vivaient de vraies vies d'oiseau et chantaient des chants d'oiseau que j'en avais avec les oiseaux de la maison qui conversaient en anglais et chantaient « Chez nous, soyez reine », mais ne connaissaient rien de la vie d'oiseau et n'étaient pas acceptés vraiment comme des êtres humains non plus.

Chantelle, amusée, entoura ses deux bras autour d'un des miens, un geste plein de grâce et d'affection.

— Et vous avez donc décidé de parler l'oiseau.

— Quelque chose du genre. J'ai décidé que j'avais plus de choses en commun avec les oiseaux de l'extérieur qu'avec mes camarades à l'intérieur, même si les oiseaux à la maison parlaient ma langue. Bish était un parfait abruti.

Nous restâmes sans rien dire un moment. J'attendais que Chantelle me parle d'elle, une attente qui resta en suspens. Je me disais qu'il avait été question de moi assez longtemps, mais c'est sur moi qu'elle continuait de concentrer toute son attention.

— Je me demande s'il n'y avait pas autre chose à cela aussi, vous savez ?

— Comme quoi ?

— Les explications univoques ne me satisfont jamais. La vie n'est tout simplement pas ainsi. Le sens se présente toujours par strates, vous ne pensez pas ? En pelures d'oignon. Vous en enlevez une couche, il y en a une autre dessous. Chaque pelure fait pleurer un peu plus. Chaque pelure aide à comprendre ce que signifie celle qui est en dessous.

— Ouais, concédai-je. Je vois ce que vous voulez dire.

Je pensais la même chose. La preuve en était partout. Le ciel avait des strates : les couches de nuage et de brume, les dégradés de gris. Dans les bois, les étendues de neige, de glace, d'eau, et les tapis de feuilles des années passées se superposaient. Nous étions assis sur ma voiture qui avait vingt ans de misère incrustés dans sa peinture. La carrosserie était cachée sous la Turtle Wax.

— J'imagine que vos oiseaux s'attiraient l'attention de tous, poursuivit Chantelle. Plus que vous, disons. Alors, dans votre esprit d'enfant, vous vous êtes peut-être dit que pour recevoir votre part d'attention, c'est-à-dire d'amour, vous deviez chanter comme les oiseaux, de la même façon que les oiseaux parlaient comme des humains.

— Je ne puis nier qu'il y a du vrai dans ce que vous dites, répondis-je après un moment de réflexion. Mais il est certain que ma conscience des oiseaux est devenue plus aiguë après l'incident de l'hirondelle noire. Je les trouvais courageux. J'enviais leur liberté et sympathisais avec leurs problèmes. Et c'est vrai qu'à l'époque j'étais devenu expert à identifier les différentes espèces et étais capable de siffloter quelques-uns de leurs airs. Chanter leur musique me venait plus naturellement que, disons, l'arithmétique ou le hockey. Ainsi donc, ouais, j'ai peut-être eu le pressentiment, avant même d'y réfléchir sérieusement, que me comporter comme un oiseau me permettrait de traverser la vie sur la brise la plus lisse possible. C'est peut-être vrai.

Je crus, sur le coup, avoir passé un de ses tests ; ma bonne grâce à accepter ces difficiles vérités sur mon compte et à admettre qu'il existait un autre niveau de sens convainquit Chantelle de me révéler quelque chose d'elle-même. Un prêté pour un rendu ! Excepté que son histoire impie noya la mienne et que je me sentis stupide de n'avoir confié rien d'autre que la malheureuse souffrance d'un oiseau.

L'événement-pivot de l'enfance de Chantelle fut horrible. Elle fit le récit du peu qu'elle en savait d'une voix égale et sans fioritures, en restant parfaitement maître d'elle-même, alors que de monstrueuses images enflammaient mon imagination.

— Ce dont je suis certaine est limité, me dit-elle. J'avais onze ans. J'étais fille unique. Je me souviens des motos, des violentes pétarades des moteurs alors que j'essayais de dormir. Même aujourd'hui, j'ai toujours un mouvement de recul quand j'entends une moto. Je me souviens de mon père à l'extérieur qui réclamait qu'ils fassent moins de bruit. Il était bourru d'habitude avec les enfants et avait la même voix, cette fois-là. Je me souviens que nous étions dans une petite remorque, près d'un lac. C'étaient les vacances d'été. J'avais été nager ce jour-là. Ma peau sèche me démangeait. Je me souviens du sourire de ma mère, allongée sur la plage dans la lumière du soleil, et de mon père qui carbonisait les hamburgers, et puis disait que c'était ainsi qu'il fallait les préparer. Je me souviens des papillons de nuit contre les vitres et de l'arrivée des motos.

— Que s'est-il passé, Chantelle ?

Elle semblait à la dérive, loin de moi. Je ne voulais pas la presser de raconter son histoire. Juste lui rappeler ma présence et lui exprimer un peu de compassion. Elle se frotta vigoureusement le haut des bras et se serra plus fort sur elle-même pour combattre le froid.

— Ce que j'ai su ensuite, Kyle, c'est que ce n'était plus la nuit. C'est cela qui, plus que tout le reste, m'a effrayée. Du moins,

189

c'est à cela que j'ai accroché ma peur : la disparition de la nuit. Comme si le jour était arrivé en allumant une lampe. Je ne savais pas alors que de nombreux jours s'étaient écoulés, que j'avais été à la fois délirante et sous sédation. J'étais également terrifiée par un tube de sérum dans mon bras. Je pensais qu'il suçait ma vie, dit-elle avec un soupir triste et touchant. Je ne savais pas ce qui m'était arrivé, juste la douleur. Maintenant, bien sûr, je l'imagine. Ce qui est drôle, c'est que cela ne signifie rien pour moi. Dites-moi que j'ai été violée, que mes parents ont été massacrés... Beaucoup plus tard, quand j'étais adulte déjà, j'ai consulté les journaux de l'époque. Ma mère a été assassinée à coups de hache, mon père a été pendu à un arbre et torturé avec des braises ardentes avant de mourir...

— Oh, mon Dieu ! Chantelle...

— Mais non, insista-t-elle, en me serrant le bras, ce n'est pas là où je veux en venir. Même connaître les faits ne signifie rien pour moi. Je ne sens aucun lien émotionnel. Je ne me rappelle rien. Juste les papillons de nuit. Les motos. La colère et le ton de supériorité dans la voix de mon père. Connaître les faits ne me les rend pas plus réels. Ils ne le sont pas. Ils ne sont pas réels. Mon cerveau leur interdit l'accès à ma mémoire. Je ne me souviens de rien. De rien.

— Chantelle... Seigneur ! Je suis vraiment navré.

Une énorme part de moi ne voulait pas entendre la suite, mais je demandai quand même : « Que vous est-il arrivé ensuite ? »

— Je n'avais pas de famille. Les autorités découvrirent que ma mère avait eu un frère qui était décédé. C'était ainsi. Ma mère avait dépassé depuis longtemps le cap de la trentaine quand elle s'est mariée ; mon père avait quarante-cinq ans. J'étais leur bébé miracle. Le dernier de mes grands-parents était mort quand j'avais environ huit ans. On m'amena dans un sanatorium pour ma convalescence, mais n'en concluez rien. C'était simplement un endroit tranquille à la campagne où les soins étaient excellents. Des communautés locales payaient la facture car ma situation avait suscité la sympathie générale. Je sais tout cela, parce que j'ai fait des recherches plus tard.

« Nous étions à un mois de Pâques, et c'est alors que je commençai à me rappeler qui j'étais et ce que je manquais. Les œufs de Pâques me firent éclater. J'étais le bébé miracle de papa et de maman. J'avais toujours été une petite fille religieuse. De mauvais rêves me réveillaient au sanatorium. Je poussais des cris et hurlais. Les autres malades étaient furieux. Le matin du vendredi saint, alors que nous nous entassions dans la chapelle, ils me taquinèrent. Pendant la messe, j'eus mes premières menstruations. J'étais tellement embarrassée que je dissimulai l'affaire. Je ne savais pas ce qui m'arrivait, mais les connexions étaient pour moi évidentes. Mes parents étaient disparus. Des parties secrètes de mon corps avaient été blessées. Maintenant je saignais de l'intérieur. J'agonisais.

« Les religieuses me rendirent visite dans mon lit à un mauvais moment. J'avais épongé le sang. Mes mains en étaient couvertes. Les quatre sœurs tombèrent immédiatement à genoux comme si elles venaient de voir la Sainte Vierge en personne. Une infirmière arriva. Elle ne goba pas un seul instant toutes ces simagrées mystiques. Elle me nettoya, identifia le problème et flanqua les cinglées à la porte. »

Je plaçai une main sur l'épaule de Chantelle et lui frottai doucement le cou. Ma compassion étreignait la jeune enfant qui vivait toujours en elle.

— L'infirmière vous a expliqué les choses ?

— Oh, oui, bien sûr. Les médecins et les infirmières étaient exceptionnels. Ils étaient très tendres et très délicats. Je ne m'en serais jamais sortie sans eux. J'étais leur cas spécial. Mais ce que j'en suis venue à comprendre de façon consciente et ce que je croyais au plus profond de moi s'est peut-être dissocié à ce moment-là.

— Je l'imagine facilement.

Chantelle se leva et s'étira pour se désengourdir les reins.

— On me plaça dans une école de couvent cette année-là, dit-elle. J'aimais l'endroit. Quand Pâques approcha de nouveau, je devins hystérique. Des souvenirs inconnus se brisaient à la surface comme des cris stridents, blancs, embrasés. Le cauchemar du sang, les choses indicibles qui me furent faites, à moi et à mes parents... Mon subconscient entrait en éruption, un médecin l'a décrit comme un volcan. Dans mes rêves, j'entendais mon père me sermonner, me dire de ne pas jouer dehors, et les motos traversaient à toute vitesse ma chambre. Je hurlais après mon père et lui disais que je n'allais pas, n'allais pas, n'allais pas dehors, que je faisais ce qu'il me disait. Je me réveillais dans la pire des paniques.

— Pas étonnant.

Je voulais qu'elle arrête en réalité. J'en avais assez entendu. C'était bien différent d'une histoire d'aile d'oiseau blessé, tout imprégnée des sensibilités et de l'irréalité de l'enfance. Mais je la laissai poursuivre, honteux de ma lâcheté, croyant que survivre au déroulement de son récit était le moins que je puisse faire pour elle.

— Comment l'exprimer ? La folie me faisait signe. Je me sentais glisser vers ce marécage, cette démence qui me terrifiait et m'attirait tout à la fois. Cependant, le matin du vendredi saint, sans raison, je me sentis saine d'esprit de nouveau, en pleine possession de mes facultés. Je me sentis pacifiée. À la messe, mes mains commencèrent à me faire mal. C'était une douleur aiguë. Comme si une aiguille s'enfonçait dans mes paumes. Je me sentais faible, ne cessais de me frotter les mains et devenais de plus en plus étourdie. Une des sœurs me dit d'arrêter de me frotter. J'obéis pendant un bout de temps, puis recommençai. Je priais Notre Seigneur d'enlever l'aiguille, d'empêcher mes mains de transpirer autant. La religieuse me saisit les mains et les écarta. C'est alors que nous vîmes, toutes les deux, qu'elles saignaient. Elle me fit sortir de la chapelle, m'amena aux toilettes où elle me lava les paumes. Elles ne portaient aucune marque. Et les saignements cessèrent. Je lui demandai si c'était normal que mes mains saignent, une extension normale de la malédiction féminine. La religieuse ne cessait de me dévisager, comme si elle ne parvenait pas à décider entre m'administrer une correction avec sa cordelière de cuir ou me serrer dans ses bras. Elle opta pour un compromis et m'amena à l'infirmerie. Les religieuses qui s'y trouvaient murmurèrent des choses sur mon compte. Alors je leur dis : « Je suis navrée que maman et papa soient morts » et la religieuse s'écria : « Sainte Mère de Dieu ! » Elle hurlait pratiquement. Toutes les autres bondirent autour de moi. Deux ou trois tombèrent à genoux. Je regardai dans le miroir et vis les larmes de sang avant de ressentir la douleur. Puis, je me mis à crier aussi parce que la douleur était irréelle.

« Des stigmates, c'est ce qu'elles m'ont dit, poursuivit Chantelle. J'étais une célébrité au couvent et à l'école, ce qui franchement ne me dérangeait pas du tout. Des émissaires papaux me firent subir des contre-interrogatoires. Je ne pense pas que ma piété les impressionna. Les prêtres étaient portés à être durs avec moi. Ils me réprimandaient comme si j'avais commis un acte indécent. Les religieuses essayaient de me calmer, mais les épisodes avec ces insupportables bonshommes marquèrent le début de ma désaffection vis-à-vis de l'Église.

« Depuis, j'ai toujours vécu avec cette particularité. Je sais que j'ai les stigmates parce que mon amour pour Dieu est absolu et, dans ma souffrance, je comprends que je dois L'aimer plus. J'ai aussi assez de présence d'esprit, et d'éducation, pour accepter que mes stigmates sont des stigmates d'hystérie, une conséquence directe de ce que j'ai vécu. Ce qui m'a amené à quitter le couvent quand j'ai eu l'âge de le quitter. »

— Pourquoi ?

— Le Saint-Siège était fâché contre moi, dit-elle en me donnant un petit coup d'épaule et avec un pétillement malicieux dans les yeux. L'Église préfère que ses saints soient morts. Les saints vivants sont un embarras. Vous remarquerez qu'aucun saint n'est jamais reconnu de son vivant. Non pas que je sois une sainte, ou que j'en aie jamais été une, mais certaines des religieuses avaient cette ambition pour moi. Mes saintes sœurs n'acceptaient les marques que comme des manifestations de la crucifixion du Christ. Toute autre possibilité était un blasphème. Les médecins disaient que c'était parce que j'étais psychologiquement blessée, rien de plus. Aucun des deux camps ne voulait accepter les deux explications.

« Ou bien les blessures étaient saintes ou bien elles étaient psychologiques. Il était impossible qu'elles soient les deux. L'un annulait l'autre. La seule paix véritable que j'ai connue, Kyle, m'est venue le jour – j'avais environ dix-sept ans – où j'ai accepté que j'étais à la fois une naufragée émotionnelle *et* quelqu'un désigné par Dieu pour être une visionnaire. Je suis les deux. C'est là ma contradiction et ma liberté, et c'est sur cette contradiction que s'est formée notre congrégation. Nous sommes des femmes qui vivons dans le siècle, avec tous les handicaps, les trucs et les bénéfices que cela implique, et nous sommes aussi des femmes sérieuses dans notre relation avec Dieu.

« Je n'ai jamais été le chef de notre petit groupe, essentiellement le catalyseur. C'est Gaby, surtout, qui nous a poussées à continuer au fil des années, et votre père nous a aidées. Comment l'exprimer ?... Gaby s'est trouvée confrontée à une contradiction décisive dans sa vie. Elle était incapable de la résoudre. Aucune de nous ne pouvait l'aider, et plus nous essayions, plus nous aggravions les choses. Je suis, malheureusement, au moins en partie coupable, dit Chantelle en me dévisageant sans remords pendant un long moment, avant de me poser une question inhabituelle. Je suis, comme vous, une égoïste, Kyle, poursuivit-elle. Dans ma manière de réagir à ce monde. Et, comme vous, je vis dans un territoire inconnu, un endroit où les chants d'oiseau sont plus sensés qu'une discussion avec un de nos semblables. Mes petits oiseaux m'avisent que je suis paumée de nouveau. Nous étions peut-être, vous et moi, étant les êtres que nous sommes, destinés à nous rencontrer. Pensez-vous que ce soit vrai ? Que Dieu vous a manipulé pour venir dans cette auberge ? Voici ce que je veux vraiment vous demander : pensez-vous que nous pourrions, vous et moi, être bons l'un pour l'autre ? Vous savez, de manière amicale ? »

— Je le crois, Chantelle, dis-je en sautant de la voiture pour nous changer les idées. Bon ! Pensez-vous maintenant qu'à deux nous serions capables de pousser cette vieille carcasse revêche jusqu'au sommet d'une colline ?

— Je pense que vous et moi, Kyle, sommes capables de réussir à peu près n'importe quoi, dit Chantelle dont la voix tinta dans l'air humide comme un bris de verre.

Nous réussîmes, et passâmes de joyeux moments à donner de la bande dans la descente de l'autre côté. Les freins fonctionnaient sans enthousiasme comme d'habitude. La vitesse acquise entraînait la voiture dans la neige et la boue de la pente escarpée, que nous dévalâmes sans vraiment contrôler le véhicule. Le fossé tout en bas goba les roues avant. Les roues arrière tournaient, inutiles, dans les deux directions et projetaient de la gadoue à plus d'un kilomètre. Nous soulevâmes la Mercury, la balançâmes, nous agitâmes et devînmes encore plus sales et plus mouillés. J'eus alors l'idée géniale d'aller chercher le tracteur John Deere. Les heures passées sur une machine identique au Tennessee me furent très utiles et j'étalai mon savoir-faire devant les yeux ébahis de ma bien-aimée, accrochée à côté de moi. Je tirai la vieille Mercury du siphon de la boue dont elle se dégagea avec de grands bruits obscènes, puis la traînai jusqu'au sommet de la montée suivante.

Le tracteur m'obéissait au doigt et à l'œil. Je le plaçai derrière la voiture, à qui je donnai un petit coup discret, avant de reculer pour consolider l'angle d'attaque. C'en était trop pour la Mercury. Elle n'endurerait pas cet ultime outrage. Voyant la fin si proche, la vieille carriole décida de rendre l'âme, de mourir avec dignité, avec classe et avec une certaine perspicacité. Elle décida de quitter ce monde matériel de son propre chef. Sans second coup du John Deere, elle clopina de l'avant et commença à avancer d'elle-même. Puis elle prit de la vitesse et atteignit le bord de la falaise à vive allure. Pendant un instant, elle parut voler. Déployer ses ailes. Mais non. Elle bascula de l'avant, plongea, piqua du nez dans une auto dont le toit avait été cabossé plusieurs fois déjà. Nous la vîmes, fascinés, faire une culbute dans les airs, rester en équilibre sur son pare-chocs avant comme un bloc de pierre de

LE KINKAJOU

Stonehenge. Puis, elle vacilla. S'écrasa dans une clameur de fonderie, tomba loin de la paroi de la falaise, rebondit sur les voitures, métal contre métal, verre contre pierre, et dérapa plus loin que les autres carcasses, avant de se se fracasser contre un rocher déposé par un glacier des millénaires plus tôt ; elle roula ensuite sur elle-même, se coucha sur le dos, changea de position, fit tourner ses pneus une dernière fois. Et regagna à toute vitesse le paradis des automobiles.

Épuisés, morts de rire, Chantelle et moi nous serrâmes dans les bras l'un de l'autre pour célébrer le dernier voyage de la vieille dame grincheuse et je m'arrangeai pour que notre étreinte se transforme en baiser.

— J'ai l'impression d'assister à l'enterrement d'un vieil ami, lui confiai-je.

Elle me regarda d'un air moqueur, puis hocha la tête sans insister. Nous regagnâmes l'auberge, dans la chaleur de notre compagnie mutuelle, réconfortés par notre intimité.

— Je me demande à qui appartient cette Toyota jaune ? fis-je remarquer quand nous atteignîmes le terrain de stationnement.

— Pardon ? demanda Chantelle qui tressaillit à ma question.

— Vous voyez cette Toyota toute rouillée ? Elle était déjà là hier avant que vous arriviez. Elle doit appartenir à une de mes employées, mais personne ne l'a prise pour rentrer à la maison hier soir. J'ai peut-être un client mystère.

— Peut-être, concéda Chantelle, avant de se taire pendant un moment, ce qui me rendit perplexe, et d'ajouter : Croyez-le ou non, Kyle, cette Toyota est à moi. Elle est *finito bandito*. Je l'ai laissée ici quand je suis venue assister votre père qui était mourant. Pour ce qu'elle vaut, nous pourrions bien la conduire au cimetière aussi. Laisser mourir la vieille minoune, comme une autre amie très chère.

197

Une bonne journée pour conduire ses vieux compagnons au cimetière.

Chantelle n'avait plus qu'une seule autre chose à me dire. Peut-être voulait-elle préciser la véritable raison de sa promenade avec moi.

— Kyle, vous savez, je ne veux pas devenir une attraction. Vous le savez, n'est-ce pas ?

— Que voulez-vous dire ?

Je me tournai vers elle. Je l'aimais. Je voulais couvrir sa peau de baisers et apaiser pour de bon sa douleur.

— Vous ne direz rien à mon sujet à la police ou lors de l'enquête. Rien concernant la nuit passée. Je peux compter sur vous ?

— Turlututu, Chantelle, que pensez-vous que je sais ? J'ai plutôt bien dormi la nuit passée. Je n'ai pas entendu grand-chose et rien vu du tout.

— Merci.

Nous entrâmes ensemble dans l'*Auberge du péage*.

2

GRÂCES SOIENT RENDUES à la Providence. Elle me permit finalement quelques heures de paisible sommeil, mais il fallut d'abord qu'Hazel Stamp fasse un esclandre. Elle avait été assez gentille pour me repérer une chambre inoccupée et, plus important, pour m'y conduire. Mais elle y avait découvert que le personnel avait été négligent. Des traces de bottes boueuses souillaient le plancher. Des miettes de biscuit infestaient l'une des couchettes du lit superposé.

Cassie Baxter fut convoquée et écartelée tout en ne cessant de jurer ses grands dieux qu'elle avait nettoyé la chambre, et que cette chambre n'avait pas été louée depuis des semaines.

Les deux femmes s'en allèrent en se disputant. Je me roulai en boule sur la couchette du dessus, pas encore disposé à dormir dans mon propre lit par crainte du fantôme lubrique de Gabriella. Et je ne voulais pas non plus brouiller les indices ou les preuves. Seul enfin, je basculai dans mes rêves, comme ma vieille Mercury avait sauté par-dessus la falaise dans l'oubli pastoral.

Après la tombée de la nuit, Cassie me réveilla et je me frayai un chemin somnambule dans le labyrinthe du premier étage pour descendre souper. Les religieuses avaient revêtu leurs habits noirs. Je ne fus pas enchanté, c'est le moins que je puisse dire, de découvrir que le siège de Gabriella avait été laissé libre pour moi.

Je traversai la salle muette à la lumière des bougies, comme un souffle de vent traverserait un temple. Les flammes vacillaient à mon passage. Sœur Sophie m'attendait et quand je m'assis, elle me tendit un carton sur lequel elle avait écrit un seul mot : Silence.

Parfait. Passez-moi les patates.

Manger fut un supplice. Le calme des mastiquantes femelles n'était qu'extérieur. J'avais prévu, comme geste de bonne volonté, leur faire la lecture si quelqu'un me trouvait une copie de l'histoire du kinkajou, écrite par mon père ; mais vu le silence avec lequel elles me traitaient, pas question. Même si je compatissais à leur malaise.

Les dames avaient passé la journée dans l'affliction et elles s'inquiétaient de ce que leur réservait la nuit. Nous étions vendredi saint, et une mort plus récente que celle survenue deux mille ans plus tôt intensifiait la tristesse symbolique de rigueur. Chaque femme se demandait, comme je me le demandais moi-même, si l'une d'elles allait ou non de nouveau saigner, comme le Christ par ses plaies ouvertes.

Je me réprimandai, sans grand effet, de me laisser aller à de si futiles spéculations, et décriai tout bas ces femmes dont la foi dépendait d'une preuve aussi singulière. Seul l'étalage de la souffrance leur importait. C'était déjà bien assez triste que Chantelle doive souffrir, endurer d'extraordinaires douleurs et, au milieu de son délire, avoir des visions extasiées, mais elles s'attendaient en plus qu'elle saigne sur commande. Si elle subissait de nouveau son martyre et revivait sa passion, les religieuses étaient disposées à conclure que Dieu avait mis la barre plus haut. Pour quelque mystérieuse et sainte raison, Il avait accru la rigueur de son calvaire. Mais si Chantelle passait un vendredi saint sans souffrance visible, elles présumeraient que Dieu dans Sa gloire S'était planté. Elles déduiraient de l'absence de plaies réglementaires cette nuit que le supplice de Chantelle n'était qu'une excentricité psychologique faillible, un mal à traiter par des sédatifs, des consultations psychiatriques ou la thérapie de l'électrochoc.

L'air de l'*Auberge du péage* prenait à la gorge.

Je devais, maintenant que j'étais au courant des manigances des sœurs, m'attendre à être surveillé. L'accès aux corridors me serait refusé. Elles éteignirent les lampes et se retirèrent dans la grande chambre du premier étage, tandis que je me réfugiai au salon pour réfléchir à mes affaires et rêvasser près du feu.

Hazel, son travail terminé, m'y rejoignit. Son aiguille à repriser jetait des éclairs. Elle avait fouillé dans les tiroirs de ma commode ! C'étaient mes chaussettes qu'elle raccommodait. Quel service ! Nous avions les oreilles réglées sur l'inquiétant silence de la nuit.

— Que ferez-vous quand elle se mettront à hurler ? demanda Hazel sans lever les yeux.

— Allons, Hazel !

— Allons quoi ?

— Ne ternissez pas la réputation de l'auberge. D'accord, les gens s'y amusent tellement qu'ils éprouvent le besoin de se suicider (Tu parles d'une magnifique publicité !) mais restons-en là, pas vrai ? Je ne veux pas que toute la ville sache que la maison est un repaire de religieuses excentriques.

— Toute la ville le sait déjà, fit-elle remarquer.

— Tout le Vermont alors. Je ne veux pas que tout le Vermont le sache. Il y aura une enquête du coroner. Faites-moi une faveur. Minimisez le vacarme de la nuit dernière.

— Vous voulez que je me parjure ? demanda Hazel, en serrant son reprisage contre ses genoux.

Quand elle reprit son travail, la dextérité de ses doigts fut aussi fascinante que les flammes qui cabriolaient dans le foyer.

— Non, Hazel, bien sûr que non. L'idée ne m'a même pas effleuré. Tout ce que je demande, c'est que vous n'exagériez pas.

— Comme ce ne sera pas difficile, j'accepte.

— Souvenez-vous. Les sons portent loin la nuit. Le même bruit, dans la journée, serait sans doute passé inaperçu.

— Ne démordez pas de cette histoire, monsieur Kyle. Vous irez loin.

J'abandonnai.

— Et que diriez-vous d'un brandy ? demandai-je.

— Un cognac fera l'affaire, merci, dit-elle, avant d'ajouter au moment où je me dirigeais vers le sous-sol : le placard au-dessus de l'évier est moins loin.

Elle gardait manifestement une réserve personnelle. Comme je me sentais de nouveau plus à l'aise, je la sondai.

— Que savez-vous d'Isaïe Snow ?

— Que voulez-vous que j'en sache ?

Le ton hargneux de sa réplique me fit rire. J'appréciais Hazel et j'aimais sa compagnie.

— C'est un bon policier ?

— Aussi honnête que le jour est long. Snow est un dur à cuire. Ne le contrariez jamais. Il déteste les voyous. L'innocent n'a rien à craindre de lui, sauf ses machines infernales.

— Quelles machines ?

— Les bricolages d'Isaïe. Il passe le plus clair de ses moments de loisir à essayer d'augmenter l'efficacité de ses détecteurs de mensonge, dit Hazel en levant les yeux et en sirotant une gorgée de cognac. Isaïe les fabrique dans son sous-sol. Il est toujours à la recherche de nouveaux cobayes pour les tester.

— Il m'a dit qu'il les appelait des vérificateurs de vérité.

— Il vous a roulé dans la farine, hein ? dit Hazel, avec un rire sonore. Il vous a probablement tendu un piège et vous êtes tombé dedans. Oh, bien ! Vous trouverez peut-être ça drôle de l'essayer, qui sait ?

À l'étage, les religieuses avaient commencé à entonner leurs graves mélopées.

— Et voilà, c'est reparti, dit Hazel d'une voix méprisante. Avez-vous apporté des boules Quiès ?

Pendant l'heure qui suivit, nous ne dîmes pas grand-chose d'important. Nous écoutions les chœurs et les répons, le rythme des chants des femmes qui vibrait dans les poutres antiques, héroïques de l'auberge, voix singulière et collective déferlant dans l'air froid de la nuit comme un courant d'air qui s'immolerait sur le feu. Je prêtais l'oreille, mais n'entendis pas de cris stridents.

— Hazel ?

La rapidité de mes battements de cœur accentuait ma nervosité. Il fallait que je fasse confiance à quelqu'un.

— Hmm ? demanda Hazel qui, après avoir terminé le reprisage de mes bas, s'était lancée dans le tricot d'un châle chatoyant.

— La chambre dans laquelle elles se trouvent, la suite mont Washington. Elle a un puits de lumière.

— Un globe de plexiglas. C'est exact, dit-elle en continuant son travail.

— Dites-moi, est-il facile de grimper sur le toit ?

Les doigts d'Hazel, plus lents qu'ils n'avaient jamais été, interrompirent leur artisanat et elle laissa ses mains tomber sur ses genoux.

203

— Cela dépend qui y va, déclara-t-elle en observant le feu. Ce qui est facile pour certains est dangereux pour d'autres.

Dans le brasillement d'un feu, le silence est vraiment d'or. Je soupesai le pour et le contre, mais sans grand discernement, parce que je préférais nettement faire ce que j'avais envie plutôt que de me conformer aux quelques milligrammes de gros bon sens qui me conseillaient le contraire.

— Vous et moi. Tous les deux, concédai-je.

Hazel me récompensa par le plus large sourire que je vis jamais sur un visage d'adulte.

— Suivez-moi, dit-elle.

Prudence dans le vent ! Il était clair que mon déménagement au Vermont m'avait fait perdre la meilleure moitié de mon intelligence.

Je m'appuyai contre la commode de la chambre d'Hazel pendant qu'elle se drapait dans les couleurs éclatantes de l'arc-en-ciel. S'il fallait qu'elle glisse, dégringole de notre toit et cascade dans la vallée plus bas, elle illuminerait le ciel de la nuit et on la confondrait avec la comète de Halley. Nous nous dépêchâmes ensuite de gagner ma chambre où elle me força à enfiler un chandail et une veste. Après un coup d'œil aux semelles de mes bottes couvertes de boue, elle m'ordonna de changer de souliers.

— Après toute cette pluie, le toit risque d'être plus glissant qu'une truie graissée, m'avertit-elle.

— Nous allons sans doute nous tuer, dis-je en y repensant.

— Ce n'est pas drôle. Surtout aujourd'hui, m'avertit mon escorte.

— Excusez-moi.

L'espionne qui montait la garde pour signaler nos allées et venues, nous repéra dans le corridor. Le chant et ses rythmes prenaient de l'ampleur derrière elle, mais toujours sans aucun cri biscornu.

— Nous partons faire une petite balade nocturne, dis-je pour calmer la sentinelle.

Hazel, peu disposée à changer de caractère pour cause de discrétion, plissa le front et ajouta : « Nous désespérions d'avoir un peu de paix et de silence ».

La sœur eut un petit sourire et Hazel et moi descendîmes les escaliers.

— Et maintenant quoi ? demandai-je, en me dégonflant un peu.

— Par ici. Soyez silencieux comme une souris, murmura-t-elle.

Avoir un guide qui connaissait le terrain était essentiel. Nous devions progresser dans l'obscurité. Je jure que cette femme voit dans le noir. Nous passâmes sous les chœurs solennels et gravîmes des escaliers à l'extrémité opposée de l'auberge. À l'étage supérieur, dans un tournant du couloir, Hazel ouvrit d'un coup sec une fenêtre et nous nous glissâmes, pieds d'abord, sur la plateforme de fer de l'escalier de secours. De là, nous devions nous étirer pour atteindre une niche ménagée dans le mur, pas trop difficile pour moi mais exigeant d'Hazel pratiquement le grand écart. Nous nous tenions l'un l'autre pour garder notre équilibre. Perchés sur une lucarne, les angles étranges d'ajustage et d'assemblage des pièces de la charpente nous offraient des prises commodes pour grimper jusqu'en haut du toit.

Ascension facile et sans danger. Nous progressâmes ensuite à quatre pattes sur le faîte. Les quelques lampadaires extérieurs qui éclairaient les coins du terrain de stationnement et les allées qui menaient à la porte principale et aux entrées latérales éclairaient aussi notre chemin dans la nuit et le brouillard. Notre destination luisait non loin. De la lumière brillait par le globe de plexiglas.

— L'été, quand nous avons des périodes de sécheresse, je monte ici nettoyer les dégâts des oiseaux sur la vitre.

— Comment allons-nous descendre, Hazel ?

J'avais tardé à poser la question car je me doutais que je n'aimerais peut-être pas la réponse. Le puits de lumière se trouvait environ quatre mètres plus bas. La pente du toit de ce côté de la maison était abrupte.

— Très prudemment, conseilla-t-elle.

Mais j'aurais dû me douter qu'Hazel n'entreprend rien sans y être astucieusement préparée. Déconcerté parce que nous dépassions le puits de lumière, but de notre expédition, je continuai de la suivre, assis sur mon derrière. Nous atteignîmes une échelle de toit.

L'échelle était constituée de deux parties, une courte et une longue, réunies sur le faîte par des charnières, avec la partie la plus longue couchée sur le versant du toit opposé au puits de lumière. Manœuvrant avec précaution dans le noir, nous parvînmes, à deux, à retourner l'échelle. La partie la plus courte, conçue pour stabiliser le dispositif, était munie de griffes de métal qui mordaient dans les bardeaux. Nous nous tenions à chaque extrémité, avec l'échelle entre nous, et notre retour vers le puits de lumière fut comique et lent. Je me cognais le postérieur à progresser à reculons, et celui d'Hazel sautait en cadence de l'autre côté. Nous devions avoir l'air de crétins au galop sur un cheval à double selle et à deux têtes. Je suis content que personne ne nous repéra.

Nous réussîmes finalement à placer l'échelle en position quand la pluie se mit à tomber.

Averse.

À pleins seaux et à pleines chaudières.

Des hallebardes et des clous.

Quelqu'un avait ouvert la bonde du ciel.

Les trombes d'eau nous aveuglaient, Hazel et moi, et nous ne pouvions qu'abriter notre visage. La pluie s'arrêta aussi vite qu'elle avait commencé ; nous l'entendîmes poursuivre sa route comme une armée dans la forêt. Nous descendîmes l'échelle, les vêtements trempés.

Je passai le premier et quand nous atteignîmes le puits de lumière j'avais les cuisses d'Hazel sur mes épaules. Nous nous penchâmes avec une prudence extrême et regardâmes par le globe brillant.

Notre boule de cristal.

Des flammes de bougie, disposées en trois demi-cercles con-centriques autour du lit, éclairaient faiblement la chambre en dessous de nous. Il était impossible de distinguer les formes. Les femmes encapuchonnées de noir avaient l'air de créatures cachées dans la pénombre, camouflées par leur pelage dans un sous-bois. Chantelle, vêtue de blanc comme une princesse de conte de fées, était allongée sur le lit. Dans cet éclairage incertain, je ne voyais pas si elle saignait.

Je demandai à Hazel d'enlever, s'il vous plaît, ses souliers de mes doigts. « Merci. »

— Il n'y a pas de quoi.

Je me rendis compte, après avoir scruté de nouveau la pro-fondeur du puits, que nous étions arrivés à un moment crucial. Chantelle était assise droite en posture de méditation, soit qu'elle fixât l'abîme ou, les yeux fermés, qu'elle explorât son moi inté-rieur. Puis, tout à coup, elle se mit debout dans le lit, après avoir trouvé son équilibre sur les ressorts élastiques. Elle tourna les yeux vers le ciel et leva gracieusement les mains au-dessus de la tête. Hazel et moi, nous nous reculâmes, atterrés, coupables, puis nous nous rappelâmes que la nuit nous cachait et jetâmes un autre regard à travers la vitre enchantée.

Chantelle descendit du lit et se promena lentement parmi ses adoratrices agenouillées. Les bougies projetaient des ombres grotesques sur les murs. Elle s'immobilisa au-dessus d'une des silhouettes effondrées, serrées sur elles-même, anonymes. Chantelle se balançait au rythme des chants, effectuait avec ses mains une danse compliquée, style polynésien. La femme qu'elle avait choisie enleva ses vêtements devant nos yeux ébahis et, magiquement, lévita.

Comme si elle flottait dans les airs.

Cette femme qui, je le savais, s'appelait Émilie, était une beauté facile à reconnaître à sa floconneuse chevelure blonde. Des compagnes à côté d'elle avaient levé son corps à la verticale vers le plafond, exercice auquel elles s'étaient entraînées, et maintenant elles la couchaient sur le lit. Émilie était allongée, bras et jambes écartés, comme un enfant qui sculpte des anges dans la neige. Un essaim de mains la palpait, la pétrissait, la caressait, massage licencieux, effréné. Quand Émilie, cachée sous tous ces doigts, commença à frémir, on la leva de nouveau, avec le corps à l'horizontale cette fois. Les mains, quelques instants plus tôt posées sur son ventre et sa poitrine, la supportaient maintenant par en dessous.

Ses épaule gigotèrent quand un plus grand nombre de femmes se glissèrent sous son corps. À un signal donné, les sœurs la levèrent comme une offrande au ciel.

Émilie était étendue dans les airs sans bouger. Et les femmes ne bougeaient pas non plus. Dans le scintillement des flammes disposées en demi-cercle sur le plancher, Hazel et moi vîmes son corps tourner, aussi lentement que la grande aiguille d'une horloge.

Fastidieuse procession.

Mal installé sur l'échelle, je me sentais de plus en plus gourd et raide. Je changeai de position pour soulager la tension de mes muscles. L'échelle tressaillit et le bois se plaignit bruyamment. Mon gigotement me valut un regard méprisant et assassin d'Hazel et je me penchai de nouveau sur la fenêtre magique.

Après un tour d'horloge complet (le mouvement *sembla* durer une heure mais, en réalité, il ne dura pas plus de dix ou douze minutes), le corps flottant d'Émilie se balança, agité en cadence par les mains qui se trouvaient sous elle. J'entendis pour la première fois le chant d'accompagnement, sans doute parce que le vent s'était calmé et que la pluie au loin avait cessé, et je présumai que, dans la chambre, le bruit n'était pas trop fort. Émilie était bercée de l'avant vers l'arrière sur ce matelas de paumes humaines. Au début, seuls les êtres fantomatiques qui la tenaient la faisaient bouger ; elle semblait aussi inerte qu'une marionnette. Mais elle revint à la vie. Toujours en l'air, les yeux fermés, elle commença à frémir. À trembler et à donner des coups de pied. À fléchir et tressauter. Elle leva les genoux et tendit les bras derrière la tête et la cadence du mouvement de ses hanches devint résolument sexuelle.

— Ici vous cessez de regarder, me taquina Hazel en me couvrant les yeux. Que dites-vous maintenant de leur soi-disant rites religieux ? *C'est* ce que vous appelez aller à l'église ? persifla-t-elle, aussi hypnotisée par la macabre danse que moi.

— Êtes-vous certaine que nous sommes en sécurité ? demandai-je, de plus en plus nerveux, à ma complice, quand une bruyante objection secoua l'échelle et interféra dans notre séance d'espionnage.

— Pas de problème. Soyez courageux. Je suis déjà venue ici au moins une vingtaine de fois, dit-elle résolument sûre d'elle-même.

Nouveau craquement sinistre et grincement du bois.

— Hazel ? Je ne veux pas insister lourdement, mais si vous n'y voyez pas d'objection, j'aimerais vous demander...

— Quoi donc ?

— Combien de fois êtes-vous venue sur cette échelle, accompagnée de quelqu'un d'autre ?

Mon assistante et coconspiratrice baissa les yeux vers moi et, dans la pâle clarté du ciel éclairé par la lueur des bougies, je vis dans ses yeux que ma question était pertinente. Nous nous regardâmes dans un moment d'épouvante suspendue. Puis, sous la tension de nos poids combinés, les charnières qui retenaient les deux parties de l'échelle cédèrent. Quelque chose claqua, un coup de fusil, et pendant un instant nous flottâmes au-dessus de l'éternité comme deux personnages de bandes dessinées qui auraient galopé plus loin que le bord d'une falaise. Ensuite commença notre rapide et périlleuse dégringolade.

Ma vie et le corpulent postérieur d'Hazel défilèrent devant mes yeux. Convaincu de mon châtiment prochain, j'eus le temps durant cette affreuse et tonitruante descente de regretter certains des choix que j'avais faits pendant mon existence.

L'épouvantable vacarme qui soulignait notre ultime délivrance déchirait la nuit. Hazel, l'échelle et moi arrivâmes à un arrêt brutal, vacillant. Sauvés par la gouttière du toit. Notre glissade avait arraché la plupart des bardeaux, horrible alarme, et la gouttière maintenant se tendait vers l'extérieur comme la corde d'un arc. L'échelle était la flèche sur le point d'être lancée dans le vide du ciel nocturne. Un tir vers la lune.

Une fenêtre s'ouvrit plus bas que nous. Une tête suspicieuse en pointa. « Il y a du monde là-haut ! » annonça la tête, pour le moment plus étonnée que furieuse. Hazel et moi gravîmes tant bien que mal l'échelle, priant entre les échelons que les quelques attaches qui restaient à la gouttière tiennent bon. Arrivés sur le faîte, nous progressâmes à toute vitesse sur nos derrières, avant de nous glisser un niveau plus bas et de nous engouffrer dans la maison par la fenêtre secrète.

Les lumières du couloir s'allumèrent.

Trois religieuses, le visage caché dans l'ombre de leurs capuces, nous dévisageaient. Nos cheveux mouillés, plaqués sur la tête, notre essoufflement, le désordre de nos volumineux vêtements nous désignaient comme coupables. Hazel et moi, vautrés dans notre honte, tâchâmes de nous faire tout petits.

— Nous les avons trouvés ! cria une des sœurs à ses amies.

Pas le temps de l'implorer, de lui demander grâce ni de lui offrir un pot-de-vin. En un clin d'œil, le corridor s'emplit de noires créatures.

Chantelle se fraya un chemin jusqu'à l'avant de l'attroupement, suivie d'Émilie qui, quelques instants plus tôt, était encore exposée totalement nue. Si j'avais été seul dans ce traquenard, j'aurais battu en retraite jusqu'au sommet du toit, murmuré mes ultimes excuses avant de sauter dans la noire vallée qui s'ouvrait plus bas.

Petite mansuétude : Chantelle ne saignait pas.

Émilie s'était habillée de sa bure à la hâte et ne portait pas sa coiffe. Ses yeux étincelaient de haine, même quand Hazel s'avança et chercha à assumer la pleine responsabilité. « Mes excuses, mademoiselle. C'est ma faute, mademoiselle. » Comme si ni moi ni personne d'autre y était pour quelque chose.

— Absurde, dis-je, la voix pleine de sarcasme.

Ma rectification était inutile. Les femmes n'avaient d'yeux que pour moi. Toute leur indignation se concentrait sur cette cible dégénérée : le seul mâle de la maison.

J'avais le regard rivé sur Chantelle et l'implorais de me pardonner, de comprendre que mon indiscrétion avait été provoquée par une curiosité qui, dans les circonstances, devait être considérée comme acceptable. Séparé de la femme que j'aimais au moment où elle était en crise, qu'aurais-je pu faire d'autre ? Me boucher les oreilles ?

Tristesse dans les yeux de Chantelle. Pas le moindre pardon.

Je reportai mon attention sur Émilie qui se poussait à l'avant du groupe.

Si son code moral avait été différent, elle m'aurait arraché les yeux, griffé les joues au sang. Elle était, heureusement pour moi, adepte de la non-violence. Elle se contenta de donner libre cours à son parfait courroux et de me congédier par un simple et laconique : « Disparaissez de ma vue. » Elle était tellement près de moi que je sentais la chaleur de son souffle sur mes lèvres.

Je baissai le front. Déshonoré. La honte me faisait comme un nœud coulant autour du cou. J'aurais voulu mourir là, sur-le-champ. Voir mon corps réduit en cendres et en poussière. Je n'avais pas seulement espionné la nudité d'Émilie, j'avais profané une cérémonie sacrée et méritais pour cela le plus profond mépris.

J'avais humilié la femme que j'aimais.

Chantelle ne daignait même pas me regarder.

Hazel et moi descendîmes les escaliers à pas lents, l'air piteux, avec le dégoût de nos accusatrices cinglant comme des coups de fouet dans notre dos.

3

MAL PRÉPARÉ, MAIS PLEIN DE BONNE VOLONTÉ, je descendis en ville le mardi matin avec la ferme intention de me mesurer à la misanthropie de la technologie moderne et de provoquer en duel les machines qu'Isaïe Snow bricolait dans ses moments de loisir. Il était regrettable que les événements de la fin de semaine m'aient empêché de me concentrer sur l'épreuve qui m'attendait.

J'avais du mal à imaginer que trois jours seulement s'étaient écoulés depuis le départ des sœurs. Le temps coule lentement quand on a le cœur brisé. Les femmes avaient plié bagage tout de suite après le petit déjeuner le samedi matin, austère procession comparée à leur exubérante arrivée. De grosses radiocassettes défilèrent devant moi, mais aucune n'était allumée. Les dames payèrent chacune leur facture, ce qui me donna des crampes dans le bras droit à force d'actionner la machine à cartes de crédit.

Chantelle me tendit sa carte American Express.

— Je suis parti sans la mienne. Comment faire autrement ? Les incrédules n'ont jamais cru bon de m'en émettre une, dis-je, pince-sans-rire, en espérant briser la glace.

— Voulez-vous me faire ma facture, s'il vous plaît ? me répondit-elle sèchement.

— Ouais, ouais ! C'est le travail que l'on m'a confié, répondis-je fièrement à Chantelle. Je n'ai qu'à glisser la carte dans la machine. Formation professionnelle printanière. Je m'entraîne le bras pour la pleine saison.

— Vous n'êtes à peu près bon à rien d'autre, rétorqua-t-elle en reprenant sa carte et le reçu.

— Ce n'est pas très mystique, mais quand même une excellente façon de gagner sa vie.

— Espèce d'enfant de chienne, dit-elle en s'éloignant lentement et en foulant aux pieds mes espoirs par la même occasion.

— Revenez nous voir un de ces jours, lui criai-je. Vous êtes chez vous ici ! Nous avons des forfaits de fin de semaine !

Un moment plus tard, ma façon d'agir me mortifia. Ce qui n'avait rien de nouveau. S'il m'advenait un jour de me conduire conformément à mes regrets, je serais capable de défier Chantelle à la course à la sainteté.

— Remplacez-moi un moment, Cassie.

— Oui, monsieur Laîné.

— Chantelle ! hurlai-je en partant à sa poursuite et en gravissant les marches quatre à quatre, même si je savais, comme tout le monde, que c'était trop tard.

Je la trouvai dans sa chambre. Pas la suite coûteuse où elle avait crié au meurtre comme une bête qu'on égorge et où elle s'était délectée de ses visions mystiques, mais dans sa chambre officielle, plus modeste, fonctionnelle, proprette avec ses lits superposés. Chantelle pliait des bures dans une gigantesque valise. Ses tâches dans la congrégation ne se limitaient pas à en être la visionnaire résidente, la stigmatisée et la numérologue. Elle était la servante aussi. Tu parles d'une exploitation !

— Allez-vous-en, s'il vous plaît, me pria-t-elle.

— Êtes-vous toujours aussi polie ? demandai-je, cherchant à l'aveuglette un nouveau départ.

— D'accord. *Allez vous faire foutre !* Ça vous convient mieux ?

— La politesse a ses charmes quand même. Écoutez, Chanty...

— Ne m'appelez pas Chanty. Seuls mes meilleurs amis m'appellent Chanty. *Vous* n'avez pas le droit.

— Laissez-moi m'excuser au moins.

— Libre à vous. Mais vos excuses ne répareront jamais ce que vous avez fait.

Elle pliait et rangeait les vêtements à un rythme si frénétique que son front était couvert de sueur.

— Je suis navré, Chantelle. Je ne sais pas ce qui m'a pris. Je... J'étais inquiet.

— Quelle saloperie, Kyle. M'espionner. Vous êtes un salopard.

Dans les circonstances, je considérai que son choix d'insulte était plutôt modéré et me sentis encouragé.

— C'est de notoriété publique, confirmai-je.

Même sans regarder, je devinais que les sœurs s'étaient attroupées derrière moi et, obligé de murmurer, je demandai : « Vous me pardonnez, Chantelle ? Écoutez. Pourquoi ne pas rester amis ? »

J'eus la nette impression que Chantelle jeta un coup d'œil à ses gardes du corps et que leur présence modifia son attitude.

— Je vous en prie, Kyle. Nous vous remercions de ne pas nous facturer toute la durée du congé pascal. À part ça, il n'y a rien à dire.

— Dites-moi au moins où envoyer des fleurs pour les funérailles de Gaby.

— Ce n'est pas ainsi que vous découvrirez où j'habite. Mettez des fleurs dans la chambre où elle est morte, si vous voulez. Maintenant s'il vous plaît, allez-vous-en.

Ses copines n'attendirent pas d'autres instructions. Elles s'engouffrèrent dans la pièce et me bousculèrent pour que j'en sorte.

— *Bas les pattes !* clamai-je à la cantonade.

Elles me lâchèrent, même si quelques-unes ne me laissèrent partir qu'à contrecœur. Je replaçai ma chemise, roulai les épaules et me donnai assez de prestance pour m'en aller sans être molesté. Je ne daignai pas non plus assister au départ des dames. Je restai couché dans mon lit et, dans ma grande tristesse, m'endormis. Ma seule consolation était de revoir Chantelle à l'enquête dans quelques jours. D'ici là son cœur aurait peut-être changé.

LE DIMANCHE, je pris ma Cherokee Chief pour faire un tour sur les routes de montagne et, en soirée, je téléphonai à Franklin D. Ryder. Je lui fis le résumé des développements importants de la fin de semaine, notamment l'apparent suicide de Gaby et la demande que m'avait faite l'inspecteur Snow de me soumettre au polygraphe.

— N'y allez pas, Kyle. Annulez le rendez-vous.

Quelque chose dans le caractère de Franklin D. le rend infiniment plus décidé au téléphone qu'en personne devant un interlocuteur.

— Pas question, j'ai donné ma parole. En plus, je pense que ce sera de la rigolade.

— Pas une initiative très brillante, Kyle.

— Je n'ai rien à cacher, Franklin D., insistai-je.

— Je suis votre avocat et je vous conseille d'annuler. Impossible de m'exprimer plus clairement.

En arrière-fond sonore, j'entendais au bout du fil un autre escroc en prendre pour son rhume à l'émission télévisée *Sixty Minutes*.

— Je compte passer le test, dis-je. Je n'ai rien d'autre à faire. Et, en plus, si je me dégonfle, j'aurai l'air suspect.

— Ne vous laissez pas prendre à ce vieux truc. Laissez-moi téléphoner à Snow au moins. Je lui ferai mettre par écrit que les résultats du test du détecteur de mensonge ne seront pas présentés en cour ni rendus publics sans votre consentement.

— D'accord.

— Et que l'avis de la machine ne sera, en aucun cas, un motif suffisant d'arrestation.

— Arrêtez de parler comme si j'étais coupable, le rembarrai-je. Je n'ai *rien fait*. Pourquoi m'arrêterait-on ?

— Précautions d'usage, stipula mon avocat, plus avisé que je n'aurais pensé. Je veux être présent aussi. Je ne crois pas qu'il soit avisé de faire dépendre votre sort des extravagances d'un policier ou des humeurs d'un ordinateur.

— Gardez mon innocence à l'esprit, F.D.R.

— Pensez responsabilité légale. C'est cela qui me préoccupe. Pensez aux insinuations malveillantes du public. Pensez à la mauvaise publicité. Cela s'est passé dans votre auberge, Kyle. C'était votre thé. Et si j'ai bien compris, votre lit aussi, n'est-ce pas ?

— C'est exactement ce dont il s'agit ! Je dois laver ma réputation. Ce n'est pas la loi qui me tracasse. Ce sont les commérages. Il faut que je vive dans cette ville. Les gens croiront l'ordinateur bien plus volontiers qu'ils ne me croiront. Ils ne font confiance ni aux avocats ni aux étrangers, mais font confiance à l'ordinateur. Même un ordinateur bricolé par Snow dans son sous-sol. Ceci dit, je ne règle pas vos frais professionnels sur une base forfaitaire. Je m'attends à une facture détaillée de vos honoraires.

Je voulais ajouter : ne croyez pas que vous soyez personnellement visé. Je fulmine contre tout le monde. Après ma volée de bois vert, ce fut au tour de Ryder de riposter.

— Alors pourquoi cette morte se trouvait-elle dans votre lit ?

— Qui sait ? Bonne nuit, F.D.R.

LE TEMPS ÉTAIT VENU. Je me traînais les pieds depuis assez longtemps, même si j'avais toujours eu une bonne excuse. Je ramassai une pelle dans la cabane à outils et descendis aux écuries. Chantelle, le soir où elle m'y avait rejoint, avait pris un autre chemin ; je le repérai, une piste de ski de fond marquée par des rubans, heureux de me déplacer entre les arbres sans que personne me voie.

Au cours de conversations avec Hazel, et plus tard avec Cassie Baxter, j'avais appris que l'auberge avait périodiquement des problèmes de clochards. Des vagabonds qui campaient sur le terrain et que l'on découvrait dans les garages, les écuries ou le dépotoir, à fouiller les détritus avec les quiscales. J'espérais que mon rôdeur avait eu la présence d'esprit de déguerpir après notre rencontre. Il devait raisonnablement s'attendre à ce que, comme la plupart des victimes, j'informe la police, des amis, ou revienne avec un fusil de chasse. J'étais quand même sur mes gardes. C'était peut-être un clochard intuitif qui savait qu'il pouvait brandir les os comme une épée de Damoclès au-dessus de ma tête. J'avais pris la pelle pour creuser une tombe adéquate au squelette mais, au besoin, elle me servirait à me défendre.

J'entrai dans le bâtiment avec ma pelle en l'air comme un gourdin prêt à fendre des crânes. À mon immense soulagement, l'écurie était vide et rien ne laissait présager qu'elle avait été occupée récemment. Cette bonne nouvelle me détendit, mais quand je fouillai mon tertre de terre et de foin, je découvris que quelqu'un était passé avant moi. Le squelette n'y était plus. Chaque os avait été déterré. Encore une fois.

Au début, la nervosité me prit. Je me demandai dans quels arpents verts du Seigneur les ossements apparaîtraient la prochaine fois. Mais je m'exhortai à rester calme. Ce squelette ne relevait plus de ma juridiction. Si quelqu'un était pris à le transporter, ce ne serait pas moi. La seule chose angoissante, c'est que, vu son histoire, ce squelette était peut-être, qui sait ? véritablement mobile, un spectre qui, pris de bougeotte, sautait d'une tombe à l'autre.

Avec ma pelle sur l'épaule, je remontai la côte en guettant de possibles fantômes.

HAZEL M'AVAIT DEMANDÉ de prendre arrangement avec un entrepreneur de Stowe pour réparer la gouttière qui, non seulement choquait la vue et était indispensable pour recueillir et canaliser l'eau des pluies printanières, mais était aussi un rappel par trop manifeste de son indiscrétion. Elle voulait que ce soit rapidement réparé. Comme il me restait du temps avant mon rendez-vous avec le « vérificateur de vérité », je fis d'abord la commission d'Hazel et demandai à parler au patron en l'appelant par son prénom. Vince. Vince émergea de son bureau comme un ours de son sommeil hiémal, s'étira, bâilla et, à travers les rideaux, jeta un coup d'œil au soleil pour en évaluer la hauteur sur l'horizon. Vince était poilu comme un ours aussi. Le poil de sa poitrine sortait de sa chemise et du haut de son col. Enfermé tout l'hiver, il était d'attaque et avait hâte de s'occuper de nouveau.

— Vous êtes le fils de Kyle Laîné ? me demanda-t-il dès l'instant où je me présentai, en clignant des yeux comme si la puissance de mon intelligence l'éblouissait plus qu'une ampoule électrique de cinq cents watts.

— Effectivement, concédai-je avec un certain émoi.

— Ouais, j'ai entendu parler de votre première journée à l'auberge. Avec quoi nourrissez-vous vos clients ? De l'arsenic ?

— Un malheureux concours de circonstances, répondis-je, chagriné que mes déboires (et ceux de Gaby) soient la risée de la ville.

— Un congé reposant, c'est une chose. Mais le repos éternel ? Je doute que ce soit ce que recherchent vos clients. En quoi puis-je vous aider, Kyle ?

À mon tour de me venger.

— Une partie de la gouttière s'est détachée du toit. Elle était mal posée, j'imagine, déclarai-je, le visage imperturbable. Quand vous aurez une minute, montez voir ça, Vince. Hazel vous montrera les dégâts. Et faites-moi plaisir. Ne tombez pas de votre échelle. Je n'aimerais pas que l'on se moque de vous. Je suis sûr que les gens riraient pendant des semaines s'il vous arrivait de vous casser le cou. Faut que j'y aille ! À bientôt !

Jouer au plus finaud avec les habitants de la ville était un bon exercice pour me préparer à mon épreuve de force avec le juge mécanique de Snow.

« SUIS-JE DÉJÀ BRANCHÉ ? » demandai-je, envoyant mes inquisiteurs au tapis avec une question de mon crû.

Mademoiselle Windicott, technicienne immaculée vêtue d'une blouse blanche de laboratoire assistait efficacement, pointilleuse et collet monté, l'inspecteur Snow.

— Tout est prêt, indiqua la dame aux câbles, derrière son terminal d'ordinateur.

— Je n'ai pas tué la religieuse ! débitai-je avec défi, espérant que mon ton convaincu intimiderait la machine. Je n'ai pas tué la mère supérieure Gabriella !

Tout de go. Sans préambule. Droit au fait. Avec ma voix dont l'assurance se réverbérait dans la petite pièce nue.

— Mon jeune monsieur, s'il vous plaît, il y a certaines procédures à suivre. Attendez nos questions, insista Isaïe Snow qui ne voulait pas que je bousille son invention.

— Procédons. Commençons tout de suite, dis-je, mais leur première question me mit dans tous mes états.

— Vous appelez-vous Kyle Troy Laîné junior ? s'empressa de demander la technicienne.

Mademoiselle Windicott, assise en face de moi derrière son bureau, se tortillait avec séduction sur son tabouret. Sa voix, amplifiée dans le petit espace clos où nous nous trouvions, était acerbe et crispée, mais je sentais que nos connections de fils de cuivre et de caoutchouc l'excitaient.

— Oui. Non ! Non. Oui !

L'inspecteur Snow se mit en boule. Il frotta les rides de son front, fronça les sourcils, puis laissa les rides réapparaître, enleva ses lunettes et les agita de l'avant vers l'arrière.

— Monsieur Laîné, monsieur...

— Kyle.

— Kyle. Ce n'est pas un jeu. Répondez oui ou non, je vous prie. Pas les deux.

— Impossible. Il y a une complication. Laissez-moi expliquer.

La transpiration me glaçait les sourcils. Les câbles, les sangles, le ruban isolant sur mes bras, les diodes qui enregistraient ma sudation palmaire, l'image du visage mort et austère de la pauvre Gaby... Je me sentais ligoté à la chaise, harnaché, capturé, trompé, et m'attendais à ce qu'une connection défectueuse court-circuite ma misérable existence. J'étais froissé que mes interrogateurs ajoutent à mon nom un « junior » guilleret sans mon consentement.

— Êtes-vous Kyle Troy Laîné junior ? Oui ou non ?

— Je ne sais pas. Je...

— Mon jeune monsieur... Kyle...

— C'est une question piège !

J'étais terriblement claustrophobe. Notre salle de tortures était une salle de bains reconvertie, nue, avec des murs gris ardoise et des fenêtres haut placées.

— Monsieur Laîné, Kyle, croyez-moi, ce n'est pas une question piège du tout. Calmez-vous, jura Snow qui ne comprenait pas ce que je voulais dire et me pensait paranoïaque. Nous commençons par tester la machine en vous posant des questions simples, de manière à mesurer votre compatibilité.

— Je ne veux pas me marier avec cette chose idiote. Elle n'est pas mon genre.

— Procédure de routine, je vous assure, monsieur. Nous devons vérifier le bon fonctionnement du polygraphe, au cas où il se serait déréglé pendant le transport.

— Qui est suspect ici, inspecteur ? Moi ? La machine ? Ou le camion de livraison ?

— Oh, pas vous, monsieur. Nous savons que vous êtes innocent.

Je cherchai en vain dans ses yeux la lueur qui trahirait le sarcasme. Cet homme était certainement un joueur de poker.

— Souvenez-vous, Kyle ! Ne percevez pas cet appareil comme un détecteur de mensonge. C'est un vérificateur de vérité et une machine très complexe.

— Qui en est le constructeur, Isaïe ?

— Vous appelez-vous Kyle Troy Laîné junior ? cria mademoiselle Windicott, derrière son engin.

— Avouez, inspecteur !

— Répondez à la question, Kyle.

— Que faites-vous dans votre sous-sol pendant vos heures
de loisir ?

— C'est moi qui pose les questions. Vous, vous répondez.

— J'ai déjà dit d'accord ! J'essayerai de répondre oui. Voyez
comment ça passe.

— Alors, dites-le, conseilla l'inspecteur Snow.

— Oui.

Mais je me demandais si je le croyais. Et la machine en était-
elle convaincue ? J'entendis grincer l'aiguille du polygraphe et
vis le tressaillant stylo de l'assistante ajouter un commentaire.
« Alors, qu'en dit votre machine ? » Mon intérêt était réel et pressant : acceptais-je d'être le fils de mon père ? « Suis-je ou ne suis-
je pas ce type ? Je veux vraiment le savoir. » Mes mains
transpiraient sous les capteurs. La panique me gagnait. J'essayais
de me contrôler, mais avais l'impression qu'on m'avait coupé les
paumes, qu'elles s'étaient liquéfiées et qu'elles saignaient.

— Pouvons-nous procéder ? demanda Isaïe, de plus en plus
grincheux.

— O.K., mais pas d'autres questions pièges.

La conscience tranquille, je m'efforçai de régulariser ma respiration et répondis par l'affirmative aux autres questions de leur
liste. C'est ainsi que furent confirmées ma date de naissance et la
ville où j'étais né. Nous tombâmes également d'accord sur la couleur brune de mes cheveux et la chaude teinte noisette de mes
yeux. Et sur le fait que j'étais de sexe masculin. Puis tout à coup

le traquenard. La voix de mademoiselle Windicott était à peine audible quand elle demanda à brûle-pourpoint : « Au cours de votre existence, monsieur Laîné junior, vous est-il déjà arrivé de commettre un meurtre ? »

— Quoi !

— Avez-vous déjà tué un être humain ?

— Quelle question stupide ! m'exclamai-je, furieux.

— Oui ou non, s'il vous plaît, monsieur ?

Elle n'était pas loin de la vérité.

— Non ! hurlai-je de toutes mes forces en tâchant de garder mon sang-froid, mais j'entendais l'aiguille hystérique du polygraphe qui menaçait de valser hors de la page. Oui ! Je veux dire non ! Je ne sais pas ! Qui le sait, en réalité ? Je ne répondrai pas à cette question. Il faut que j'explique. C'est une autre question piège !

— Monsieur Laîné, mon jeune monsieur, Kyle ! Contrôlez-vous, je vous prie. Nous posons ce genre de question uniquement pour provoquer vos réactions, pour étudier votre sensibilité au polygraphe, et non pour vous insulter. Ne prenez pas nos questions tellement à cœur.

— Je *ne me contrôlerai pas !* Ce n'est pas ce que nous avions convenu !

J'arrachai les fils, enlevai les pastilles – *ouch !* – collées avec du ruban adhésif sur mes bras poilus. Snow se précipita vers sa machine pour valider les mouvements d'aiguille que ma réponse avait provoqués.

— Je n'ai pas tué cette bonne sœur de mère supérieure ! hurlai-je une fois pour toutes. Vous n'avez pas le droit de me poser des questions sur d'autres sujets.

— Qui avez-vous tué ? me demanda Snow, le graphe à la main.

— Allez vous faire pendre !

— Que faisait cette femme dans votre lit ?

— Comment savoir ? Elle voulait peut-être mourir en paix. Y avez-vous pensé ? Loin des autres religieuses. Si vous êtes tellement habile à bricoler des machines, pourquoi n'électrifiez-vous pas son cadavre ? Ressuscitez-la d'entre les morts, Isaïe, je suis certain que vous en êtes capable ! Demandez-lui si elle s'est suicidée ! Si votre machine est si brillante, elle devrait pouvoir obtenir une réponse !

— Vous ne vous aidez pas, monsieur Laîné, monsieur.

— Et si j'avais été à l'armée, au Viêt-nam, lui dis-je pour le coincer. Je n'y ai pas été, mais si ? Comment faites-vous la différence entre tuer et commettre un meurtre ? Hmm ? Vous auriez dû y penser avant de me poser cette question piège.

— Vous n'avez pas été au Viêt-nam. Vous venez de le dire. Nous posons la question pour vérifier votre réaction à l'idée de meurtre. La vôtre était plutôt du genre énervé.

La porte, qui s'ouvrit à toute volée dans mon dos, me donna une grande claque sur les fesses. Mon avocat arrivait, inutile et en retard. L'humeur orageuse de son client était évidente.

— Nous avions convenu de ne pas commencer sans moi, dit-il, mécontent, à Snow.

— Monsieur Laîné ne m'a pas indiqué qu'il préférait attendre.

Vas-y, attribue-moi toute la responsabilité de ce fiasco !

— Ils m'ont posé des questions pièges, dis-je à mon défenseur. Comme me demander mon nom et s'il m'était déjà arrivé de tuer quelqu'un. Répondez par oui ou non qu'ils disaient. Mais ce n'est pas aussi simple, F.D.R. Ils ne voulaient pas me laisser m'expliquer.

— Je présume que l'entrevue ne s'est pas bien passée, déduisit mon avocat-conseil.

— *Entrevue !* Dans quel camp êtes-vous donc ? Le terme *In-terrogatoire* serait plus juste. Quelques minutes de plus et ils me susurraient leurs questions à l'oreille, avec des fils électriques à haute tension branchés sur mes parties génitales. Je pensais que nous étions au Vermont, pas en Amérique du Sud.

— Votre client a délibérément perturbé la séance, dit Isaïe avec une mauvaise foi éhontée.

— C'est sa prérogative. Il n'y a pas de sanction officielle, répondit Franklin D., dérouté.

— Comment osez-vous dire cela, Isaïe ? intervins-je. Nous sommes tombés d'accord sur la couleur de mes cheveux. Nous ne sommes pas entrés dans les détails, comme les mesures que je compte prendre pour retarder la calvitie, mais quand même. Maintenant, si vous voulez bien m'excuser...

Je passai comme une flèche devant Ryder et Snow, sortis précipitamment du poste de police et fonçai à la maison, dans l'attente d'une arrestation imminente sous quelque fallacieux prétexte.

Comportement catastrophique. Snow avait non seulement provoqué mes mécanismes de défense naturels, mais ses câbles et ses questions avaient stimulé des souvenirs longtemps refoulés.

M'était-il arrivé de tuer quelqu'un dans ma vie ?

Que répondre à cette question ?

M'man ? Cindy ? Pas d'idées ?

4

QUAND LES VENTS DE L'Arctique maraudaient dans le sud, l'hiver était rigoureux à Parc Extension. Pendant un bout de temps, j'eus une tournée de livraison de journaux. Je me souviens d'un lundi où je me gelai les joues, le mardi les extrémités de mes doigts se tachetèrent de tavelures blanches, l'après-midi du lendemain mes orteils devinrent gourds. Sans le redoux relatif du jeudi on m'aurait porté disparu. À l'époque, on n'enlevait pas la neige des rues ; on la poussait sur le bord des trottoirs. D'énormes bancs de neige grossissaient à mesure que l'hiver avançait. Un enfant perdu, tombé dans un trou où elle était plus molle, avait des chances de réapparaître au printemps, en compagnie d'un clochard embusqué, entreposé depuis Noël.

Fragilisés par l'hiver, nous autres, enfants, étouffions dans la chaleur de l'été. Nous nous asseyions par terre dans l'ombre étroite des bâtiments, dégoulinants de sueur après nos jeux bruyants. Les étés, plus différenciés et plus déterminants, prédominent dans mon esprit, tandis que les hivers me semblent avoir été tous les mêmes. Nous endurions les hivers. L'été, avec sa chaleur suffocante, sa poussière pareille à la patine de l'histoire, ses brusques orages tonitruants, et leurs bombardements, leurs éclairs et les averses torrentielles, l'été était le temps de l'aventure.

Et, à Parc Extension, peu d'attractions estivales attiraient de plus nombreux publics qu'un incendie. Au début des années 1970, nous nous délectâmes d'une épidémie de sinistres qui plongea le quartier dans le délire. Le feu, élément primordial, chimérique, était le sujet de conversation favori. Le propriétaire de la station Esso, pendant qu'il pompait l'essence, se lamentait que la ville était une poudrière. « Tout sera rasé si nous n'avons pas de pluie. » Toujours crédule à seize ans, je me demandais quelles maisons avaient besoin de douches pour rester debout.

Les petits durs des ruelles, très portés sur les mauvais coups, contribuaient à l'énervement général en déclenchant les systèmes d'alarme pour réveiller le voisinage ou en téléphonant à la standardiste pour signaler un brasier hors contrôle. Le jeu consistait à hurler dans l'oreille de la pauvre femme, comme si les flammes vous consumaient le corps et à être assez convaincant pour qu'elle téléphone aux pompiers. D'imbéciles camions rouges fonçaient tous les jours à toute allure dans les rues congestionnées, pourchassés par des hordes d'enfants et d'adolescents, ameutés par les cloches et les sirènes.

Moi aussi, j'écoutais les hurlements des camions de pompiers et galopais à leur poursuite, moins intéressé par l'excitation des feux que poussé par l'éveil sexuel de l'adolescence. J'avais découvert un puissant mystère. Là où il y avait un incendie, il y avait à coup sûr Cindy Bottomley et ses yeux enfumés.

Avant longtemps j'appris que l'inverse était vrai aussi.

— Joli feu, hasardai-je, en m'approchant d'elle dans son dos, après avoir admiré l'allure désinvolte de son derrière.

Les mains dans ses poches revolvers, coudes et épaules rejetés en arrière, torse de guingois, l'air perfide et méfiant de Cindy m'intimidait un peu. Au fil des années, j'étais entré et sorti de ses bonnes grâces. Sa réaction à mon endroit, assujettie à un système compliqué de points de mérite et de démérite, dépendait de son humeur du moment. La température entrait aussi en ligne de compte, les vêtements que je portais, les vêtements qu'elle portait, et d'autres considérations liées aux caprices de la chance, du protocole, et des spectateurs présents.

— Le feu est déjà éteint, commenta Cindy.

De grosses volutes de fumée vert-de-gris avaient couvert le ciel de Parc Extension pendant quelques minutes, masquant un soleil torride, mais nous n'avions pas vu de flammes. Le duplex dégoulinait d'eau. Des kilomètres de lances d'incendie étaient répandus sur le sol comme de vieux spaghettis.

— Comment a-t-il commencé ? demandai-je, piètre tentative d'engager une conversation amicale.

— Le système de chauffage, répondit Cindy, experte. On peut le dire parce que la fumée sortait du centre de la maison. Pas de la cuisine en arrière, ce n'était donc pas la cuisinière, et pas non plus une cigarette dans une des pièces d'en avant.

— C'est l'été, fis-je remarquer. Qui allumerait son chauffage ?

Cindy fit la moue, comme si elle me prenait pour un crétin. « Regarde-la », dit-elle avec un geste du menton vers sa pièce à conviction numéro un, la locataire dont la maison venait de passer au feu. « Des bigoudis dans les cheveux. Je suis prête à te parier n'importe quoi qu'elle voulait se sécher les cheveux plus vite. L'appareil de chauffage a explosé. »

— Elle aurait pu se sécher les cheveux au soleil, dis-je, persistant dans mon contre-interrogatoire, trop têtu pour être diplomate.

La créature de mes rêves, complètement ulcérée par ma stupidité, roula les yeux.

— Quelle femme a envie de sortir de chez elle en bigoudis? Juste les mégères. Tu ne comprends pas vite, Laîné.

(J'aurais pu contester cet argument. Avant l'avènement du séchoir à cheveux portable, des femmes de tout acabit apparaissaient en public le crâne bardé de rondelles de fer comme des guerrières).

Un capitaine de pompiers aidait la malheureuse locataire à gravir l'escalier extérieur pour inspecter les dégâts. L'eau giclait de ses chaussons de peluche à chaque pas. Les pompiers avaient détrempé tout ce qui ne bougeait pas. Juste avant d'atteindre la dernière marche, elle émit un cri long et déchirant, manifestation d'une indicible terreur. Les deux grimpeurs virevoltèrent et redescendirent dare-dare l'escalier, poursuivis par les énormes langues de flamme orange qui jaillissaient par les portes et les fenêtres. Les pompiers avaient roulé trop tôt leurs boyaux. La foule, de nouveau agglutinée, poussa en chœur des oooh et des aaah.

— Je t'avais dit que c'était le gaz, déclara Cindy, souriant de plaisir devant la performance des flammes.

Vingt minutes plus tard le feu était maîtrisé pour de bon et j'invitai Cindy à venir à la maison.

— Quoi faire? me défia-t-elle.

— Voir mes oiseaux, si tu veux.

— Ta mère ne sera pas là?

— Non. Elle est sortie. Elle travaille de jour maintenant.

— Et ce serpent répugnant?

— Je l'enfermerai. Viens. Qu'en dis-tu? On boira quelque chose de froid.

À cette perspective, Cindy acquiesça.

— Beurk, yeurk, dégueu! se lamenta-t-elle, à peine entrée.

Clyde était le problème. Il se prélassait de toute sa longueur sur le comptoir de la cuisine pour une sieste alanguie au soleil. Quand il bougea la tête, Cindy fit un bond de plus d'un mètre, sauta sur mon dos, comme à cheval, et s'agrippa désespérément à mon cou.

— Merrrr-de ! s'exclama-t-elle. Sors-le d'ici, Kyle !

— Ne lâche pas ! dis-je en galopant jusqu'à la porte de la cave où elle descendit de sa monture. Suis-moi, lui ordonnai-je.

Nous nous aventurâmes dans la caverne poussiéreuse. Cindy, quand elle remarqua les cages, demanda d'une voix chevrotante : « Encore des serpents ? »

Je mis un gantelet et choisis un gros rat bien juteux.

— De la nourriture, l'éclairai-je, pour Clyde.

— N'approche pas ça de moi ! m'avertit-elle, au bord de l'hystérie.

Avec mon avantage qui se tortillait au bout de mes doigts, je pourchassai Cindy dans la cave et lui bloquai rapidement le chemin. Elle poussait des cris suraigus assez semblables à ceux de nos rats condamnés.

— Ky-yle !

— J'arrête si tu m'embrasses.

— Arrête tout de suite !

— Embrasse-moi d'abord.

— Jamais !

Coincée dans un coin, elle hurla, puis capitula quand j'agitai le rat par la queue près de son visage.

— D'accord d'accord !

— Embrasse-moi.

— Débarrasse-toi d'abord de cette merde poisseuse ! Puis lave-toi les mains *pendant cinq minutes !* Tu es un rat toi-même, le sais-tu, Kyle Laîné ? Un rat et un serpent.

Arrivés au rez-de-chaussée, je l'avertis sans ambages : « Ne perds pas les pédales, O.K. ? Je veux dire, ne détale pas dans la rue en hurlant comme un guerrier zoulou. »

— J'étais petite en ce temps-là, protesta-t-elle, insultée.

Malgré tout, quand je donnai le rat à Clyde et qu'il ouvrit grand ses mâchoires pour l'avaler d'un coup, et que la forme du corps du rat apparut derrière les yeux du boa, Cindy faillit s'évanouir.

— Dégueu, dégueu, *dégueu*, déclara-t-elle en se cachant le visage dans les mains.

— C'est la vie – ma déclaration machiste de la journée –, les gros mangent les petits. Le soleil se lève à l'aube. Les oiseaux chantent, dis-je en sifflant l'air par lequel la sturnelle des prés célèbre le lever du jour. Avant d'ajouter : Et les garçons embrassent les jolies filles.

Cindy se dégagea malgré le double nelson par lequel je tentai de l'immobiliser et me remit subtilement à ma place.

— Enfonce-toi bien ça dans le crâne, Kyle. Je ne t'embrasserai pas.

— La prochaine fois, c'est *toi* que je donne à manger à Clyde, lui promis-je d'une voix solennelle.

— Hé, Kyle, où sont tes oiseaux ?

Après une méticuleuse inspection de la maison, il s'avéra qu'il n'y avait que deux perruches ondulées et le jeune mainate, Bish. Notre cinquième Bish. Sur la porte du frigo, une note expliquait les disparitions. « Suis partie au *Shriners' Hospital* avec les oiseaux – Emm. » Emma adorait se produire en solo, particulièrement devant un public d'enfants.

— Les perruches ondulées ne parlent pas beaucoup, dis-je à Cindy. Navré que les autres soient partis.

— C'est correct. Ce sont mes favorites de toute façon. Elles sont si belles.

— Comme toi. Tu veux un coke ?

— Y a pas de bière ?

— Certain.

Je décapsulai deux bières, nerveux parce que je n'étais pas autorisé à boire d'alcool. Cindy avait d'un pas nonchalant gagné le salon et s'était vautrée de manière très sexy dans un gros fauteuil confortable, avec une jambe pendue au-dessus d'un des bras.

— Embrasse-moi d'abord, la taquinai-je en lui retirant sa bière avant qu'elle n'ait le temps de la prendre.

— Kyle, tu es le garçon le plus affreux que je connaisse et tu es pauvre en plus. Pourquoi aurais-je envie de t'embrasser ? demanda-t-elle, l'air grave et le front plissé.

— Par charité ? hasardai-je, en lui rendant sa bouteille après m'être assis en face d'elle. Penses-y. C'est bon pour le caractère d'être gentil. Des millions de garçons te désirent. Aucune fille sensée ne voudrait faire une séance de pelotage avec moi. Nous sommes donc parfaitement assortis. La belle et la bête. J'obtiens ce que je n'obtiendrais pas ailleurs et tu te forges le caractère.

Cela me semblait parfaitement raisonnable.

— Pas question. Je me suis déjà forgé le caractère, dit-elle en buvant une lampée.

— Est-ce que Jimmy Durante est affreux ? la harcelai-je.

— Comme un péché mortel.

— Tu l'embrasserais ?

— Pourquoi pas ? S'il est toujours vivant ? Il vit encore ? Il est atrocement joli.

— Moi aussi, je suis atrocement joli. Écoute, si tu tombais dans la rue sur quelqu'un qui ressemble à Durante et qu'il n'était

233

pas riche, qu'il n'était pas à Hollywood, l'embrasserais-tu, s'il te le demandait ?

Cindy, étanchant sa soif extrême après l'incendie, but à grands traits sa bière et réfléchit à la question.

— Il faudrait qu'il me donne beaucoup d'argent, concéda-t-elle.

— Exactement. La seule raison pour laquelle tu embrasserais Jimmy Durante en personne, c'est qu'il...

— Il est dans le showbiz.

— C'est juste, dis-je en levant mon verre. *Moi aussi*, je suis dans le showbiz.

— Explique-moi ça. Jouer de l'ukulélé et siffler comme un merle, ce n'est pas du showbiz.

— Ah ouais ? Ma tante et moi, on a un numéro. On nous a presque invités au *Ed Sullivan Show,* sauf que Sullivan a pris sa retraite juste avant. Et c'est un tympanon, pas un ukulélé.

— Raconte-moi en une autre bonne, dit Cindy qui contractait ses orteils sans y penser et agitait son soulier comme une matraque.

— Je suis sérieux. Pour ta gouverne, nous donnons un spectacle vendredi soir.

— Où ? Dans la cuisine ?

— En ville. Dans un club privé.

— Je peux venir ?

Je faillis avaler ma gorgée de bière de travers. J'aurais dû savoir que Cindy serait prompte à me mettre au défi de prouver la moindre de mes vantardises et je savais, par expérience, qu'il valait mieux ne pas l'en dissuader.

— Si tu es capable de digérer l'endroit, je t'y introduis discrètement. Mais c'est un endroit un peu spécial.

— Spécial en quel sens ?

Cindy, enthousiaste, se redressa, enleva ses chaussures d'un coup de pied et replia ses jambes sous son corps.

— C'est un club privé pour femmes.

Elle se pencha et se contenta de me fixer ; puis se redressa. Elle eut un léger haussement de paupières qui lui donna un petit air de conspiratrice.

— J'ai entendu ces rumeurs. J'ai entendu ma mère le dire au téléphone.

— Dire quoi ?

— Est-ce que c'est vrai ? Tu sais ! Est-ce que ta mère est une gouine ?

Je ne répondis pas. Je ne défendis pas ma mère et ne l'attaquai pas non plus. Je restai muet. Quelque chose traînait sur la table, des magazines ou un journal, que je poussai plus loin avec mes orteils. Je sifflai ma bière, sans savoir quoi répondre.

— Que font-elles ensemble ? Tu ne les a jamais épiées, Ky-Ky ? demanda-t-elle en éclatant d'un rire sec et méchant. Comment savent-elles qui est qui ? Tu sais ce que je veux dire. Est-ce qu'elles tirent à pile ou face ?

— Les nerfs, Cindy !

— Je pense que ce serait formidable d'aller à ce club. J'aimerais assister à ton numéro. Jeter un coup d'œil à ces femmes bizarres.

— Elles vont t'écorcher vive.

— Ouais. Et toi, elles ne te toucheront pas, je parie, dit Cindy qui s'était levée et s'approchait de moi, pieds nus. Fais-moi entrer, Kyle. Je t'embrasse si tu le fais.

— Je ne suis pas si stupide, Cin. Tu penses que je te crois sur parole ?

— Je t'embrasse tout de suite alors.

— Des promesses des promesses.

235

Cindy cambra ses bras au-dessus de sa tête et déplia son corps en un délicat mouvement de ballet. Elle leva un pied et le posa sous mon menton. Ses orteils me repoussèrent dans mon fauteuil et tracèrent une ligne qui partait de mon front, descendait le long de mon nez, de ma pomme d'Adam et ma poitrine, pour aller me brigander le ventre. Elle s'arrêta à la boucle de ma ceinture, déception de courte durée, car elle promena ensuite ses lèvres légères et palpitantes sur ma peau depuis mon lobe d'oreille jusqu'à mon front, juste sous la ligne des cheveux. Elle me posa un baiser bruyant sur le bout du nez. Un autre gros baiser sonore entre les yeux. Souffla sur ma paupière gauche pour que je la ferme pendant que mon œil droit louchait pour l'observer.

— Tu m'amèneras, Kyle ?

Question stupide.

— Je pense être capable d'arranger l'affaire.

Elle consentit alors à m'embrasser sur les lèvres, estocade rapide et vigoureuse.

— Tu es gentil, m'informa-t-elle, me restaurant d'un coup dans mon amour-propre. Tu es toujours correct avec moi. Tu ne me frappes pas. Tu ne te masturbes pas devant moi. Tu ne me tripotes pas les nichons. J'aime ça. On se voit ce soir, Ky-Ky, vers neuf heures ? On fera une promenade au clair de lune. Pour voir ce qui se brasse.

— Certain. Ouais. Certain.

— Magnifique. Passe me prendre *Chez Andy's,* O.K. ? Maman ne me laisserait pas traîner avec toi. Tu sais, à cause de la fois de ta mère et du serpent, quand je suis revenue à la maison complètement zinzin. Peut-être aussi parce que ta maman est une gouine. Mais faut pas que ça t'embête. Ne prends pas ça pour toi. Ma mère se méfie de tout le monde. Elle me donne juste la permission de parler aux membres de ma famille, la moitié du temps c'est comme ça que ça passe. Ce qu'elle ne sait pas, c'est que les trois quarts des membres de ma famille veulent de toute façon me sauter dessus dans le noir. Alors, c'est quoi la différence ? À bientôt, Laîné.

Ses propos me semblaient équivoques, comme si elle avait vraiment l'intention de devenir ma blonde. *Cindy B !*

Il était interdit de traîner *Chez Andy's*, la cantine-charcuterie au coin de Jarry et de Querbes. L'endroit n'était donc pas le lieu de rencontre des jeunes du quartier. Je ne tirerais aucun bénéfice de la foudroyante notoriété subséquente à un rendez-vous public avec Cindy. Elle me rencontrait en catimini, dans un endroit où nous passerions inaperçus, des conditions que j'étais obligé d'accepter.

Les grandes promesses de la beauté d'enfant de Cindy ne s'étaient jamais réalisées. Elle était petite, un mètre cinquante à peine, et avait des seins minuscules. Ses allusions aux garçons qui farfouillaient dans sa chemise relevaient plus du vœu pieux que de la réalité. J'apprendrais beaucoup plus tard qu'il lui arrivait de descendre au centre-ville, attifée de son attirail de Marilyn Monroe, avec des ampoules électriques dans le soutien-gorge, mais juste les samedis. En semaine, les garçons pouffaient à juste titre de rire et la traitaient de « planche ».

Elle était malgré tout extraordinairement jolie et avait une allure du tonnerre dans ses jeans. Son problème majeur, c'est que, gavée par les revues de cinéma de sa mère, elle s'était fabriquée une beauté style glamour hollywoodien. À une époque où les tee-shirts délavés et les jeans rapiécés faisaient fureur, Cindy rêvait d'étoles de vison et de rivières de diamants.

Quand j'arrivai, elle suçait un Seven-up avec une paille.

— Allô-allô ! dit-elle en agitant le bras.

— Allô, Cin.

— Prêt ? demanda-t-elle, un grand cartable rouge accroché à l'épaule.

— Mets-en ! m'exclamai-je, impatient de faire tout ce qu'elle déciderait.

Nous descendîmes en flânant la rue Durocher, l'une des plus vieilles de Parc Extension. Les bâtiments étaient collés les uns contre les autres. Beaucoup avaient trois ou quatre étages, avec des escaliers extérieurs en spirale qui menaient aux appartements. Rue Saint-Roch, elle se dirigea vers l'est dans les terrains vagues entre les rails du chemin de fer et les hangars délabrés qui flanquaient les interminables rangées de duplex et de blocs-appartements.

— Ici, c'est une bonne place, confirma-t-elle.

Je m'assis, le front moite, à côté d'elle. J'attribuai à sa pudeur que Cindy ne se soit pas immédiatement blottie contre moi et n'ait pas commencé tout de suite à me peloter. Ses yeux scannaient les balcons et les cours à l'arrière des maisons pour s'assurer que personne ne nous avait repérés. Ça y est, croyai-je, stupéfié par la splendeur du moment, cette fois nous allons aller jusqu'au bout.

Cindy sortit de son sac un journal plié, puis le fourra dans une fente du mur de bois d'un hangar. Intrigué, je la vis vaporiser le papier et le bois avec ce qui semblait un vaporisateur nasal. Je reniflai l'air frais du soir. De l'essence ? Cindy gratta une allumette et s'écarta rapidement.

— Quoi... ? Cindy ! Qu'est-ce que tu... ?

Je soufflai sur les flammes pour les éteindre, mais ma malheureuse initiative ne fit qu'attiser le feu, et Cindy m'éloigna.

Les flammes, frénétiques et résolues, léchaient l'essence sur les madriers pourris et grimpaient sur les planches, avides d'autre délicieux carburant, puis elles diminuèrent. Un petit feu rouge remplaça l'orange éclatant et le bleu des premières flammes. Le bois crépitait. Claquait. À ce stade, le feu, patient, méthodique, chauffait le bois du bûcher. Cindy me serrait contre sa hanche et j'étais déchiré entre le vif désir d'éteindre le début d'incendie et celui de rester dans la magnificence de sa chaude étreinte. Son regard était mystique et lumineux.

Quand elle constata que le hangar était bien allumé, Cindy détala, avec moi collé à ses talons.

—Tu es folle ! la harcelai-je. Tu es complètement pétée ! Pourquoi tu as fait ça ?

— Parce que j'en avais envie.

Le leitmotiv d'une génération. Rue Saint-Roch, elle déclencha l'avertisseur d'incendie et j'en fus soulagé. Le verre brisé tinta sur le trottoir. Puis nous déguerpîmes et nous nous blottîmes dans une ruelle.

Nous entendîmes sonner les cloches, refrain familier, et les sinistres lamentations des sirènes dans le crépuscule. Tout sourire, Cindy exprima son trop-plein d'excitation par une arabesque comique de tout le corps, comme si elle était elle-même une flamme vacillante, une allumette.

Les gens émergeaient sur leurs balcons, ameutés par le bruit. Gyrophares et cris d'enfants. Cindy se retint jusqu'à ce que le vacarme des camions nous dépasse, avec les jeunes du quartier dans leur sillage. Nous nous mêlâmes à la foule. Pendant un moment, les pompiers faillirent s'en aller, supposant qu'il s'agissait d'une autre impudente fausse alerte qui les avait dérangés dans leurs parties de poker de la soirée, mais rue Durocher une voix hurla. Mots fatidiques, terreur depuis les temps immémoriaux, hommage au dieu souverain. « Au feu ! Au feu ! »

Les pompiers galopèrent jusqu'en haut des escaliers et découvrirent que le brasier avait pris naissance à l'arrière. Cindy et moi suivîmes le mouvement des badauds qui, par centaines, faisaient le tour du bloc pour assister au spectacle.

Je la regardais observer, extasiée, l'enfer miniature. Les pompiers d'aujourd'hui qui surveillent la foule avec des caméras vidéo cherchent exactement les spectateurs qui ont l'expression qu'elle avait.

Les courageux sapeurs progressèrent sur les toits et tirèrent leurs lances d'incendie à travers les appartements pour atteindre la source du feu. Malgré les niagaras d'eau qu'ils déversèrent et l'inondation de nombreux foyers, ils ne réussirent pas à sauver le hangar, mais empêchèrent les flammes de se propager.

Le feu couvait encore dans les poutres brûlées quand j'éloignai Cindy, la protégeant par mon silence et ma complicité de la vindicte des familles. C'était elle la pyromane de notre amical quartier, et je portais le fardeau de cette révélation comme une responsabilité très particulière. Cindy m'avait admis dans son intimité.

Nous descendîmes la voie ferrée. Plus Cindy s'éloignait du lieu de l'incendie, plus elle redevenait elle-même. En sécurité et suffisamment loin, elle devint triste. J'ignore si elle regrettait d'avoir mis le feu au hangar ou était déçue de ne pas avoir incendié les maisons voisines. Je n'osai pas le lui demander.

— Viens, suis-moi, dit-elle en m'indiquant un sentier qui descendait du talus.

Nous rampâmes de nouveau sous la clôture et arrivâmes dans les vignes odoriférantes et lourdes de grappes d'un jardin isolé.

Elle m'y fit l'amour avec une seule main et je haletai dans ce verger parfumé, démuni sous ses doigts, foudroyé par cet impitoyable mélange d'extase et de douleur. L'expérience était étrange. C'était la première fois qu'une femme me caressait et je bouillonnais, bien sûr, de désir, mais je m'inquiétais que le prix à payer pour baiser Cindy, la redevance obligatoire, soit l'incendie de villages, qu'il me faille raser des villes pour mériter de la toucher, que tout ce qui était un peu excitant et cochon doive s'acheter en livrant le monde aux flammes.

Cindy me laissa l'embrasser et je la raccompagnai chez elle.

Mon premier vrai rendez-vous d'amour.

— KYLE, VEUX-TU REMUER ton gros cul de fainéant et nourrir Clyde!

Persuadé que ma mère était moins intéressée au bien-être de notre boa constrictor qu'à m'évincer de la pièce, je ne me pressais pas d'obéir.

— Je suis occupé, m'man.

— Il ondule partout comme s'il avait faim. Cherche-lui une souris, je ne veux pas qu'il démolisse les meubles.

Je jetai un coup d'œil. Clyde avait effectivement des mouvements de chasseur. Il progressait sur le tapis et glissait doucement vers l'avant, avec de profonds déplis de tout le corps et d'inhabituelles et longues ondulations. Il faisait rarement tant d'exercice.

— Une *petite* souris, s'il te plaît, ajouta ma mère. Je ne veux pas qu'il soit bosselé.

— Plus tard, dis-je pour faire traîner les choses. Quand j'aurai terminé.

Installé à côté de ma mère et de tante Em, j'appliquais mon maquillage. Cindy, stupéfaite, attendait avec le menton dans les mains, les coudes appuyés sur la coiffeuse où je peinais. J'étalais le mascara à grands coups pour rehausser mon visage blême et soulignais soigneusement les courbes de mes cils pour les épaissir et les allonger. Même si j'avais l'air ridicule, les préparatifs théâtraux excitaient ma blonde.

La nourriture rendait Clyde tranquille et passif, et donc plus facile à manipuler sur scène, mais dans l'émoi du moment, j'oubliai de lui chercher sa souris. J'oubliai. J'oubliai complètement. Nous commettons tous des erreurs.

J'aidai plutôt tante Em à transporter les cages à l'avant de la maison. M'man émergea et, après avoir plié Clyde en longueurs d'un mètre et s'être débattue avec sa tête et sa queue, entassa le boa dans sa boîte de voyage.

— Sois sage, Bish, susurrai-je d'une voix furieuse pour calmer le mainate.

L'oiseau, dernier représentant d'une longue lignée de radoteurs, souffrait souvent de dépression nerveuse et massacrait alors sans réfléchir tout son vocabulaire. Il était le mainate le plus doué et le moins discipliné que nous ayons jamais eu et quand nous le mettions en cage, il se déchaînait.

— Petit papa Noël ! chanta Bish.

— Ta gueule ! criai-je.

— Pas la peine de t'en prendre à Bish ! m'avertit Emma.

— Quoi ? C'est l'oiseau qui perd la boule et c'est moi que tu engueules.

— Quand tu descendras du ciel...

— Tu sais ce que je veux dire.

— N'oublie pas mes petits souliers.

— Je sais quoi ?

Je détestais la posture d'Emma quand elle croisait les bras sur sa poitrine.

— Mon beau sapin, roi des navets.

— Des forêts, criâmes-nous tous les deux en chœur, Em et moi, pour corriger l'oiseau.

— Elle risque de se soûler ce soir, Kyle, avertit Emma.

— Bish ? Je ne pense pas.

Emma avait l'air grotesque sous son épais maquillage. Ses joues étaient luisantes et cramoisies et ses lèvres brillaient comme des néons. Dans l'éclairage de la maison, ses yeux peinturlurés lui donnaient l'air d'un vrai vampire.

— Ne fais pas le malin. Je suis sérieuse, dit-elle. Ta mère va s'enivrer.

— M'man est juste hyper.

— Pourquoi discutes-tu toujours tout ce que je dis, ces jours-ci ? C'est l'effet que ça te fait d'avoir une petite amie ?

— J'ai faim ! J'ai faim ! Sainte Bénite ! Sainte Bénite ! Mange la merle ! Mange la merle ! vociféra Bish.

— Ne mêle pas Cindy à tout cela.

— J'aimerais. Mais toi, pourquoi l'as-tu mêlée à nos affaires ? Kyle ! Écoute-moi ! dit-elle en m'attrapant quand j'essayai de l'écarter pour passer.

— Mon beau sapin, roi des navets !

— Des forêts ! criâmes-nous, tous les deux.

— Ma mère compte se beurrer. Parfait. Laisse-la faire. Elle le mérite. Je me beurrerai peut-être aussi. On devrait peut-être *tous* se soûler.

— Tu n'es pas autorisé à boire ! haleta Emm qui, dans sa rage, avec tout ce badigeonnage sur la figure, avait l'air d'une mégère hagarde.

— Écoute, tantine... Arrête de te tracasser. Veux-tu appeler un taxi, s'il te plaît ?

— N'oublie pas mes petits souliers.

— Bish, *ta gueule !*

— Maintenant tu l'as froissé, Kyle. J'espère que tu es satis-fait. Bish a juste le trac, exactement comme toi.

— Comme nous, précisai-je car je ne voulais pas qu'elle insi-nue que j'étais le seul à me sentir nerveux.

Tante Em regarda quelque chose dans mon dos et poussa un cri.

— Oh... mon... Dieu !

Je virevoltai et vis le sourire de Cindy sous un masque de prostituée. Des paupières ornées de paillettes d'or et des cils noir-cis, assez de rouge à lèvres pour que les voitures s'arrêtent, une poudre ambrée sur les joues comme de vieilles ecchymoses. M'man se tenait à côté de Cindy et lui serrait les épaules.

— Eh bien ? Eh bien ? Qu'en pensez-vous ? Cette petite est-elle assez sexy ? N'est-ce pas que c'est un beau petit renard ?

— Abominable, murmura Emma, trop bas pour que m'man l'entende.

— Vilain canard ! Vilain canard ! s'écria Bish, moins circons-pect.

Cindy me montra du doigt et éclata de rire.

— O.K. Quoi ? demandai-je, irrité.

— Tu as l'air de l'idiot du village ! me complimenta-t-elle, sans parvenir à s'arrêter de pouffer de rire.

Nous nous regardâmes comme il faut, tous les quatre, et fû-mes tous immédiatement pris d'un irrépressible et énorme fou rire. Nous nous serrâmes bien vite dans les bras les uns des autres, en prenant garde de ne pas nous barbouiller le visage et de nous tamponner les yeux pour ne pas gâter nos minutieux apprêts.

— C'est amusant, tout ça ! confia Cindy.

— Quand tu es là, oui, c'est amusant.

— Mon beau sapin, roi des forêts ! chantonna Bish, de nouveau de bonne humeur lui aussi.

Avec nos costumes et notre maquillage, notre boa constrictor et nos oiseaux qui lançaient des insanités, nous flanquâmes une véritable trouille à notre chauffeur de taxi. Le généreux pourboire d'Emma le revigora.

LE PROPRIÉTAIRE DU BAR de la rue Saint-Antoine, dont le premier étage était loué à la sororité de m'man pour une nuit, était un noir assez âgé, affectueusement connu sous le sobriquet de « Skinhead ». Au rez-de-chaussée, chez Skinhead, les buveurs sérieux dressaient l'inventaire de leurs malheurs, échangeaient des histoires et des blagues salaces et commandaient d'autres tournées.

L'étage était occupé d'habitude par une boîte de strip-tease, sauf qu'une fois l'an les strip-teaseuses restaient chez elles et cédaient la place à m'man et à ses amies. Les effeuilleuses pavanaient leurs atours et leurs paillettes et, dans leurs traditionnels numéros de zwingue la baquaise, faisaient tournoyer les chaînettes rutilantes attachées à leurs mamelons sur une rampe en forme de T, scène idéale pour toutes sortes de spectacles. Agrémentée d'un éclairage multicolore et remplie par un public déchaîné, cette salle était un des hauts lieux de nos audacieuses prestations.

Au cours de telles soirées, j'étais le seul mâle admis au premier étage.

Je m'aventurais, solitaire sur scène, sous les cris, les sifflements et les huées de plus d'une centaine d'invisibles voix. En habit à queue comme un clown, avec une cravate et pas de chemise, je m'avance d'un pas nonchalant vers le bord de la scène et regarde nerveusement dans la salle. Escalade d'obscénités. Je ressemble à un plongeur cinglé qui envisage de sauter dans cette mer de formes féminines, indistinctes et frémissantes. J'attends que les voix se taisent. Finalement, quand un silence suffisant est rétabli, je commence à chanter comme le bruant de Lincoln. D'abord la surprise, puis le ravissement balaie mon auditoire. La dérision se transforme en bravos. Avec un public du genre, tout homme est irrévocablement promis au mépris. Mais l'homme qui chante comme un oiseau est encouragé.

La foule écoute muette mon imitation de l'appel plaintif de l'engoulevent bois-pourri et applaudit la musique haute et douce du viréo à tête bleue. Je retourne ensuite sans me presser vers l'arrière de la scène. Inondé de lumière bleue, je tends le bras derrière le rideau et en ramène Bish sur ma manche. Je ferme rapidement, sur mon poignet, le bracelet auquel sa patte est attachée. Celles qui voient le numéro pour la première fois sont ravies. Elles applaudissent l'oiseau. Je m'assieds sur un banc public, ouvre un journal et commence à lire les annonces classées de la *Gazette* de Montréal, Charlie Chaplin chômeur avec un oiseau sur le bras.

Ma tante entre sur scène par la droite.

Jouant la femme fatale, elle marche en poussant son bassin vers l'avant et imprime à ses hanches un dandinement exagéré.

Bish rate le signal, malgré mes murmures et mes incitations, et je suis obligé d'imiter la rauque voix humaine de l'oiseau, dissimulant le mouvement de mes lèvres derrière le journal.

Je crie (avec la voix de Bish) : «Sex-y ! Sex-y !»

Tante Em, les mains sur ses larges hanches rembourrées, se retourne, offensée par la vulgarité de mon langage.

— Qu'avez-vous dit, jeune homme ?

Je gazouille comme un tangara vermillon qui vient de se poser dans un arbre fruitier.

Pic-i-toc-i-toc...

La foule pousse de grands cris.

— Ne siffle pas après moi, tarla ! riposte tante Em. Je t'avertis !

Elle s'éloigne d'un pas léger. Bish finit par comprendre l'affaire et accepte mon signal. « Beau pétard ! Beau pétard ! » Les femmes, qui ont remarqué la différence entre la voix du mainate et la mienne, deviennent hystériques.

— Redis-moi ça en face, crétin, ricane Emma en se retournant.

Je siffle le cri du goglu.

— Espèce d'insolent petit minet !

Ma tante se renfrogne et, furieuse, rejette ses cheveux en arrière, se tourne et s'éloigne. Bish saute sur l'occasion : « Do'-moi un bec ! Do'-moi un bec ! »

Tante Em continue ses virevoltes. Elle revient sur ses pas et me donne un gros baiser sur le visage. Malheureusement, en coulisse, les effet sonores préenregistrés sont légèrement désynchronisés et l'écho de son baiser se répercute longtemps après qu'elle me l'ait donné. Je réagis par le cri agressif du tyran à longue queue. Quand Em s'éloigne et nous tourne le dos, Bish récite : « Joli cul ! Joli cul ! »

Emma virevolte de nouveau, puis charge. Bish s'égosille. Je m'égosille. Je cours et Bish bat des ailes comme un fou pendant que tante Em nous pourchasse autour de la scène. L'épisode burlesque fait rire le public à gorge déployée. Bish improvise intelligemment, « Mange la merle ! Mange la merle ! » et nous repartons pour un autre tour de piste.

Le doigt sur ma tempe pour indiquer que j'ai une idée, je me décharge de mon fardeau et de ma Némésis, et attache Bish au banc avant de fuir dans les coulisses. Em, claquée, épuisée, s'assied, puis se couche sur le banc. L'éclairage diminue. Les femmes se font de plus en plus silencieuses. Derrière le rideau, je donne son signal à Bish qui finit par cracher : « Sex-y ! Sex-y ! »

Les yeux de tante Emma s'ouvrent brusquement, sa tête se relève d'un coup et les dames, au premier étage du *Skinhead's Bar*, sont en délire.

LE SECOND NUMÉRO était une valse érotique. Un bref interlude. L'idée était que ma tante et ma mère reviennent souvent sur scène tout au long de la soirée, chaque fois de moins en moins habillées. J'avais déjà vu leur numéro et traînais toujours dans les coulisses pour le final, quand la frontière entre la baise et la danse, entre le simulé et le réel, devenait imperceptible.

Ensuite, il y avait la danse du serpent de m'man. Tante Em et moi préparions notre deuxième sketch, une sorte d'opéra-ballet au pays des oiseaux. Nous devions déambuler devant le public en exhibant nos beaux oiseaux tropicaux et chanter des sérénades et des arias d'oiseau, tout en trimballant nous-mêmes des ailes de soie multicolores dans le dos. Très kitsch. On m'a déjà dit que le spectacle était beau, captivant même, et notre public nous accueillait d'habitude avec la plus extrême attention.

Cindy se pointa, gigantesque sourire accroché aux lèvres. Elle se répandit en compliments sur les talents de comédienne d'Em, mais n'eut pour moi qu'une remarque bourrue. « Comment peux-tu te laisser traiter de la sorte ? »

— Traiter comment ?

J'étais blessé. Cindy, à travers les rideaux, épiait m'man qui, à demi nue, était obligée d'improviser sa danse parce que Clyde, plus exubérant que d'habitude, ne se montrait pas très coopératif. Plutôt que de danser avec un boa passif, pauvre m'man devait pratiquement se coltiner avec lui. Je me rappelai soudain que j'avais oublié de le nourrir.

Ma mère portait d'habitude des costumes provocateurs et, cette fois-là, le tissu trop léger s'était déchiré, et le maillot de corps avait glissé, mettant à nu un sein protubérant. Sous l'éclairage lavande des projecteurs, les complexes secousses du mamelon absorbaient tout mon intérêt. M'man se tordait sur le plancher et avait la plus extrême difficulté à soulever Clyde et à s'en dégager. Autant dire un viol. Les femmes, dans la foule, étaient tordues de rire et adoraient le numéro.

M'man, en authentique artiste, cachait l'ampleur de ses problèmes. Je savais qu'elle survivrait à l'épreuve. Cindy, debout à côté de moi, regardait moins m'man que la bacchanale de spectatrices ivres qui applaudissaient. Elle leva les yeux vers moi d'un air lugubre.

— Désolé, Kyle. Mais ta mère ne sera pas capable de terminer son numéro ce soir.

— Ne te fais pas de bile pour m'man. Elle sait comment s'y prendre avec Clyde.

— Ce n'est pas ça, le problème, dit-elle avec un sourire particulièrement malicieux. J'ai mis le feu au vestiaire.

Je me précipitai dans trois directions différentes et revint me camper droit devant elle.

— Quoi ? Cindy ! Quoi !

— Il faudra un peu de temps avant que le feu ne prenne pour de vrai.

— Cindy ! Seigneur ! Tu dois cesser ! la réprimandai-je.

— Relaxe. On a tout le temps de sortir les oiseaux.

Malgré les protestations frénétiques d'Emma, je remis les oiseaux dans leurs cages, puis me précipitai sur scène, avec mes ailes de soie qui me battaient le dos, pour secourir Clyde de la fureur de ma mère. « Imbécile de serpent ! » marmonnait-elle. Et elle continua pendant qu'elle saluait d'égrener tout bas, sous les vivats de ses admiratrices, un royal chapelet de jurons. M'man tira le maximum de son sein nu en glissant une de ses mains dessous et en lui donnant un joyeux et lubrique petit coup vers le haut. La salle éclata de rires et d'applaudissements. « Maudit tabarnaque de serpent », siffla m'man, pas du tout mécontente que je sois venu à sa rescousse. Elle m'aida à ranger Clyde dans sa boîte pendant que le rideau se fermait devant nous. Nous regagnâmes les coulisses.

— Pas de rappels ce soir, m'man. On a un problème.

— Quoi ?

— Ne panique pas. Fais ce que je te dis. Le bâtiment est en feu, lui murmurai-je à l'oreille. Si nous ne sortons pas les premiers, nous devrons laisser Clyde et les oiseaux.

Ma mère, inquiète, regarda autour d'elle, mais souleva rapidement son côté de la caisse du boa. Emma et Cindy s'occupèrent des oiseaux, sauf de Bish, perché sur la boîte du serpent entre m'man et moi. Nous nous arrêtâmes en haut des escaliers où je sonnai l'alerte générale.

— Au feu ! criai-je dans le bar plongé dans le noir. Au feu !

Quelques secondes plus tard, de la fumée s'échappa de la porte du vestiaire

— Au feu ! criai-je d'une voix plus pressante.

— Au feu ! répéta le mainate en écho. Au feu !

Le cri ricocha rapidement dans toute la boîte de nuit, à l'étage et au rez-de-chaussée. Notre petite bande réussit à fuir parmi les premiers.

J'en avais ras le bol de Cindy et lui interdis, en guise de punition, de traîner et de regarder l'endroit brûler. Les femmes fuyaient dans le noir, descendaient le treillis des escaliers de secours et se déversaient par les portes. Certaines se réfugiaient dans les bras les unes des autres. Elles se serraient pour se consoler mutuellement alors que les sirènes des camions de pompiers convergeaient vers le club. Nous hêlâmes le premier taxi. Même si le chauffeur avait plus envie de regarder l'incendie que de nous ramener, je pris la situation en mains à force de cajoleries et câlineries, et la fureur absolue de ma voix nous propulsa à la maison.

Arrivé devant notre porte, je perdis tout contrôle. Emma essaya d'arbitrer notre dispute, d'en découvrir la cause, mais je n'étais pas un mouchard. J'étais littéralement, totalement enragé contre Cindy. Tout aussi indignée, Cindy décréta qu'elle n'entrerait pas.

— Parfait ! proclamai-je. Bon débarras !

M'man insista qu'il fallait que quelqu'un escorte Cindy jusque chez elle et se désigna pour la tâche. Cindy donna son accord, sans doute parce qu'elle remarqua ma consternation et celle d'Emma. Ma petite amie me gratifia de son sourire le plus cruel, prit le bras de m'man, se serra tout contre elle et, toutes les deux, toujours maquillées comme des vampires, disparurent dans la nuit.

Tante Emma se mit à picoler. Un double scotch disparut, chassé par un triple.

— Les garces ! hurla-t-elle à plein poumons au monde entier. Les garces !

Après avoir entendu un bruit sourd et coléreux dans la boîte de Clyde, j'ouvris et laissai le boa se tortiller librement.

— Es-tu naïf à ce point ? demanda tante Em.

— À quel point ?

— Crois-tu honnêtement, poursuivit-elle, que c'est le bien de cette enfant qui préoccupe si profondément ta petite *mère* chérie ? Le crois-tu ?

— Calme-toi, protestai-je.

— Que fait-elle en ce moment même avec Cindy, Kyle ? En cette seconde. Hmm ? Dis-moi. Sais-tu ce que nous sommes, ta *mè-re* et moi, Kyle ? Ou bien penses-tu toujours que nous sommes une section de la *Young Women's Christian Association* ?

— Je ne l'ai jamais cru, lui dis-je. J'ai juste fait semblant de le croire.

C'était un sujet que nous n'abordions jamais.

— Oh. Le fin-finaud. Il sait. Il a toujours su. Un homme d'expérience. Il sait. 'Coute donc, génie, comment se fait-il que tu ne te rendes pas compte que ta *mè-re* (elle prononça de nouveau le mot avec la même inflexion sarcastique) tapote les fesses de cette douce petite fille ? ...

— Toi, ta gueule ! l'avertis-je.

— ... qu'en cet instant même ta *mère* essaie de glisser sa main dans la chemise de cette enfant, peut-être même de faufiler un doigt dans ses petites culottes ?

— Arrête, tantine. Je suis sérieux. Tu dépasses les bornes.

— C'est censé être ton travail, fin-finaud. À cette heure de la nuit, c'est toi qui es censé t'affairer auprès des filles. Ta *mère* doit-elle *tout* faire à ta place ?

— Arrête ! hurlai-je, perdant mon sang-froid. Ferme ta maudite trappe ! Pas un mot de plus sur m'man ! Tu râles toujours contre elle quand elle n'est pas là, jamais en face d'elle. Tu es une maudite lâche !

— Crois-tu qu'elle a déjà dégrafé le soutien-gorge de Cindy ? Ou le sien ?

— Ta gueule ! Cindy, vois-tu, est capable de se débrouiller toute seule. Mieux que tu ne penses. À part ça, qui diable es-tu pour parler ? N'oublie pas. Tu n'es même pas ma vraie tante. Sais-tu ce que tu es, hein, Emma ? Hein ?

— Je meurs d'envie de le savoir. Tu es tellement intelligent !

— Tu es la putain attitrée de ma mère. Ouais. On ne devrait même pas être autorisés à vivre ensemble dans la même maison. Tu es une corruptrice. Une maudite corruptrice.

Je n'avais jamais blessé si brutalement tante Em et aujourd'hui, après tant d'années, j'essaie toujours de trouver une justification à ma crise de colère. Personne, aucun homme, aucune femme, aucun oiseau, n'était plus proche de moi que tante Emma. Mais ses sarcasmes avaient touché un nerf sensible. Je détestais penser de ma mère qu'elle était lesbienne. L'ère de libéralisation des mœurs venait à peine de commencer et je connaissais le mépris de la société pour ses penchants sexuels. J'étais secrètement en colère contre elle d'être différente. Je voulais qu'elle cède, se conforme, se marie. Qu'elle rende sa liberté à Emma. La situation était injuste.

Je considérais qu'Emma était innocente, contrainte à obéir par amour, sans jamais parvenir à accepter qu'elle était tout aussi responsable, qu'elle vivait avec ma mère parce que c'était précisément ce qu'elle désirait. Je me voyais plutôt comme le champ de bataille entre l'oppresseur et la victime, le trophée à remporter ou à casser en mille morceaux.

Emma réagit à mon agression sans me rendre les coups. Elle dit mon nom d'une voix fragile et sur un ton suppliant. Tentative de réconciliation.

— Mon Kyle chéri.

— Je ne suis le Kyle de personne, persiflai-je.

Je ne me croyais pas indépendant, mais refusais de lui prêter allégeance. À ce moment précis, m'man, comme une armée décidée à surexterminer l'ennemi, s'engouffra dans la maison par la cuisine. Son style habituel. Des portes claquèrent et le raffut fit pousser des cris stridents à nos oiseaux.

— Kyle! hurla m'man dont l'appel culmina en un rugissement de fureur. Kyle! Où es-tu, espèce d'enfant de chienne de petit morveux?

Quelle affection!

Momentanément abasourdis, Emma et moi restâmes cois sans signaler où nous étions. J'eus envie de rentrer sous terre quand ma mère franchit d'un bond la porte du salon. J'étais plus désespéré encore par l'attitude hostile d'Emma. Les deux femmes n'avaient pas seulement hâte de se crêper le chignon, mais s'étaient, toutes les deux, préparées à la bagarre. Em choisit de donner tout de suite ses coups de langue.

— Qu'as-tu fait à cette petite ? attaqua-t-elle.

La rancœur d'Emma et, surtout, son envie de provoquer ma mère me révoltèrent.

—Ah, j'abuse des enfants maintenant, c'est ça ? Écoute, garce, n'insinue pas la moindre maudite saloperie. Je ne l'ai pas touchée. Kyle ! cria m'man en pointant son index entre mes deux yeux.

— Oui, mère ? demandai-je en espérant l'apaiser.

— Je ne veux plus jamais revoir cette fille chez nous.

—Ah ah ! tempêta Emma d'une voix triomphale. Elle t'a carrément repoussée !

— Toi, la garce, Emma, dit ma mère, après un demi-tour méthodique, cruel. Toi... Si tu avais des yeux, tu aurais vu que cette fille est une dévergondée.

—Elle t'a giflée, Rose? C'est ça? Je pense voir les marques rouges.

Emma se pompait pour la bagarre. Le courage du fond de la bouteille.

Ma mère, sagace, changea de tactique. Si elles en venaient aux coups, ma tante risquait de gagner. M'man préféra s'asseoir à côté de moi et se cuirasser le visage de son masque le plus tendre. Elle passa un bras complice autour de mes suspicieuses épaules et m'attira contre elle.

— Pourquoi tantine chérie est si fâchée, mon petit Ky-Ky ? demanda-t-elle en langage de bébé. Elle a pris trop de petits whiskys guidi guidi ?

Clyde se glissa hors de la pièce. Il en avait assez. Son long corps ondula sur la pointe de mes souliers, comme s'il opérait une retraite stratégique après une opération terre brûlée. J'admirais sa liberté. J'aurais dû le suivre et m'en aller.

— Tu ne mérites pas d'avoir un fils, espèce de grosse pelote stupide, hurla Emma, alors enlève tes sales pattes de son corps et enlève-les tout de suite, maudit !

— Mais tantine chérie, je n'ai nulle intention de lâcher mon fils. Une mère a le droit de serrer son garçon contre elle, rétorqua m'man pour se moquer d'elle.

J'essayais de me tortiller pour me libérer. M'man ne voulait pas me lâcher. Elle me revendiquait et me posait un étau de fer autour des épaules. Elle m'attira contre elle et me donna un gros baiser mouillé dans une oreille. Bruyant et comique. Je me courbai à toute vitesse. Le verre d'Emma, lancé comme un ballon de football, une spirale parfaite, se fracassa contre le mur derrière nous. Avant même que j'aie le temps de me remettre du bombardement inopiné, ma mère me mordit le lobe d'oreille à belles dents.

C'ÉTAIT PRATIQUE COURANTE que ma tante se glisse à côté de moi dans le lit après une des crises de m'man. Emma sentait l'alcool, comme si les pores de sa peau sécrétaient du scotch. Complètement éveillé, je me poussai à contrecœur pour lui faire un peu de place et tournai le dos à son haleine fétide. Sa bouche planait au-dessus de mon oreille. Haleine chaude et postillons.

— Rose n'est pas ta vraie mère, miaula-t-elle.

— Tu es soûle, tantine. Essaie de te reposer un peu. Et pour l'amour de Dieu, cesse de me respirer dans le nez ! Tu pues, pire qu'une distillerie !

— Rose n'est pas ta vraie mère, Kyle, dit-elle, laissant sa phrase en suspens, comme accrochée à un des perchoirs au-dessus de nous.

— Que veux-tu dire ?

Je m'adressais au plafond. Ma question monta dans l'air avec mon souffle et redescendit sur nous. Poussière qui retombe.

— C'est moi ta mère.

Je n'étais pas particulièrement ému. Dans son hébétude, elle s'obstinait à faire valoir ses revendications sur mon existence, une vague forme d'agression dirigée contre ma mère.

— Tantine...

— *C'est moi* ! C'est moi ta vraie mère, cria Emma qui bondit sur ses genoux, rejeta les draps, se cogna la tête contre la tapisserie au-dessus du lit, avant de crier de nouveau : C'est moi ! C'est moi ! Maudit ! C'est moi !

Accablé, je levai désespérément les yeux vers cette femme en sous-vêtements devenue folle. Les oiseaux bougeaient nerveusement, poussaient des piaillements nocturnes, gloussaient d'anxiété. Les lampadaires de la rue jetaient une lumière absurde sur les rideaux de ma fenêtre.

— Tu es ivre, lui reprochai-je, en tentant de maintenir un certain sens des convenances, de restaurer un certain équilibre.

Emma, inexplicablement, me toucha la joue. Doucement, tendrement. « Mon pauvre petit », dit-elle avec hésitation, incapable dans son ivresse de détacher les trois mots. J'essayai de m'asseoir et de m'écarter d'elle. Je me sentais devenir claustrophobe et j'étouffais, mais elle immobilisait maintenant de tout son poids un de mes genoux et j'étais incapable de bouger.

— Ton père... commença tante Em, ce qui était un truc pour me donner envie d'écouter. Ton père était marié à Rose, c'est vrai. Il voulait un enfant. C'était le genre d'homme à vouloir un enfant. Mais Rose ne tombait pas enceinte. Que ce soit par machination ou parce que la nature ne lui permettait pas d'avoir de bébé, Kyle, je ne sais pas.

« Nous étions forains à l'époque. Ta maman était la femme-serpent. Moi, j'étais la femme-oiseau. Après être tombé de la corde raide, ton père est devenu clown. Je serai honnête avec toi, Kyle. (Emma semblait plus sobre que jamais, solennelle et authentiquement contrite, pas du tout cinglée.) Je désirais ton père. Il n'était pas beau mais il avait quelque chose. J'étais une jeune femme solitaire, j'avais des sentiments, je voulais coucher avec lui et une nuit où j'étais bourrée, je le lui ai dit. Il s'est rendu disponible. Ton père était un homme simple, heureux, Kyle. Les aventures ne l'intéressaient pas. Son mariage avec Rose était, au mieux, orageux. Il est, à ce jour, la seule personne qui lui ait jamais tenu tête, mais il n'était pas du genre à chercher des consolations ailleurs. Du moins, pas avec moi. Ton père était un homme fort, Kyle, un homme fidèle. Tu devrais t'efforcer de prendre exemple sur lui. C'est le sang qui coule dans tes veines. Ta mère – Rose – et moi, nous l'avons corrompu. »

Certaine d'avoir toute mon attention maintenant, Emma libéra mon genou qu'elle avait épinglé. J'étais assis le dos contre le mur, captivé par le premier récit que j'entendais de ma création, par cette révélation longtemps attendue d'un lien quelconque avec un père.

— Rose lisait dans mon cœur. C'est elle qui a manigancé ta naissance. En ce sens-là, elle est ta mère. Elle nous a poussés, ton père et moi à le faire. Elle a planifié que nous fassions l'amour, lui et moi. Rose devait assister aux ébats, comme elle disait. Parce qu'elle voulait, disait-elle, s'assurer que toute l'affaire reste kosher.

« L'arrangement était le suivant. Si je tombais enceinte, je serais la mère-porteuse. Ensuite, Rose et ton père élèveraient le bébé. Chacun avait sa part de travail. Nous écrivîmes les détails sur un papier. Ton père insista que le bébé, si c'était un garçon, porte le même nom que lui. Je présume qu'il doutait que son mariage avec Rose dure toujours. Il voulait s'assurer d'avoir des droits sur toi. Je fus d'accord d'écrire que je porterais un enfant conçu avec la semence de ton père. C'est exactement ainsi que nous l'avons formulé. Je l'aimais et n'avais pas l'intention de refuser la chance de lui faire l'amour. Porter son enfant était une prime supplémentaire.

« Rose, elle, donnait un bébé à son mari. Elle comblait son principal désir, et le comblait sans avoir à subir la douleur de l'accouchement. Mais elle avait autre chose en tête aussi et était résolue à obtenir ce qu'elle voulait. »

Emma se tut un moment et passa en revue les images qui lui restaient de cette période. J'en étais déjà arrivé à mes propres conclusions. Je poussai un profond soupir et dis : « Toi. »

— Moi, confirma Emma. Elle me voulait. C'était le plan secret caché sous sa combine. Nous allâmes tous les trois au lit ensemble, Kyle. Je sais que ça a l'air ignoble. Ce ne l'était pas vraiment... Je ne pense pas. Ton père est arrivé pour le grand événement grimé en clown, avec de formidables sourcils, un gros nez rouge et des larmes peintes qui lui coulaient sur une joue. Il portait son costume aussi, mais bien sûr il dut se déshabiller. Tous mes oiseaux étaient là et, à l'époque, j'en avais beaucoup plus, et les serpents de Rose. Son idée. En faisant de l'événement une production à grand déploiement, elle cachait ses véritables intentions.

« Je ne veux pas te mentir, Kyle. Nous étions tous les trois dans le lit et j'étais flattée, et stimulée aussi, par les attentions de ta mère. Elle disait que je devais être excitée pour faire correctement les choses et concevoir comme il faut, mais qu'elle serait jalouse si ton père prenait trop de plaisir avec moi. Alors, c'est *elle* qui a pris trop de plaisir avec moi. Elle m'a séduite, Kyle, mais était-ce à mon corps défendant ? Au contraire de ton amie Cindy, je n'ai pas eu l'intelligence de la rabrouer, je ne l'ai pas giflée. J'ai préféré y aller pour un tour de piste.

« J'aimais ça. C'était tellement irréel ! Les oiseaux jacassaient dans leur charabia. Les serpents glissaient sur les meubles et traversaient le lit. Ta mère avait un maquillage dément et me faisait des choses étranges. Et voilà qu'arrive un clown aux yeux tristes, bien décidé à fabriquer un bébé. Seigneur, que c'était excitant. »

Des vagues de dégoût déferlaient en moi. J'avais envie de vomir, comme si j'étais le responsable de leur comportement. En plus de leur connivence et de leur lubricité, je commençais à percevoir une autre décoiffante vérité. Je n'étais pas le fils de ma mère. J'étais le fils de tante Emma.

— Après ta naissance, Kyle, je suis restée. Ton père est parti, écarté parce que ta mère, je veux dire Rose, et moi étions tombées follement amoureuses l'une de l'autre. Et je suis restée parce que je t'aimais tellement. Tu étais mon bébé, mon précieux, la chair de ma chair, le sang de mon sang. Rester à titre de tante était une alternative que Rose permit. Tu étais sa possession. Rose me possédait parce qu'elle te possédait. Et aussi parce que je l'aimais.

Elle s'en tint à la lettre de notre accord écrit. Ce morceau de papier était son pouvoir, son autorité. Elle t'a donc appelé Kyle Troy. Elle a gardé le nom de Laîné. Mais c'est le passé. J'ai attendu que tu grandisses. Pendant des années j'ai attendu. Maintenant tu connais la vérité : je suis ta mère. Navrée de te l'annoncer si brutalement après tout ce temps. Je ne suis plus capable de supporter cette femme, Kyle. Nous... ensemble... tous les deux... nous devons lui dire de s'en aller. Fous-la dehors comme elle a flanqué ton père à la porte. Dis-lui de foutre le camp. Ouste. Sors de cette maison. Je suis ta mère, Kyle.

La léthargie avait planté son drapeau sur mon front. Les minutes, hébétées, immobiles, restaient en suspens. Puis l'adrénaline et du venin frais affluèrent dans mon sang. Je pivotai hors du lit et luttai pour enfiler mes jeans. Mes mains tremblaient au point que j'eus du mal à fermer ma ceinture.

— Tu es folle à lier ! m'exclamai-je pour tenter de la réfuter. Tu mens ! Pourquoi mens-tu ? Tu n'es pas ma mère, espèce de malade, tu n'es même pas ma tante. Tu es juste une, juste une, une maudite *lesbienne,* dis-je, crachant le mot comme s'il était une insulte suffisante.

— Je suis une lesbienne, c'est exact, déclara Emma d'une voix convaincue qui ne lui était pas habituelle. Et alors ? Je suis ce que je suis. Mais tu aurais déjà dû savoir que j'aurais quitté Rose des centaines de fois si tu n'avais pas été là. Je ne t'abandonnerai jamais.

— Oh certain. Mets tout sur mon dos. C'est moi qui t'ai dit de baiser tout un troupeau ? Te fallait-il coucher avec pratiquement tout le bon dieu de cirque ? Et avec qui sait combien d'oiseaux et d'animaux en plus ? Maintenant je sais pourquoi tu as la nostalgie de ce temps-là.

— Kyle ! Bonté divine, Kyle ! Je ne te reproche rien. Je savais que je devais te le dire un jour. Je savais que ce ne serait pas facile. Je t'en prie, accepte au moins que je sois ta vraie mère. On partira de là.

— Ma mère de *merde* !

J'enfilai une chemise. Je voulais courir jusqu'à l'épuisement total, me précipiter pour toujours dans un autre monde. Aucune parole ne m'empêcherait de fuir. Le seul son de sa voix me donnerait le signal de l'envol, avec mon visage blafard comme un hurlement visible dans le noir.

Sauf qu'Emma était avisée.

Elle ne parla pas.

Elle me chanta quelque chose.

Pas une berceuse. Elle gazouilla l'action de grâce du merle-bleu de l'est quand il chante l'après-midi, et la combina avec la prière du soir de la grive des bois. Mes dénégations alors s'évanouirent. Je la crus pour de bon. Emma était ma mère.

Nous nous regardâmes longuement, elle et moi.

Obsédant examen.

Morne impasse, comme regarder dans un miroir et y voir sa propre vie piégée dans une peau étrangère et d'autres os.

C'est alors qu'intervint un décret du ciel. Un arrêté divin. Nous entendîmes un cri de surprise et un bruit sourd.

Puis d'autres cris rapides, affolés. Des glapissements de peur.

Lents à réagir au début, nous sortîmes à toute vitesse du salon et nous dirigeâmes vers la chambre de m'man. Verrouillée. Incapable d'émerger de l'horreur de son cauchemar, elle poussait à présent des cris de terreur qui donnaient le frisson.

— M'man, réveille-toi ! hurlai-je. Réveille-toi !

Nos poids conjugués ne parvinrent pas à débloquer le verrou. Nous cognâmes encore et encore nos épaules de toutes nos forces contre la porte jusqu'à ce que le bois craque et que nous la défonçâmes. Mère – elle serait toujours ma mère pour moi – était étendue à terre, bâillonnée.

Clyde, son boa, enroulé autour d'elle, la serrait fort.

Impossible de l'en détacher.

Ses poumons mourants émettaient de flasques bruits. Ses yeux roulèrent vers l'arrière.

Je me précipitai à la cuisine et revins avec un couteau. Les supplications désespérées d'Emma sont les seuls sons dont je me souvienne aujourd'hui. Je glissai sur une carpette et fis un vol plané. Me fis très mal à un œil. Pas même sûr d'être conscient, j'hésitai à peine, tombai sur m'man et tailladai Clyde à coups de couteau de boucher.

Je coupai, poignardai, enfonçai plus profond la lame. La bête ne voulait toujours pas lâcher prise. M'man était muette. Molle. Ses yeux regardaient à présent ce monde sans ciller. Je plongeai le couteau dans le serpent, descendis dans le cuir raide et dur, dans les tissus et le vivant, plongeai de nouveau dans les fluides, la bile, le sang, les membranes et le désespoir. Le couteau glissait toujours plus profondément, jusque dans le corps même de la femme que j'appelais « MÈ-RE ! ».

Je découpai les yeux assassins du serpent. La bête expira et je continuai de l'assaillir, coupant des lambeaux de chair morte dans d'autres lambeaux de chair, scalpant la peau du reptile collée, dans cette étreinte d'éternelle damnation, à la peau de ma mère.

Emma essaya de m'écarter. La moitié de mes coups déviaient maintenant du boa et se gravaient dans le corps de ma mère. Mais je ne voulais pas arrêter avant que la créature ne soit détachée d'elle, libérant son cadavre de l'indignité et son âme de cette sphère candide et démoniaque.

Expiation. Je libérais ma mère.

Emma et moi, nous nous soutenions l'un l'autre. Elle poussait des gémissements et de pathétiques lamentations, se détachait de moi pour essayer de ressusciter ma mère par ses baisers, ses larmes et la douleur de son chagrin.

Un temps considérable s'écoula, je pense, avant que nous ne retrouvions nos esprits. Nous passâmes, tous les deux, à travers un voile de folie derrière lequel nous aurions pu succomber. Nous tînmes bon jusqu'au refuge de notre traumatisme et de notre tristesse. Emma composa le numéro et je parlai aux policiers. Nous convînmes d'attendre leur arrivée.

J'avais besoin d'air frais, d'une petite lueur de vie peut-être, et sortis sur la galerie à l'arrière de la maison. J'entendis soudain un battement d'ailes, comme un sauve-qui-peut d'anges. Je n'avais aucune raison de craindre ce que le coroner finirait par conclure. Que Rose était morte par strangulation abdominale administrée par son animal domestique, un boa constrictor. Que son fils avait essayé de la sauver. Que les seize coups de couteau sur son corps n'étaient pas la cause déterminante de sa mort. J'avais essayé de la sauver et pourtant, dans l'éclairage blafard de la cour arrière, je voyais son sang sur mes mains et me demandais d'où m'était venue l'impulsion de chacun de mes coups. J'avais la sensation que ma vie était ignoble et sans valeur, condamnée.

Emma me rejoignit sur la galerie. Elle essaya de me toucher. J'eus un mouvement de recul. Recul devant notre complicité. Je la méprisais à ce moment-là. De m'avoir mis au monde. De ne pas m'en laisser sortir. Pour annoncer mon désespoir et insulter l'humanité entière je lui révélai, dans le péril du moment, que « Bish s'était évadé. »

— Quoi ? demanda ma tante qui avait du mal à comprendre.

— Bish. Il s'est évadé. D'autres également.

Et depuis les profondeurs de sa prostration, de son affolement, elle réfléchit à mon choix de mots. Ses lèvres bougèrent à peine.

— Évadé ? murmura-t-elle.

— Sainte Bénite. Sainte Bénite, dis-je en respirant l'air froid de la nuit.

5

BON ! CERTAINS CYNIQUES PRÉTENDRONT sans doute que choisir d'être conduit à l'enquête préliminaire à bord de la Fleetwood d'Hazel Tramp est une manifestation clinique d'un désir de mort. En réalité, je cherchais un stimulant matinal. Certains choisissent la caféine. Je préfère dévaler les montagnes dans une voiture qui donne de la bande. M'étant rendu compte qu'il valait mieux, dans mon propre intérêt, assister aux audiences complètement réveillé, je voulais que mon organisme pompe de l'adrénaline.

Hazel conduit sa voiture comme un cow-boy chevauche un étalon sauvage. Elle ouvre la barrière du corral et s'accroche. À part son évidente incapacité à contrôler sa vitesse – Hazel est portée à enfoncer au plancher soit la pédale du frein, soit celle de l'accélérateur –, la plus atroce de ses habitudes m'a secoué au point de me réveiller complètement, et même, j'en ai peur, de m'enlever à jamais tout sommeil réparateur.

La technique d'Hazel pour négocier les virages consiste à s'y engager dans la mauvaise voie. Au sommet des pentes sans visibilité, elle se sent obligée de rouler en plein milieu de la double ligne continue comme si la voiture était sur des rails. Elle laisse les autres donner des coups de volant et se ranger pour échapper au péril. Elle fonce à toute vitesse dans les lignes droites et évite le trafic qui vient en sens inverse en engageant la moitié de la voiture sur l'accotement du côté droit, même quand il n'y a pas d'accotement. Je crus entendre des sirènes anti-aériennes sonner l'alarme dans le village de Stowe avant l'arrivée imminente d'Hazel.

Elle freina.

Je faillis me cogner la tête dans le pare-brise.

Puis refis surface.

Nous étions arrivés vivants.

— Ah, Hazel...

— Je vous en prie, monsieur Kyle. Pas besoin de me remercier.

— O.K., dis-je. Je ne vous remercie pas.

Chantelle m'attendait dans le terrain de stationnement de l'hôtel de ville. Je refermai la portière d'un coup sec, entendis une autre portière s'ouvrir tout près de moi, me retournai, et elle était là, ma Chantelle chérie, assise seule sur le siège arrière d'une Honda Accord.

Je tirai de la voir un vertueux plaisir, comme j'en aurais tiré d'identifier un spécimen d'une espèce rare d'oiseau ou un individu égaré loin de son aire géographique habituelle. Je m'approchai avec circonspection, pleinement conscient que toute réconciliation requerrait des aveux renouvelés et le rachat de mes péchés. Hazel continua sans nous.

— Allô, Kyle. Comment allez-vous ?

— Bien, merci. Et vous ?

— Je vais bien.

— Bon ! C'est bon. Nous allons bien tous les deux.

— Formidable !

Je feignais la confiance, mais de petites secousses m'agitaient le menton et je cherchais un moyen de dépasser nos civilités et notre embarras mutuel.

— Je devine que vous assistez à l'enquête, dit-elle.

— Je pense en être le témoin vedette. Vous n'êtes pas seule ?

— Plusieurs d'entre nous sont déjà à l'intérieur. Je...

— Combien ? Exactement ?

Désarçonnée par ma question, elle me regarda avec prudence et intérêt. Difficile d'imaginer des larmes rouges coagulées sur cette douce (et dans le vent matinal, rose) peau.

— Je ne suis pas certaine. Pourquoi ? Quelle différence ?

— Il faut toujours compter. C'est vous qui me l'avez appris.

Les pelles du vent ramassèrent et jetèrent au loin, hors de vue, hors d'esprit, mes tentatives d'humour et mon souhait que renaisse la camaraderie de nos premiers moments.

— Navré, dis-je pour me rétracter.

— Je suis restée parce que je voulais vous parler.

— Pas pour que je falsifie mon témoignage, dis-je à la blague, sottement, avec toujours cet esprit de crétin et mon goût prononcé de tout prendre à la légère.

— C'est précisément ce que j'avais en tête, répondit Chantelle avec sérieux.

Et pour la première fois, ce matin, elle m'honora de ce regard pénétrant qui lui était familier. Attentif et perspicace, un regard sans timidité, comme si elle m'examinait à la loupe.

— O.K., concédai-je. Ce qui donne ?

À mesure qu'elle parlait, mes espoirs s'effondraient comme un baromètre avant une tempête tropicale. Le cœur de ma mie n'avait pas changé. Notre cafouillante relation ne préoccupait pas Chantelle. Elle se souciait seulement de la prospérité de sa secte et de la sauvegarde de sa réputation. Elle souhaitait que nous fassions la paix essentiellement pour s'assurer que mon témoignage ne lui soit pas préjudiciable et ne fasse pas de vagues.

— Je ne veux pas vivre le reste de ma vie avec l'étiquette d'illuminée, Kyle. De toute façon, ce que je fais, ou ce que nous faisons toutes, est une affaire privée.

— Je n'en ai jusqu'ici soufflé mot, Chantelle. Si quelqu'un me pose la question, votre bande et vous étiez aussi silencieuses que des souris d'église.

— Merci, Kyle.

Même son sourire me dérangea. Était-il calculé pour me lier à mon serment ? Chantelle et moi n'étions plus sur la même longueur d'onde. Je ne lui faisais plus confiance.

— Vous n'avez pas à vous tracasser, répétai-je. Si quelqu'un est dans l'eau chaude aujourd'hui, c'est bien moi.

— Vous ! Pourquoi ? demanda-t-elle, alors que nous nous dirigions lentement vers le bâtiment de l'hôtel de ville.

— Préjugés raciaux. Je suis l'étranger, le petit nouveau dans le quartier, l'enfant prodigue qui n'est pas revenu à la maison à temps pour les funérailles de son père, mais à temps pour récolter les bénédictions de son testament. Conclusion, je dois être coupable de quelque chose, et certains sont déterminés à découvrir de quoi.

Chantelle sourit, parfaitement naturelle cette fois, indice qu'elle appréciait peut-être ma compagnie.

— Êtes-vous toujours aussi paranoïaque ? Ou juste en certaines occasions ?

— Toujours. Je suis jusqu'au fond du cœur un garçon des grandes villes. Je ne comprends rien aux intrigues de village. L'inspecteur de police est furieux contre moi. J'imagine que l'adjoint du procureur de district adjoint voit rouge, et mon propre avocat est complètement dans les patates. Tout cela parce que Gaby a choisi de s'allonger dans mon lit, dis-je en lui ouvrant la porte et en la laissant passer sous mon bras tendu.

— Dites la vérité, me conseilla Chantelle au moment où nous gravissions l'escalier qui menait à l'étage.

— Quelle vérité ?

Était-elle au courant de la visite licencieuse de Gabriella dans ma chambre ?

— J'ai réfléchi à toute l'affaire, dit-elle. Je me suis dit que Gaby n'était pas morte dans *votre* lit, Kyle. Dites-leur ça.

Chantelle s'attendait-elle à ce que je mente ? Ou disposait-elle d'informations confidentielles ? Gaby était-elle morte ailleurs et l'avait-on plantée dans mon lit avec le bouquet de fleurs qu'elle serrait entre ses mains ? Nous nous arrêtâmes dans le corridor.

— Elle n'est pas morte dans mon lit ?

— Gaby est morte dans le lit de votre *père*. Que ce lit ait été le vôtre pour une nuit n'a pas d'importance. Il était de notoriété publique que votre père et Gaby étaient très proches. Des rumeurs circulaient d'une liaison romantique entre eux. Elle a été son infirmière pendant sa maladie et, bon ! Gaby ne s'est jamais entièrement remise de sa mort. Elle a apporté le poison à l'auberge parce qu'elle avait l'intention de mourir, à un moment bien précis, d'une façon particulière, dans un endroit spécial. En choisissant le suicide, je pense qu'elle cherchait à être de nouveau près de lui. Mourir dans sa chambre était probablement symbolique pour elle, dit Chantelle en me serrant le coude pour attirer mon attention quand nous franchîmes la porte ouverte. Il n'y a pas à se tracasser, Kyle, m'encouragea-t-elle en me tapotant la main. Tout ira bien.

J'éprouvai alors l'étrange sensation qu'elle venait de me souffler mon rôle, de me donner mon texte. Elle m'avait soigneusement répété mes répliques. Assis à côté de Chantelle, je me sentais effectivement en sécurité comme si elle avait tissé sa magie autour de moi pour me protéger de toute diffamation. Les sœurs n'éprouvaient aucune animosité à mon endroit. Tout le monde pouvait à l'évidence le constater. Elles ne considéraient pas que j'étais responsable de la mort de leur guide. Laissons la cour prendre acte. Armé d'au moins une réponse, j'attendis avec impatience mon tour de témoigner. J'ai du talent pour me produire en public.

— Debout ! cria l'huissier avec une voix de cor d'harmonie.

— Assis assis assis assis assis, le contredit le juge Dwayne Pearson, quand il s'engouffra dans la salle, avec sa toge qui voltigeait comme une paire d'ailes, portrait craché de la paruline obscure se régalant de son lunch d'après-midi.

Beaucoup plus jeune que je ne l'aurais pensé, il était âgé d'une cinquantaine d'années à peine et, contrairement à ce que j'avais craint, la méfiance ne lui avait pas encore buriné de sillons dans le front. Ce magistrat dormait ses nuits. Les fantômes des condamnés ne descendaient pas le hanter. Ceux qu'il avait envoyés en prison ne lui en tenaient pas rigueur.

L'enquête ne se tenait pas dans une salle de tribunal. Nous étions rassemblés autour d'une table ovale et massive qui avait besoin de vernis. Dans les quatre coins de la pièce blanche, rectangulaire et spacieuse, des sièges étaient installés pour recevoir le surcroît de témoins. C'est là que nous étions assis, Chantelle et moi. Hazel, que l'étiquette de la cour n'intimidait pas, avait choisi de s'asseoir à la table avec les personnages importants, dans le but avoué de se défendre contre tous ceux qui prétendraient que son thé était trop fort ou qu'il avait un goût douteux.

Mon crétin d'avocat était assis en face de moi, mal à l'aise au milieu des regards insistants des sœurs. Les femmes trouvaient Franklin D. Ryder séduisant. Il n'avait aucun rôle à jouer dans ces audiences et était venu pour observer.

Le juge Pearson commença par une lecture officielle des obligations et des compétences de sa cour, et son ton changea radicalement après la lecture du texte réglementaire.

— Salut, Dave ! Comment se portent les enfants ?

— À merveille, Votre Honneur, répondit l'adjoint du procureur de district adjoint avec un large sourire attestant de leur connivence.

— Dave, si tu n'y vois pas d'objection, j'aimerais commencer par le témoignage du médecin légiste.

— Ça me va très bien, Votre Honneur.

Médecin, soigne-toi toi-même. Le docteur Lewis Tanner était un individu au visage blême et émacié qui, comme un écrivain, portait des pièces de cuir aux coudes de sa veste de tweed. L'éclat de sa calvitie naissante était remarquable. Il narra, assis sur sa chaise qui se trouvait juste à côté de celle d'Hazel, l'autopsie dans ses plus horribles détails sans en négliger aucun et émit ses conclusions d'une voix neutre. Des noms techniques pour tout. Traduits, ils signifiaient : Gabriella Deschenes est morte suite à un empoisonnement intentionnel. Poussé par l'adjoint du procureur de district adjoint, Tanner concéda que le poison avait été ingéré en buvant une tasse de thé.

— La défunte, Votre Honneur, était infirmière agréée, poursuivit Lewis Tanner. Elle était à l'emploi d'un hôpital de Manchester, Massachusetts. Je présume que, si elle s'est administrée elle-même le poison, elle se l'est procurée par des moyens prohibés.

— Merci, Lew, dit le juge Pearson. Et le golf ? As-tu perfectionné ton élan ?

— Je m'exerce dans mon jardin, Dwayne. Il devrait être au point cette année, se vanta Tanner.

— Votre Honneur, suggéra Dave Mathison, j'aimerais suivre le chemin parcouru par la tasse de thé dans l'*Auberge du péage*, depuis le moment où ce thé a été préparé jusqu'au moment où la victime l'a bu.

— Pourquoi ? Y en a-t-il qui s'est renversé ? demanda le juge Pearson.

Je me concentrai sur le juge, déconcerté, et un peu soulagé par ses facéties.

— Pas à ma connaissance, Votre Honneur. Ce qui a été ajouté à la tasse me préoccupe plus que ce qui pourrait en avoir été répandu.

— Cela me semble une tempête dans une tasse de thé.

Le travail de juge avait l'air amusant. Captiver son public était du gâteau. Tout le monde était trop respectueux et avait trop peur pour ne pas rire à ses plaisanteries. Il avait le pouvoir de condamner les perturbateurs à de lourdes peines, ce qui était commode, et le rideau ne tombait sur son numéro que quand il le décidait lui-même.

— Quelque chose du genre, concéda Mathison.

— Je vois. Bien, je préférerais entendre les proches de la défunte. Je veux connaître les amies de mademoiselle Deschenes... Ou bien se faisait-elle appeler madame ?

— Elle était divorcée, Votre Honneur. Elle se faisait appeler madame.

— J'aimerais connaître son état d'esprit juste avant sa mort.

Les sœurs furent toutes uniformément soporifiques. Chacune répéta que Gaby n'avait pas l'air déprimée et qu'elle avait toujours été extrêmement réservée, une personne difficile à saisir. Elles avaient l'air préparées. Comme si elles avaient appris leurs répliques. On demanda à sœur Celia de répondre tout de go à une difficile et inévitable question. Avec son chignon gris et sa placide sérénité, elle était une imitation parfaite de la religieuse traditionnelle, et j'eus la surprise d'apprendre qu'elle l'avait été pendant la plus grande partie de sa vie adulte, « jusqu'il y a six ans environ quand je suis passée à une congrégation moins orthodoxe ».

— Sœur Celia, quelque chose, depuis votre arrivée à l'auberge, aurait-elle pu pousser Gabriella Deschenes à s'enlever la vie ? Une dispute ou une discussion, par exemple, chercha à découvrir Mathison.

Concentré sur la réponse, je me penchai légèrement. Chantelle fit le contraire. Elle se toucha les lèvres avec un index, puis serra l'étroit accoudoir d'aluminium de sa chaise.

— Non, monsieur. Pas que je sache. Quand elle est morte, nous toutes, ses amies, nous nous sommes demandé si nous lui avions fait du mal. Mais je ne crois pas qu'aucune de nous soit directement impliquée. Gaby, Gabriella Deschenes, a délibérément apporté le poison à l'auberge... Je veux dire, ce n'est pas le genre de chose que l'on trimballe d'habitude dans son sac à main. Je pense donc qu'elle a planifié son suicide. Elle a choisi le lieu et l'heure, et il se trouve que nous étions toutes là.

— Selon vous, pourquoi a-t-elle choisi de mourir à l'*Auberge du péage*?

Sœur Celia secoua d'abord la tête pour indiquer qu'elle n'en avait aucune idée, mais essaya quand même de répondre.

— La seule chose qui me vienne à l'esprit, c'est qu'elle ne voulait pas mourir seule. Mais je suis incapable de deviner ce qu'elle avait en tête.

— Vous hasarderiez-vous à deviner pourquoi elle a choisi de mourir dans le lit de monsieur Kyle Troy Laîné junior ? demanda Mathison.

— Répondez si vous le voulez, intervint le juge Pearson, mais les hypothèses ne sont pas exactement le domaine que nous souhaitons investiguer.

— Je ne sais tout simplement pas, dit Celia en haussant les épaules et en regardant le juge avec la plus humble des expressions.

Quand Dave Mathison appela Chantelle Cromarty à témoigner, le juge, mécontent de la tournure de toute l'affaire, exprima son impatience.

— Dave, nous n'avons pas appris grand-chose de l'état émotionnel de la défunte, dit-il. À vrai dire, nous n'avons rien appris du tout.

— Mademoiselle Cromarty est une voisine de madame Deschenes, Votre Honneur. Elle nous éclairera peut-être un peu.

— Espérons-le.

Chantelle s'assit à la table ovale, plus directement en face de moi qu'en face du juge. Elle prêta serment. Interrogée sur l'état de son amie, Chantelle dit que Gaby avait semblé d'humeur égale. La salle poussa un soupir collectif. L'ennui régnait. Puis, dans un souffle, Chantelle ajouta : « Cependant... »

— Oui, mademoiselle Cromarty ?

— Il y a une chose.

— C'est-à-dire ?

— Il y a environ cinq mois, Kyle Laîné senior est décédé. Gabriella est restée à son chevet jusqu'à la fin. Ils étaient très proches. Je crois sincèrement que Gabriella n'a jamais réussi à surmonter sa douleur et ne s'est jamais vraiment remise de la perte de son ami.

Chantelle ne revint pas s'asseoir à côté de moi, mais choisit une place au milieu de ses compagnes. Mathison reprit son boniment.

— Votre Honneur, j'aimerais reconstituer le trajet de la tasse de thé...

— S'il le faut.

— J'appelle madame Hazel Stamp à la barre.

— Comment vas-tu, ma vieille, demanda le juge à ma gérante.

— Pas mal, le jeune. Et toi ?

— En pleine forme. Pétant de santé.

Le témoignage d'Hazel fut simple. Sœur Sophie avait demandé une autre tasse de thé.

— C'est ainsi qu'elles s'appellent les unes les autres, Dwayne : ma sœur. Tu sais comment sont les choses de nos jours.

— Effectivement. J'ai des filles, n'oublie pas.

— Comment vont-elles, soit dit en passant ?

— Je paie pour qu'elles aillent à l'école, Hazel. Mais je ne suis pas convaincu qu'elles s'y fassent instruire. Revenons-en au thé, même si je suis désolé d'avoir à y revenir.

Hazel avait préparé le thé. Elle l'avait passé à l'aide-cuisinière, Cassie Baxter, qui l'avait donné à sœur Sophie. Dave Mathison n'eut pas le cran de se résoudre à poser l'impérieuse, impertinente, question, aussi c'est le juge Pearson qui, hardiment, s'y hasarda.

— Tu n'expérimentais pas de décoctions bizarres, n'est-ce pas, ma vieille ?

— C'était du Darjeeling ! s'exclama Hazel, insultée, dont le poing s'abattit à toute volée sur la table avec l'à propos d'un marteau de magistrat.

— Merci, Hazel. Nous te sommes très reconnaissants d'être venue faire un tour.

275

— Votre Honneur, annonça Mathison, l'État appelle Cassie Baxter.

— Oh, pour l'amour du ciel, Dave ! objecta le juge.

— Bien, Dwayne, que veux-tu que je fasse ? plaida l'adjoint du procureur de district adjoint.

— Cassie ! mugit le juge Pearson.

— Oui, monsieur ? glapit la timide fille.

— As-tu parfumé le thé avec du poison ?

— Non, monsieur.

— Voilà ! triompha Pearson. C'est ça qui est ça. À qui le tour ?

— Sophie Buchwald.

— Allons-nous suivre cette tasse de thé jusqu'en haut des escaliers ?

— C'est ce que j'ai en tête.

— Pourquoi ?

— Pour prouver que d'autres, et pas seulement la défunte, ont eu l'occasion de...

— Écoutez, dit le juge Pearson qui se leva et s'adressa à la salle. Quelqu'un a-t-il mis du poison dans le thé Darjeeling, par ailleurs délicieux, de Gabriella Deschenes.

Personne n'avoua.

— Nous voilà renseignés, Dave, résuma Pearson. Que veux-tu savoir de plus ?

— Pourrais-je au moins m'entretenir avec Kyle Laîné ? demanda, mortifié, le jeune procureur d'une voix à peine audible.

— Il est mort, Dave. C'est une table ouija que tu veux ?

— Junior, je veux dire. Son fils. Kyle Laîné junior.

— Il est ici ? ... Certain. Le plus jeune Laîné... Ah ! C'est vous ! Hé ! Vous ressemblez à votre papa comme deux gouttes d'eau. On était de grands copains, lui et moi, Kyle. Il n'avait qu'un défaut. Sa main droite était un peu trop baladeuse sur les fesses de ma femme. En toute amitié, bien entendu. Je suis ravi de vous rencontrer, Kyle, et – je savais ce qu'il allait dire – bienvenue au Vermont.

— Merci.

— Asseyez-vous. N'importe où.

De ma place, à la table, je voyais clairement l'inspecteur Isaïe Snow, ce qui m'énervait un peu.

— Monsieur Laîné junior, commença Mathison, en fouillant dans ses papiers comme pour retrouver l'histoire de ma vie qu'il avait gribouillée quelque part. Avez-vous effectivement reçu la tasse de thé avant...

— Dave ! s'exclama, à ma grande satisfaction, le juge Pearson d'une voix authentiquement outrée. Je pensais que nous en avions fini avec cette maudite tasse de thé !

— Bien... je...

— Oublie la tasse de thé, Dave.

— Oui, Votre Honneur. Ah... monsieur Laîné junior, est-ce votre nom ?

Je regardai le juge. Qui me regarda. Nous haussâmes tous les deux les épaules. Mon regard croisa celui de Snow.

— Apparemment, dis-je.

— Oui. Bon. Veuillez expliquer à la cour comment il se fait que la défunte se soit retrouvée dans votre lit ?

— Je ne le sais vraiment pas, Dave, répondis-je, me délectant de ma familiarité. (Après tout, nous étions au Vermont.)

— Je vois.

— Je peux émettre des hypothèses, si vous voulez.

— Sentez-vous bien à l'aise, Kyle, m'invita le juge Pearson.

— Bien, tel que je vois les choses, Gabriella Deschenes et mon père étaient très liés. Certains témoins ont dit que la mort de mon père l'avait bouleversée. Nous disons de ce lit que c'est le mien. Et c'est le mien. Mais, au moment du décès, je n'y avais dormi qu'une seule nuit. Vous voyez ce que je veux dire, Dwayne ? Se pourrait-il qu'elle ait choisi de mourir, non pas dans *mon* lit, mais dans le lit de mon père ? Et, en réalité, c'est bien *son* lit. Je ne suis qu'un nouveau venu dans les parages.

— Qu'en dis-tu, Dave ? demanda Pearson. Le jeune Laîné est logique. Je suis disposé à clore cette affaire à moins que tu aies autre chose à ajouter. Je crois que la justice doit être expéditive, ajouta le juge en se tournant vers moi. Un jugement qui tarde est un jugement qui me prive d'une partie de golf. Jouez-vous ?

Je secouai la tête.

— Dommage. Très bien : le tribunal détermine que Gabriella Deschesnes s'est suicidée. Quelqu'un conteste-t-il le verdict ?

Le public dans la salle resta silencieux. Mathison et Snow échangèrent des regards et remuèrent les pieds. Il n'y eut pas d'autre dissension. F.D.R. me fit un clin d'œil, inutile, pensai-je.

— Tout est parfait. Je rédigerai mon jugement après le lunch. En attendant, mesdames, messieurs, la séance est ajournée.

J'AVAIS, DANS LE TUMULTE DE L'EXODE, une vive envie d'isoler Chantelle de ses collègues. Il apparut que son envie de m'éviter était au moins aussi vive. Les religieuses, profitant des privilèges de leur sexe, quittèrent la salle en débandade pendant que les hommes se séparaient comme les eaux de la mer Rouge pour laisser le passage aux femmes, avant de se refermer derrière elles comme si j'étais l'armée du pharaon.

Quelqu'un me tira le coude. Le docteur Tanner voulait me dire un mot. « Juste une seconde, je vous prie. » Je me faufilai de l'autre côté de la porte, mais Chantelle avait depuis longtemps disparu. Le docteur Tanner toussa dans sa manche et me tira de nouveau à l'écart.

— Un rhume infernal, dit-il. Je suis incapable de m'en débarrasser.

Son piteux état laissait planer des doutes sur l'efficacité de son art. C'était embarrassant.

— Que puis-je pour vous ? demandai-je.

— J'aimerais m'entretenir avec vous. Peut-être luncher ? Oui, lunchons ensemble. Je vous promets de ne pas éternuer trop fort.

— Je ne sais pas, hésitai-je en regardant ma montre.

— Il s'agit de votre père, dit Tanner d'une voix calme, ce qui fit pencher la balance, et j'adressai au bon docteur mon sourire le plus intrépide en affûtant mes mécanismes de défense contre ses microbes.

— D'accord pour le lunch, concédai-je.

Il y a de nombreux bons restaurants à Stowe (quiconque a l'intention de prendre un délicieux repas dans la région ne devrait pas oublier l'*Auberge du péage*), mais mon anémique médecin choisit une simple cantine où, malgré le café exceptionnel, les sandwiches, servis au comptoir, constituaient le « festin du jour ».

— Votre déposition m'a intéressé, commença le docteur Tanner. J'ai été particulièrement intrigué par le lien que vous avez établi entre cette pauvre défunte...

— Gabriella.

— Oui, oui, et votre père. Je pense que je devrais vous informer, Kyle... dit-il en s'interrompant pour prendre une gorgée de café, suivie de plusieurs profondes, vitales respirations et d'un gargouillis bruyant le long de la trachée. La mort de cette femme n'est pas la première mort mystérieuse qui survient à l'*Auberge du péage.*

Le docteur Tanner avait toute mon attention. L'instinct me disait qu'il parlait d'événements relativement récents. Je sentis le sang quitter mon visage.

— Qui d'autre ?

— Votre père, dit-il.

— Je ne comprends pas, répondis-je. Il est mort du cancer.

Tanner versa une sauce épaisse sur ses frites, glissa dans son col, comme un bavoir, la serviette de papier qu'il avait sur les genoux et commença à manger ses frites badigeonnées de sauce avec ses doigts.

— Je le traitais pour le cancer, c'est vrai. Il était en phase terminale, c'est également vrai. Votre père souffrait terriblement. Son déclin était rapide. Je lui ai rendu visite le matin avant sa mort. Il luttait avec courage, Kyle, son cœur était solide. Il avait l'air d'un cadavre, mais franchement, à part une attaque subite, je m'attendais à ce qu'il tienne le coup encore un mois ou deux. Il avait une forte volonté de se battre.

— Je vois.

Tanner prenait des frites pour rythmer ses paroles. Il ponctuait ses phrases en les enfournant, une à la fois, dans sa bouche et en les mastiquant bruyamment.

— Je n'étais pas trop surpris que l'on me rappelle le lendemain. Ces choses ne sont pas facilement prévisibles. En tout cas, pas par moi, Kyle. Je fus surpris de voir que votre père avait l'air en bonne santé. Ses joues étaient roses et brillantes pour la première fois depuis des mois. J'ai même failli lui dire bonjour.

— Failli ?

— Il était mort, Kyle. Il avait le teint rose dans la mort, alors que je ne lui ai connu qu'un teint blafard quand il était vivant.

— Qu'est-ce que cela veut dire ? demandai-je.

— Ce teint rose...

— Oui ?

— Je suis un professionnel expérimenté, Kyle. J'ai identifié sa condition sur-le-champ.

— Sa condition ? Il était mort !

— Je l'ai examiné, Kyle.

— Et ? le pressai-je.

— Intoxication mortelle au monoxyde de carbone.

Je dévisageai le docteur Tanner sans dire un mot.

— La plupart de ces soi-disant religieuses se trouvaient à l'*Auberge du péage* à ce moment-là, ajouta-t-il.

— Ce n'était pas Pâques, dis-je, me remettant de ma surprise et retrouvant la voix.

— Non. Vous avez raison. Elles n'y vont pas d'habitude, sauf à Pâques.

Il me laissa exprimer tout haut ce que nous soupçonnions tous les deux tout bas.

— Une euthanasie ?

Le docteur Tanner ne confirma pas et n'infirma pas non plus. Il préféra s'étendre sur son rôle de complice du crime.

— J'ai choisi de laisser passer. L'agonie de votre père n'était pas facile à supporter. Il refusait les analgésiques puissants et s'obstinait à ne prendre que des calmants légers. Il chérissait sa lucidité plus que tout. Il m'a dit lui-même qu'il voulait regarder la mort en face, si la mort avait le courage de le regarder droit dans les yeux. Il disait qu'il ne se rappelait pas l'instant de sa naissance et, qu'après sa naissance, c'était le moment de sa mort qui était le plus important de sa vie. Il voulait avoir l'esprit clair.

Son refus de l'hôpital faisait partie de sa philosophie, même si nous savions tous les deux que sa vie en serait raccourcie et plus douloureuse. Quand il sentit venir le temps et que la douleur devint insupportable, au point que même lui n'était plus capable de la supporter, je le suspecte d'avoir obligé les autres à intervenir.

— Peut-être, peut-être pas, dis-je.

Je me demandais surtout : Qui ? Qui l'avait fait ? Qui avait tué mon père ? Qui l'avait soulagé de ses souffrances comme on pique un chien trop âgé ? Tanner rota et souffla.

— Sur le permis d'inhumer, j'ai écrit qu'il était mort des suites du cancer. Pourquoi faire des histoires ? J'ai posé des gestes dans ma vie qui me harcèlent bien plus la conscience. Quand j'ai appris que l'Ordre des sept voiles héritait d'une somme substantielle... Oui, j'ai eu des remords. Je me suis fait de la bile. Je veux dire, les sœurs auraient eu du mal à passer à la caisse, si elles l'avaient liquidé. L'argent a peut-être été une motivation plus forte que la compassion. J'ai quand même réussi à garder l'âme en paix. Jusqu'à maintenant. Ce deuxième décès... Disons que je suis inquiet.

— Que voulez-vous dire ?

— Votre père a été tué, et sa mort présentée comme une fin naturelle due à la maladie. Aujourd'hui, le tribunal a déclaré que Gabriella Deschenes s'est suicidée, mais qui peut en être certain ? Vous comprenez, n'est-ce pas, Kyle, que je nierai formellement vous avoir parlé de tout cela. Mais j'ai pensé qu'en tant que fils de Kyle... J'ai pensé qu'il fallait que vous sachiez. Au bout du compte, son agonie a été plus paisible qu'elle n'aurait pu l'être autrement.

— Je suppose que c'est vrai. Écoutez. Merci de m'avoir mis au courant. Je... Je vous en suis reconnaissant.

— Pas de problème. Hé, je suis content que vous vous installiez chez nous, Kyle. Bienvenue au Vermont.

En m'éloignant de la cantine, une intuition me frappa, comme une torgnole en plein visage, comme si je m'étais cogné le crâne sur un réverbère. Une intuition ? Ou l'évidence ? Je savais maintenant pourquoi Chantelle avait largué sa Toyota jaune et l'avait abandonnée à l'auberge. Un tuyau de caoutchouc, n'est-ce pas, ma fille, enfoncé dans l'échappement et qui revenait à l'intérieur de la carrosserie, pointé sur le siège arrière, où mon pauvre papa dormait ? Qu'y a-t-il, madame ? Vous êtes nerveuse ? Vous êtes incapable de vous résoudre à vous glisser de nouveau derrière le volant de votre machine de mort ? Effrayée que le fantôme de mon père vous offre une balade ?

Comme il l'a fait à Gabriella.

Je parcourus péniblement à pied la plus grande partie du trajet jusqu'à la maison. Mon esprit nageait en pleine confusion. J'avais choisi d'être prudent pour protéger Chantelle. Tout de suite après en avoir terminé avec moi, elle s'était enfuie. Pas de merci. Pas d'au revoir. Disparue dans l'air raréfié des montagnes du Vermont.

Quand mes talons furent couverts d'ampoules, je m'arrêtai au restaurant d'un motel et appelai un taxi.

Les pieds gonflés et avec un mal de tête assorti, je n'étais pas au meilleur de ma forme pour encaisser la nouvelle qui m'attendait. Comment aurais-je pu savoir que les squelettes des placards du Tennessee étaient vivants, se portaient bien et vivaient dans le nord du Vermont ? Qu'ils attendaient, cachés dans ma propriété, mon retour à l'*Auberge du péage*.

TIERS LIVRE

Chapeaux Dakota

1

JE TENTAI DE FAIRE LA SIESTE l'après-midi où je revins de l'enquête préliminaire sur le suicide de Gaby. Quand je suis incapable de piquer un petit roupillon dans le jour, moi, le virtuose du sommeil, c'est que mon système est affreusement détraqué, qu'il est urgent de consulter un psy ou d'investir dans une assurance-décès temporaire. Fatigué de tourner et de retourner dans mon lit, de me nouer et dénouer les membres comme une tenture de macramé, je décidai de faire une promenade. L'air de la montagne me revivifierait peut-être ou bien, dans sa miséricorde, m'assommerait tout de bon.

Je revêtis mes ampoules de Band-Aids pour l'occasion.

Je m'ennuyais de Chantelle et l'envie me démangeait de retourner aux écuries. Mon humeur serait peut-être moins maussade si je revivais les quelques moments de bonheur que j'y avais vécus avec elle. De loin, je crus voir un mince filet de fumée s'élever de la cheminée du bâtiment et ondoyer vers le ciel. Ce qui m'arrêta net. Ma peur et mon imagination débridée me fâchent, mais je n'ai pas grand difficulté à choisir entre la prudence et l'héroïsme.

De plus, Isaïe Snow montait la route de l'*Auberge du péage*. Trois policiers en uniforme l'accompagnaient dans une Ford banalisée.

— Ça boume, Kyle ? Content d'en avoir fini avec tout ce merdier ! s'exclama-t-il, chaleureux comme un rayon de soleil et plusieurs arcs-en-ciel.

— Comment allez-vous, inspecteur ?

— Appelez-moi Isaïe.

Il coupa le moteur et vint se planter à côté de la voiture, les mains posées sur le toit.

— Quel panorama ! dit-il pour meubler la conversation. Au fond de mon cœur, je suis un montagnard, Kyle. Passer ma vie dans la vallée ne me vaut rien.

— Réservez une chambre pour une semaine ou deux, Isaïe. Je suis toujours content d'encaisser l'argent de mes clients. Amenez votre femme.

— Impossible. Elle saigne du nez en altitude.

Je reçus l'information comme une décharge électrique et, alarmé, demandai d'une voix faible, peu assurée : « Que puis-je faire pour vous, inspecteur ? » Il n'avait pas remarqué mon bref moment de désarroi.

— Simple routine, dit-il, litote qui me fit dresser les cheveux sur la tête. J'étais obligé d'enquêter sur vous avant que le tribunal entende l'affaire, Kyle. Ne le prenez pas de mauvaise part. C'est mon travail. Vous êtes étranger dans le coin.

— Écoutez, Isaïe, je ne sais pas ce qui m'a pris. Les nerfs. La fatigue. Je m'excuse pour le détecteur de mens... Je m'excuse de nouveau, le test du vérificateur de vérité. D'accord ? Je m'excuse.

— Excuses acceptées. N'y pensez plus. En échange, je suis sûr que vous accepterez les miennes, quand je vous dirai que j'ai un mandat.

— Vous m'arrêtez ? demandai-je d'une voix chevrotante en regardant ses trois complices pour déterminer s'il plaisantait.

— Miséricorde, non ! C'est un mandat de perquisition. Simple routine, dit Isaïe avec un rire tonitruant qui dévala les montagnes comme une balle de caoutchouc.

La routine des uns est l'enfer des autres.

— Voulez-vous me dire ce que vous cherchez ? demandai-je.

— Quelqu'un nous a donné un tuyau.

— Un tuyau. Charmant !

— Pour nous dire où chercher. Nous ne savons pas quoi. Nous voulons jeter un coup d'œil à votre voiture, Kyle.

De plus en plus étrange.

— La Cherokee ?

— Non. La Mercury, si vous n'y voyez pas d'inconvénient, monsieur ?

— Isaïe ? Que diable se passe-t-il ?

— Simple routine, Kyle. Nous ne resterons pas longtemps dans vos jambes. Où êtes-vous stationné ? demanda l'inspecteur qui fit le tour de la Ford et m'appliqua le mandat sur l'épaule.

— Je me suis débarrassé de la Mercury, dis-je à Isaïe Snow en attrapant de justesse le mandat, avant de remonter la colline, l'air digne, avec le stupide maudit papier chiffonné dans mon poing.

ISAÏE ÉTAIT ARRIVÉ ÉQUIPÉ pour une petite fouille archéologique. Je déduisis des pelles, pieds-de-biche et pioches, que presque toute la population de la moitié nord de l'État savait maintenant que j'avais balancé ma voiture par-dessus la falaise et que c'était essentiellement la rumeur publique qui poussait Snow à agir comme il agissait. L'apparition d'un chalumeau oxyacétylénique me laissa perplexe.

— Vous récupérez la ferraille maintenant ?

— J'ai entendu dire que la voiture risquait d'être un peu abîmée, répondit-il, légèrement embarrassé.

La tâche qui attendait les policiers n'était pas facile. Elle requérait l'agilité des chèvres de montagne et une quantité considérable d'humaine huile de bras. Empêtrés par leurs lourds outils et glissant dans la boue printanière, ils atteignirent tant bien que mal le bas de la falaise et le cimetière d'autos où ils essayèrent, en haletant et en sacrant, de forcer le coffre de la Mercury couchée sur le toit.

Installé au-dessus d'eux sur un rocher solide, je m'exerçais à siffler la vespérale sérénade de l'oriole des vergers. Les agents de la force constabulaire au travail ne cessaient de me jeter des regards noirs et souhaitaient de toute évidence que la chasse soit ouverte et qu'ils aient apporté leurs fusils.

Leurs assauts au pied-de-biche n'eurent pour effet que de trouer le métal et de bosseler le chrome un peu plus. La valeur de reprise de ma voiture diminuait de seconde en seconde. Un policier alluma le chalumeau. Je cessai de siffler et Isaïe Snow grimpa vers mon nid d'aigle.

— Les clés devraient être sur le contact, lui dis-je.

— Je ne crois pas qu'elles soient très utiles. La voiture est pas mal cabossée.

La nervosité s'était répandue dans mon sang comme un virus. Un gardien de la paix suspicieux interpréterait sans doute mon malaise comme un signe de culpabilité, alors que les événements seuls généraient mes symptômes. Il était incroyable que quelqu'un veuille investiguer le vieux bazou. Je savais parfaitement que j'avais laissé le coffre vide, mais mon imagination fertile n'avait aucun mal à le remplir. Je m'attendais à ce qu'il contienne des sacs de cocaïne. De l'alcool frelaté du

Tennessee. Le butin jamais retrouvé du célèbre vol du Fourgon postal.

— Que cherchez-vous ? demandai-je une nouvelle fois à Snow.

— C'est vous qui allez me le dire.

Je restai silencieux. Soudain, le capot du coffre s'ouvrit et cogna le sol. Un grand gaillard de policier, pas le soudeur, jeta un coup d'œil dans le trou béant et en ressortit la tête.

— Il y a un paquet coincé là-dedans, monsieur, cria-t-il, sans que j'en sois vraiment surpris.

— Retirez-le, s'il vous plaît, demanda Isaïe, comme s'il s'adressait à un enfant terrorisé. Aucune idée ? me demanda-t-il, et je compris au ton de sa voix qu'avouer tout de suite m'épargnerait bien des désagréments.

— Cela me dépasse, lui dis-je. Honnêtement, Isaïe, je ne sais pas ce qui se passe.

Le « paquet » était un sac à ordures qui m'avait un petit air familier. Il glissa du coffre et tomba sur le sol. Horrible entrechoquement. Ô mon Dieu. Non. Le policier fendit le plastique avec un canif. Il en retira un premier objet et le brandit dans les rayons du soleil déclinant pour que nous l'examinions du haut de la falaise. C'était un os mince et gris d'environ un pied de long. J'en avais un identique dans ma Cherokee Chief.

Le second objet était un crâne humain.

Les pupilles vides me jetèrent un regard lugubre.

Pendant quelques secondes, je me sentis dérouté. Je me souviens m'être étendu sur le rocher humide et froid, stupéfait par le retour du squelette dans la Mercury, par la manière dont il avait été découvert et par les conséquences probables. Ce coup-ci, tu as des ennuis, ne cessai-je de me répéter tout bas et peut-être aussi tout haut parfois. Tu es dans la merde jusqu'au cou.

Isaïe Snow me lut mes droits.

— Venez, dit-il en guise de conclusion. Nous réfléchirons aux accusations pendant le trajet de retour en ville. Je pense fouiller votre Cherokee Chief après tout. Et votre chambre aussi, et toute l'*Auberge du péage*. Vous me décevez, jeune homme. Vous me décevez beaucoup.

2

LES CELLULES DE STOWE avaient été jugées trop médiocres pour un homme qui promenait les os desséchés de ses victimes dans le coffre de sa voiture, avant de la précipiter du haut d'une falaise. On me déménagea à la prison de Burlington, Vermont, un foyer de meilleure qualité que certains des motels que j'avais fréquentés. Il aurait suffi de mettre un peu de couleur sur les murs gris, de suspendre quelques plantes devant les barreaux des fenêtres, d'ajouter un matelas et des ressorts au lit de fer, de cacher la toilette sans porte et d'améliorer la qualité générale des graffiti pour qu'un décorateur brillant divise l'endroit en condominiums attrayants. Une adresse de prestige. Je me sentais à l'aise et n'avais que deux plaintes. D'abord, j'étais incapable de comprendre pourquoi j'avais tant de difficultés à dormir. Le bloc de métal froid était franchement douillet comparé à certains des lits que j'avais occupés. Ensuite, j'étais seul. Avec le dégel printanier, le taux de criminalité à Burlington avait apparemment fondu comme neige au soleil.

Je fus heureux de la visite de mon avocat, même si ses salutations furent moins pétulantes que d'habitude.

— Comment vous débrouillez-vous, Kyle ? La nourriture, ça va ?

— On m'autorise à commander mes repas à l'extérieur. Du grec, du chinois ou de la cuisine américaine. Au choix. Jusqu'ici, je m'en suis tenu aux steaks et aux sandwiches au poulet chauds. J'ai déjà assez d'ennuis comme ça. Je ne veux pas que quelqu'un pense que je ne suis pas patriote.

Morne hochement de tête. L'expression de F.D.R. avait perdu beaucoup de sa spontanéité. Il s'essuyait lentement et régulièrement le menton, puis sa main descendait dans son cou et tirait sur la peau de sa pomme d'Adam, qu'il lâchait brusquement comme un élastique. Quelque chose tracassait mon chien de garde juridique et il n'avait pas le courage d'en venir au fait.

— Vous n'avez pas encore demandé ma mise en liberté sous caution ? lui demandai-je avec insistance.

— Hmm ? Non. Pas encore, Kyle. J'ai demandé à mon père de venir vous rencontrer ici, dit-il avec un tremblotement dans la voix.

— Bonne idée, Franklin D. Ce serait difficile pour moi de le rencontrer ailleurs. Est-ce une visite de courtoisie ?

— Il était l'avocat de votre père, dit F.D.R. d'un air radieux comme s'il en était fier.

— Je me souviens que vous me l'aviez déjà mentionné. Je présume qu'il est retraité, répondis-je, incapable de voir où mon avocat voulait en venir.

— Oui, je... Il est de mon intérêt de le consulter de temps à autre.

— De votre intérêt ?

Franklin D. baissa les yeux. Surpris par la crasse du plancher, il les leva ; choqué par la quantité de toiles d'araignées au plafond, il regarda vers la gauche ; consterné par les gribouillis obscènes, il regarda vers la droite ; abasourdi par la forêt de barreaux d'acier, il regarda par-dessus mon épaule la cuvette souillée de ma toilette.

— Ah, Kyle, je devrais vous dire...

— Quoi ?

— Je ne suis pas criminaliste.

Il se frotta vigoureusement les paumes l'une contre l'autre et je craignis soudain que c'était pour nettoyer la souillure de notre poignée de mains. Le péril m'obligea à garder un calme imperturbable et absolu.

— Vous n'avez pas affaire à un criminel, Franklin D., lui rappelai-je avec conviction.

— Vraiment ?

— Je suis innocent ! explosai-je. L'avez-vous oublié ?

— Oh, ouais ! Exact, s'excusa-t-il.

Je lui lançai un regard accusateur et direct, et F.D.R. détourna les yeux aussi longtemps que sa conscience le lui permit. Son visage était rouge de honte. Sa lâcheté avait fait grimper sa température.

— *Qu'essayez-vous* de me dire, Franklin D. ?

— Je vis une énorme tension, Kyle.

— Et moi pas ?

— Je m'en rends compte.

— Versez-vous la caution que je sorte d'ici ?

— Mon père... Il pense que je ne devrais pas vous défendre. Il a une bien piètre opinion de vous, je le crains. Et... je... je me fie aux jugements de mon père.

F.D.R. toussa pour cacher son embarras. Le bruit se réverbéra longtemps sur l'acier et le ciment. J'agrippai un des barreaux qui nous séparaient et, comme un naufragé cramponné à une bouée de sauvetage, je serrai, serrai fort.

— Allons, F.D.R. C'est quoi l'idée ? Je n'ai jamais rencontré votre père. En quoi ce qu'il pense de moi est-il important ?

La lueur d'intérêt qui apparut dans les yeux de Franklin D. me rasséréna. Il ne me regardait plus d'un air soupçonneux en essayant de dissimuler son trouble. C'était déjà ça. Il me dévisageait maintenant avec une authentique curiosité et, pendant un moment, pour faire changement, c'est moi qui ne sus plus où me mettre.

— Bizarre, dit-il, seul indice de sa pensée qu'il daigna divulguer.

— Qu'y a-t-il de bizarre ?

— Que vous ne vous souveniez pas de l'avoir rencontré.

— Qui ?

— Mon père. Il se souvenait de vous. Il m'a même dit où je vous trouverais. C'est Hazel qui m'avait conseillé de lui demander où vous viviez.

— Un instant. Votre père *savait* que j'étais au Tennessee ?

— Pourtant vous prétendez ne l'avoir jamais rencontré. Avec tout l'argent qui était impliqué...

— Quel argent, Franklin D. ? De quoi parlez-vous ?

— Vous êtes peut-être un homme encore plus insensible que ce que croit mon père, Kyle. Vous devez l'être, bien sûr, pour assassiner et transporter le squelette de vos victimes dans votre coffre.

— Franklin ! m'exclamai-je, en essayant de l'attraper, le bras étiré, impuissant entre les barreaux.

— Mon père a plus d'expérience, déclara-t-il, prudemment hors de ma portée. Je l'ai invité à venir vous rencontrer. Si vous passez l'examen, s'il pense que je devrais m'occuper de votre affaire, alors je vous défendrai. Sinon, vous aurez à vous débrouiller tout seul.

Ma colère explosa. Heureusement pour F.D.R. que les barreaux nous séparaient.

— Je n'en crois pas mes oreilles ! Qu'est-ce qui vous prend, bon sang ? Vous n'êtes pas capable de penser par vous-même ?

— Que voulez-vous dire ? demanda-t-il, l'air perplexe.

— Vous me dites que mon sort dépend d'un homme qui m'a déjà jugé ! Vous me dites que mon avocat est incapable de prendre une décision par lui-même, qu'il a besoin de la permission de son papa ! Espèce de cornichon ! Je serais mieux défendu par un phoque apprivoisé !

— Parfait ! Je suis d'accord ! Voilà qui règle la question, dit-il en battant en retraite.

— Non ! Restez où vous êtes ! Je ne vous laisserai pas vous en tirer aussi facilement ! Vous me défendez, Franklin D. ! Il m'est égal que vous soyez l'avocat le plus nul de toute la Nouvelle-Angleterre... Vous me défendez !

— Qui dit que je suis capable de plaider votre cause ? Et même si je vous défendais et qu'il m'arrivait par quelque extraordinaire hasard de gagner, ma récompense serait sans doute de perdre mon cabinet. Tout le monde dirait que je suis la crapule qui vous a sorti de prison. De toute manière, je gâcherais le travail. Envisagez les choses comme vous voulez, je ne suis pas brillant comme mon père.

Ses paroles firent apparaître le suppôt du diable. Les grands verrous cliquetèrent et la penne se dégagea. Un gentleman âgé, l'air cassant, s'avança, le dos voûté et en claudiquant dans notre rangée de cellules. Sa canne mesurait chaque pas avec brutalité et le bruit des talons ferrés de ses chaussures se réverbérait violemment contre les murs. Je vis F.D.R., penché vers l'avant, se désintégrer dans les miasmes de ses peurs et réussis finalement à le saisir par le revers de son veston.

— Tu lui tiens tête, Franklin D., sifflai-je. Tu restes.

Je dois avouer cependant que moi aussi, je me sentis intimidé en présence du vieil homme. La peur de F.D.R. était peut-être

297

contagieuse, mais je me souviens de m'être baissé et d'avoir pris une attitude humble devant l'œil autocratique du vieillard. Je m'attendais à un interrogatoire serré et n'étais pas préparé à son jugement péremptoire et instantané.

— Idiot, déclara-t-il.

Je présumai que l'épithète m'était adressée, mais le bénéficiaire de ses invectives était le grand flanc mou de F.D.R.

— Ce n'est même pas lui. Espèce de stupide incompétent ! Déjà bien dommage que tu défendes un assassin maniaque, la moindre des choses aurait été de vérifier son identité ! Penses-y ! Tu allais donner l'*Auberge du péage* à cet imposteur ! Empoté !

Le vieux Ryder leva sa canne pour inculquer à grandes volées un peu de discernement à son andouille de fils. Les coups se mirent à pleuvoir, deux bottes rapides sur l'épaule droite de Franklin D. qui, les deux bras levés, tentait de se protéger le visage.

— Escroc ! Pervers ! Dégénéré !

Je pensais que le vieux gentleman avait une bien piètre opinion de son fils, mais je me rendis compte que c'était à moi qu'il s'adressait maintenant.

— Il faudra te lever de bonne heure pour berner Théodore Ryder ! dit-il en m'agitant un doigt sous le nez.

Après un dernier regard noir à son rejeton, le vieil homme accablé s'éloigna d'un pas martial sur le plancher de ciment et cogna sa canne contre la porte pour qu'on le laisse sortir. Je me sentais navré pour Franklin D. et fus déconcerté de m'apercevoir que l'incident l'avait ragaillardi. Il était guilleret, comme s'il venait de gagner un procès difficile.

— Pourquoi souriez-vous ? lui demandai-je. Qu'y a-t-il de si cocasse ?

— Ce n'est pas vous ! s'écria-t-il en s'esclaffant presque. Vous n'êtes pas Kyle Laîné junior ! Ce n'est pas vous ! répéta-t-il, exubérant. Ce qui veut dire que je n'ai pas à vous représenter une seule minute de plus parce que je ne sais pas diable qui vous êtes ! Me voilà débarrassé de votre cause ! s'exclama F.D.R., triomphal, avant de récupérer sa serviette appuyée contre le mur, de l'essuyer pour la décontaminer de sa poussière et de se préparer à s'en aller.

— Foutaise ! dis-je en reprenant mes esprits. Je ne sais rien du « junior » que vous m'avez accolé, mais je suis Kyle Laîné !

— Non, vous ne l'êtes pas. Mon père vous connaît. Je veux dire, il connaît Kyle Laîné junior et ce n'est pas vous.

— C'est moi ! Je suis moi, maudit ! Franklin D. !

— Adios, amigo, dit-il sur le point de cogner sur la porte pour sortir.

— F.D. de maudite merde de R. !

— Mais qui êtes-vous après tout ? demanda-t-il, tourné vers moi, dans une bouffée passagère d'intérêt.

— Franklin D. ! S'il vous plaît ! Revenez ! Nous avons à parler, dis-je, agrippé aux barreaux.

Il détecta peut-être du désespoir dans mes supplications car il revint.

— Qui êtes-vous après tout ? demanda-t-il de nouveau. Dites-le moi. Juste pour le plaisir de le savoir.

— Allez chercher les clés, ouvrez la cellule, entrez et asseyez-vous. Nous aurons une longue conversation, vous et moi.

Se retrouver du même côté des barreaux qu'un dangereux aliéné était contraire à ses notions de prudence. Il consentit à un compromis.

— Je suis bien installé sur la chaise ici. O.K., homme mystère, m'ordonna-t-il. Racontez.

3

S I LES *GREAT SMOKY MOUNTAINS* avaient été, comme leur nom l'indique, fumantes, la journée aurait été sublime. Nous étions couchés sur des sacs d'avoine à l'arrière d'un pick-up Dodge. L'éclat du soleil nous emplissait de joie et le vent cravachait nos hautes espérances. Nous avions quitté Washington, D.C., en auto-stop et la plaque minéralogique de la camionnette qui nous embarqua nous avait plongés dans l'extase.

— Tennessee ! Nous voici ! Hourra !

Nous contemplions à ciel ouvert les sommets des Appalaches.

En cavale pour la première fois de notre vie, nous accumulions enfin les kilomètres derrière nous, après un épuisant périple de Montréal à New York. Le Tennessee était mon ultime destination. Cindy avait accepté d'être du voyage à condition que nous nous arrêtions aux endroits névralgiques. Broadway, pour contempler bouche bée les salles de cinéma. Harlem... Harlem ? Le compteur de notre taxi tournait. Je compris l'idée de Cindy. Elle examinait les édifices abandonnés à faire flamber. « Chauffeur, dépêche-toi et ne te retourne pas. » Puis Philadelphie. Washington. Nous visitions le monde. Les attractions touristiques avaient stimulé Cindy à m'accompagner, mais je ne me faisais pas d'illusions : une fois que nous aurions traversé les *Smokies*, il deviendrait plus difficile de la garder à mes côtés.

Au milieu de l'après-midi, sans aucun indice sur notre position, notre conducteur nous déposa au centre vide de nulle part. Une morne et bucolique campagne, dépourvue de toute trace de vie humaine. Sa femme et lui nous agitèrent le bras et disparurent par un chemin de terre.

Cindy tirait une tête d'enterrement. Au cas où j'aurais eu besoin d'aide pour interpréter son expression, elle ajouta : « C'est pour cette désolation que tu nous as fait renoncer à New York ? »

— Au moins nous sommes au Tennessee.

— Kyle, nous sommes dans un trou perdu de Saint-Glinglin. Même pas. Nous sommes dans sa banlieue.

— Je ne connais pas Saint-Glinglin, bougonnai-je, mais nous devons être plus près de notre destination.

Mes ronchonnements ne changeaient rien à l'évidence : les choses se présentaient mal. Je n'avais pas de carte et la ferme la plus proche se trouvait peut-être à des kilomètres.

— Nous sommes sortis du temps, déduisit Cindy. Tu aurais pu me faire débarquer dans les turbulentes années 1920 au moins, Kyle. Pas en pleine dépression.

— J'ai déjà dit : d'accord, je m'excuse. Comment aurais-je deviné où ils nous déposeraient ?

Cindy soupira, s'étira vigoureusement pour se désengourdir les muscles et ébouriffa ses cheveux pour en secouer la poussière. Son esprit, qui en avait terminé avec les récriminations, se concentra de nouveau sur les solutions pratiques.

— Par où allons-nous ?

— Nous sommes arrivés de là-bas, dis-je en faisant un signe de tête vers l'est. Te souviens-tu de la dernière ville ? J'imagine que nous allons par là, vers l'ouest.

Cindy flanqua son sac à dos sur ses épaules.

— Que fais-tu ?

— Je marche.

— Sois sérieuse.

— Kyle ! Regarde autour de toi ! Tu n'espères pas qu'une autre voiture passe sur ce sentier de mulets avant au moins cinquante ans, pas vrai ? Nous sommes en plein bled, mon gars. Enclenche ! Les seules personnes que nous rencontrerons dans les parages, nous tirerons dessus parce que nous sommes des nordistes. Ils ne savent pas que la guerre de Sécession est terminée.

— Allons, la situation n'est pas si désespérée, lui dis-je, mais je savais qu'elle avait raison.

— Quoi que tu fasses, ne leur dis pas que les Confédérés ont perdu. Je ne veux pas que tu mettes ces paysans en boule. Vu la situation, ils me violeraient.

— Tu prends tes rêves pour la réalité.

— Ça leur ferait changement d'avec leurs sœurs et leurs animaux.

— Continue de rêver, dis-je, mais je lui emboîtai le pas et traînai mon encombrant havresac.

Nous comptions marcher jusqu'à l'heure où les vaches rentrent à l'étable, sauf qu'il n'y avait pas de vaches et pas d'étable. Je lui montrais parfois un oiseau et nous écoutions son chant. Pour le reste, nous marchions. La pensée nous traversa l'esprit que nous risquions de mourir sur ce bout de chemin désert, de nous effondrer en route, délirants sous le soleil, avec nos lèvres trop crevassées pour tirer plaisir de notre baiser d'adieu. De la même façon qu'un homme qui emboutit sa voiture, se fracture les deux jambes et le bassin, perd ses dents et devient à moitié fou, peut quand même s'estimer chanceux de n'être pas mort, nous considérâmes que nous avions beaucoup de chance de voir arriver au-dessus de la colline un véhicule qui crachait de la fumée, zigzaguait un peu, soulevait des tempêtes de poussière quand ses roues roulaient sur l'accotement et qui fonçait allégrement sur le bitume fumant, aplatissant au passage les odoriférantes bouses de vache.

— Formidable, s'exclama Cindy en levant le pouce. Un ivrogne. Un paysan qui n'a pas vu de poulette depuis la puberté.

Elle fut assez pragmatique malgré tout pour lever une jambe et provoquer le conducteur par son audace et sa beauté. Le genou couvert de poussière fit l'affaire parce que la voiture, qui nous avait depuis longtemps dépassés, cahota de manière indécise et finit par s'arrêter. Enivrés d'être secourus, unis dans l'aventure, nous courûmes sur le bord de la route pour la rattraper. Nous avions assez loin à galoper et plus nous nous approchions, plus nous étions tous les deux inquiets. Le conducteur se livrait à d'inhabituelles contorsions. Sa tête disparut derrière son siège et, un moment plus tard, nous vîmes ses pieds battre l'air. Cindy et moi cessâmes de courir, reprîmes haleine et reconsidérâmes la situation.

— Qu'en penses-tu ? demandai-je à Cindy.

— S'il est occupé à se déshabiller, dit-elle en essuyant la sueur qui lui coulait sur les lèvres, on lui fait l'amour ou bien on lui défonce le crâne et on lui vole ses clés. S'il s'habille...

— On prend le risque, concluai-je.

Nous recommençâmes à courir et poussâmes, tous les deux, un long soupir, style quel-autre-choix-avons-nous, avant d'accepter l'invitation de l'homme et de sauter dans sa voiture. Il lui restait à mettre ses chaussettes et ses chaussures et à fourrer sa chemise dans son pantalon.

Une voiture blanche. Couverte de chrome. Un gros bazou qui consommait énormément d'essence, même si tout le monde s'en fichait en ce temps-là. Une Mercury 64, extravagance yankee.

— VOUS ÊTES DE PASSAGE dans la région ? demanda le conducteur qui gardait les yeux sur la route et ne nous avait jusque-là que vaguement regardés.

Cindy et moi, nous nous contredîmes en chœur. Elle répondit : « Ouais » pendant que j'affirmais : « Non ».

— Ho ! ho ! s'exclama le conducteur en tapotant son volant. Une querelle d'amoureux ! J'aime ça. Et tu penses aller où, ma jolie ?

— Hollywood.

Le laconisme de Cindy était un moyen de défense contre mon opposition à son projet et contre les moqueries habituelles qui saluaient ses ambitions.

— Tu vas devenir une vedette, fit remarquer l'étranger sans ironie.

— C'est exact, hasarda Cindy coincée entre nous sur le siège avant, après avoir examiné attentivement le conducteur, pas entièrement persuadée de sa sincérité.

— Je te crois, dit-il en hochant la tête, franchement convaincu. Je le vois. Tu as toutes les qualités d'une star. Tu réussiras.

Il livra ses certitudes sans la regarder une deuxième fois. Un simple coup d'œil lui avait suffi à se faire une opinion définitive. Je rongeai mon frein, pendant qu'il continuait de prendre ses virages trop serrés et de franchir à saute-mouton les dos d'âne.

— Et toi, mon gars, où vas-tu si tu n'es pas juste de passage ?

Je bafouillai, m'animai, expliquai que je jouais du tympanon. Je m'étendis avec passion sur mon sujet favori. Cindy bâillait.

— Il paraît que les meilleurs tympanons sont fabriqués à la main au Tennessee. Je cherche des artisans. J'ai entendu dire qu'il y en avait dans les montagnes du Cumberland.

— Faux, dit l'homme d'une voix catégorique qui me fit tressaillir. C'est le comté de Monroe qu'il te faut, bonhomme. Tu ne dois pas aller plus loin que Walkerman's Creek. Et on ne parle plus d'artisans ici, on parle d'artistes. Oui, bon sang ! d'artistes.

— C'est loin d'ici, Walkerman's Creek ? demandai-je, ravi par l'excentricité du personnage.

— Vingt minutes. Et c'est justement là que je vais.

J'avais réussi ! Je m'étais fié à de vagues conjectures. J'étais venu au Tennessee et voilà que mon rêve se concrétisait.

— En passant, je m'appelle Chapeaux Dakota, dit l'homme en tendant une main large comme un balai. Et toi ?

LE CONTENU DU COFFRE de Dakota nous expliqua son nom. Il nous amena, Cindy et moi, dans une commune de psychédéliques créatures aux cheveux longs, typiques de ces années-là, qui s'agglutinèrent autour de nous comme les membres d'une tribu primitive, reculée, avide de nouvelles du monde soi-disant extérieur. Le coffre massif s'ouvrit en grinçant et Dakota montra ses chapeaux à tout le monde. Des chapeaux, des chapeaux et encore des chapeaux. Des chapeaux de cuir et des chapeaux de paille, des chapeaux à plumes et des feutres mous, de coquines casquettes et des chapeaux noirs de mafiosi, des melons, de multicolores bibis de femme aux couleurs de l'arc-en-ciel, et même un chapeau jardin de l'Eden sur les bords duquel poussaient des framboisiers. Des chapeaux de plage estivaux, des chapeaux de pluie, des chapeaux de pêcheurs du Sud-Ouest, des chapeaux de plastique, des chapeaux de dentelle et des casques de la Première Guerre mondiale. Tous les extravagants couvre-chefs de la terre s'étaient donné rendez-vous dans le coffre de la Mercury de Dakota.

Nous l'aidâmes à les distribuer à la quarantaine d'excentriques qui avaient quitté leurs établis, leurs cuisines et leurs champs pour venir le saluer. Des commentaires élogieux fusaient de partout. Je fus donc surpris quand tous les chapeaux revinrent. Aucune vente.

Puis je compris. Monsieur Chapeaux n'était pas ici pour vendre. Il était venu pour acheter et montrer à ses fournisseurs les styles à la mode. Dakota fut, à son tour, invité à la grange pour examiner les nouveaux modèles créés par le groupe. Cindy et moi suivîmes le mouvement.

L'apparition d'une voiture de police qui filait comme l'éclair sur le terrain de la commune stoppa net nos joyeux méandres vers la grange et les remises adjacentes. Le groupe de hippies devint silencieux et attendit que la voiture s'arrête dans un tourbillon de poussière. Un policier, grand costaud à la bouche molle, en descendit, ajusta le ceinturon de son revolver, repoussa ses verres fumés plus haut sur le nez et s'avança vers Dakota. Le calme de l'air s'emplit de menaces. Une jument hennit dans le corral.

— Bonne après-midi, Everett, dit Dakota.

Conscients de la tension et étonnés par le silence de la communauté, Cindy et moi tâchâmes de nous effacer discrètement.

— 'Jour, Dakota. J'ai entendu dire que tu étais revenu.

— Une vie de voyageur de commerce, Everett. Je n'arrive pas, je repars. Au bout du compte, c'est du pareil au même.

— Bon ! Tu es au courant qu'on a des problèmes ici dans le comté de Monroe, Dakota...

— Triste à mourir, compatit Chapeaux Dakota.

— Ce que j'ai entendu, c'est que tu n'étais pas seul dans ton auto sur la route. J'aime savoir qui arrive et qui s'en va.

— Juste deux des nôtres, shériff, déclara l'un des hippies, et je sentis, avec reconnaissance, le filet protecteur de cette communauté déployé autour de Cindy et moi.

— Montrez-les moi, ordonna le shériff.

Je ne crois pas que personne nous montra du doigt, fit de signe de tête ou le moindre mouvement. Le bonhomme nous repéra pourtant tout de suite, Cindy et moi. Nous étions couverts de poussière, mais beaucoup moins loqueteux et typés que les autres. Je regrettai ma relative propreté et mes jeans non rapiécés.

— C'est Laîné, ton nom ? me demanda le shériff.

J'apprendrais plus tard qu'il s'appelait McGrath. Incapable de dissimuler ma surprise, je m'étonnai tout haut : « Comment le savez-vous ? »

— Je me fais un point d'honneur de tout savoir, se vanta-t-il.

Il cracha, le visage inexpressif, et du bout de sa botte écrasa le motton de boue. Son insigne, qui étincelait au soleil, m'éblouissait.

— Alors, dis-moi, que fabriques-tu dans le coin ? Tu te regardes le nombril ?

— Je joue du tympanon, lui dis-je. Et je chante comme un oiseau.

Pour appuyer mes dires, je lui offris le jacassement guttural, triphtongué du troglodyte des marais. Des rires et un crépitement d'applaudissements saluèrent mes facéties. McGrath émit d'incompréhensibles bruits de lèvres, comme s'il essayait lui aussi de parler la langue des oiseaux, et gratifia Cindy d'un rapide examen dont le caractère sexuel était flagrant. Maintenant que je lui avais soufflé la vedette, il s'afficha un insipide sourire sur le visage et tapa sa casquette du bout des doigts pour nous saluer tous.

— Je faisais juste vérifier, dit-il, en s'apprêtant à partir.

— Serais-tu intéressé par un élégant panama blanc avec un bandeau de soie vert, Everett ? Les panamas font fureur à Knoxville. Ils commencent à marcher à Memphis aussi et sont plus populaires que les chapeaux westerns dans certains endroits, lança Dakota.

— Tout est O.K., Dakota, déclina poliment le shériff avec un clin d'œil. J'ai ce que je cherchais.

Sa remarque nous dérouta tous. Après le départ de McGrath, un grand maigre aux cheveux roux, le visage orné d'une fine barbe, s'approcha de moi en fouillant dans les poches profondes de son bleu de travail. Il en sortit une boîte de tabac à chiquer et s'en fourra une pincée sous la lèvre supérieure.

— Les tympanons t'intéressent vraiment ? me demanda-t-il.

— Ils sont ma vie.

— Viens faire un tour chez moi. Tu jetteras un coup d'œil au mien.

LE FEU DE CAMP, cette nuit-là, fut l'endroit le plus pacifique de la terre. Plus loin que les flammes, le ciel de la nuit révélait la Voie lactée dans sa prodigieuse splendeur. La Galaxie se cueillait des lumières : lucioles et étincelles vagabondes. J'avais fumé de l'herbe de qualité, j'étais gelé et percevais avec toute la tyrannique ardeur de la jeunesse que l'Univers était ma légitime demeure.

Installé près du feu, je demandai à Chapeaux Dakota : « Que voulait dire le shériff quand il a parlé de problèmes dans le comté de Monroe ? »

Dakota décapsula une bière. Il en avait déjà bu pas mal (les bouteilles vides s'accumulaient derrière lui), mais s'abstenait religieusement du pot et des pipes de hash qui passaient de main en main. Il hocha la tête dans la lueur du feu comme pour souligner qu'il y réfléchissait.

— J'allais t'en parler. Et toi aussi, Cindy, écoute. Vous devriez être au courant tous les deux. On n'est jamais assez prudent.

J'étais assis, les pieds près des flammes. Cindy, pelotonnée dos-à-dos contre moi, avait le menton posé sur la pointe de ses genoux. D'autres autour du feu dressèrent l'oreille aussi.

— Des jeunes ont disparu, Kyle, dit Dakota, dont trois des nôtres ces derniers mois.

— Les jeunes ont la bougeotte partout. Ils changent constamment de place, fit remarquer Cindy.

— C'est différent, dit une voix de l'autre côté des flammes.

— On ne parle pas de jeunes qui prennent la route, précisa une fille emmitouflée dans une couverture indienne.

— On retrouve parfois leurs corps. Parfois pas, me dit Dakota.

— Ils sont assassinés ? demanda Cindy d'une voix glacée qui me propulsa un frisson le long de la colonne vertébrale.

— À coups de couteau, dit Dakota.

— Égorgés, élabora la fille dans sa couverture apache. Le cou tranché d'une oreille à l'autre. C'est ce qui est arrivé à tous ceux qu'on a retrouvés.

Du sang et des couteaux. Dieu sait que je n'avais pas besoin de ça.

— Des filles ou des gars ? demanda Cindy d'une voix tremblante.

— Les deux.

— C'est la raison pour laquelle je vous ai embarqués, intervint Dakota après un silence solennel. Sinon, vous risquiez de ne pas traverser le Tennessee.

Je réfléchis aux fermiers qui nous avaient débarqués sur cette route déserte. Ils avaient mis notre vie en danger, mais dès qu'ils étaient rentrés chez eux, leur conscience les avait manifestement pressés de téléphoner au shériff McGrath pour l'informer que nous traversions le comté.

— Merci, Dakota. Nous te sommes reconnaissants.

— Ouais, merci, ajouta Cindy.

— Pas la peine d'en parler.

Je suis une ordure de profiteur ! Ces horribles histoires me remontèrent le moral. Cindy hésiterait peut-être maintenant à partir pour la Californie et resterait un bout de temps avec moi.

Les hippies ajoutèrent d'autres bûches au feu pour chasser la morosité suscitée par l'évocation des assassinats. Un brasier. Cindy était en extase devant les tourbillons des flammes qui s'élevaient vers le ciel. Elle se tortillait, parfaitement satisfaite, chaque fois que le feu montait plus haut.

— C'est ainsi que tu dois aimer le feu, la sermonnai-je.

— D'accord, dit-elle, le maximum qu'elle était prête à concéder.

Dans la lueur du feu de joie, je l'embrassai sur le bout du nez, un petit bec pour lui exprimer mon amour et lui dire que le chagrin me gonflait le cœur. Cindy rayonnait. Pourtant, quand nous nous étendîmes pour dormir dans le fenil de la grange, elle dit d'une voix amère : « Je ne deviendrai jamais une star d'Holywood. »

— Pourquoi ne pas rester dans le coin un bout de temps ? demandai-je en sautant sur l'occasion. Je te parie qu'il y a des théâtres d'été au Tennessee. Des troupes professionnelles. Tu prendrais de l'expérience. Tu devrais en profiter.

— Ouais. Peut-être, concéda-t-elle à contrecœur.

Nous remuâmes ensemble du croupion. Amours adolescentes, un maelström de désir fou et de bévues, d'émerveillement et de désespoir. Nous formions un couple mal assorti. Elle était, en surface, beaucoup plus expérimentée que moi. Après, nous nous blottîmes l'un contre l'autre et je lui caressai les fesses.

— Toute cette paille, me taquina-t-elle en me léchant l'oreille. Cette vieille grange sèche. Si quelqu'un y mettait une allumette... *wouf!*

— Cindy Cindy Cindy, l'avertis-je en la serrant fort.

Nous dormîmes serrés dans les bras l'un de l'autre. Je n'osai pas la lâcher.

— BONJOUR, KYLE !

— Bonjour, Dakota. Tu n'as pas vu Cindy ?

— À vrai dire, oui, je l'ai vue. Avant le déjeuner. Hé, tu devras te lever pas mal plus tôt, si tu espères être nourri dans le coin !

— Où est-elle allée ?

— En ville. Quelques-unes des filles l'ont invitée à les accompagner. Voilà bien les femmes, toujours prêtes à courir les magasins !

Le grand sourire de Dakota laissait voir ses dents parfaites, blanches comme la neige immaculée de la campagne. Ou bien elles étaient fausses, ou son dentiste lui coûtait cher.

— Ses affaires ne sont plus là, dis-je à Dakota.

— Elle les a portées à la blanchisserie. Accompagne-moi, Kyle. Je vais faire ma tournée, m'invita-t-il. Je te présenterai les meilleurs gratteurs de guitare et de banjo du comté. Attrape-nous une miche à la cuisine. Nous mangerons en route.

Les habitants de la commune, absorbés par leurs tâches matinales, étaient occupés à soigner les animaux et à travailler aux champs. Une jolie fille à la cuisine me donna une bouteille de lait et une miche chaude qui sortait du four.

Nous traversâmes une campagne aride. Dakota klaxonnait les fermiers qui le saluaient en agitant le bras. Il conduisait souvent les coudes posés entre les rayons de son volant et le menton appuyé entre ses mains. Il s'arrêta sur le côté d'un bout de route désert qui longeait un torrent.

— Que se passe-t-il ? demandai-je.

Je n'aimais pas la solitude de cet endroit ni la poussière tourbillonnante de nos roues pareille aux fumées d'anciennes batailles.

— Je suis navré de te le dire, Kyle, mais j'ai conduit Cindy jusqu'à la limite du comté ce matin.

Je comprenais, mais j'étais en même temps complètement déconcerté et gardais le regard rivé sur l'intérieur de mes mains. Anéanti. Dakota me passa une lettre.

— Je te le jure sur la tête de Dieu, je ne l'ai pas lue. Nous n'avions pas d'enveloppe. Mais j'en ai respecté la confidentialité, sois en certain.

Je dépliai la feuille soigneusement pliée en quatre et reconnus le minuscule griffonnage de Cindy. Ses mots, à mettre sur le compte de la passion et de la stupidité de la jeunesse, l'embarrasseraient sans doute si elle les lisait aujourd'hui.

« Si je restais plus longtemps, je serais piégée. Je le sais. Tu le sais aussi parce que c'est ce que tu veux. Je vais à Hollywood à la rencontre de mon destin. Je t'aime, Kyle. Je suis désolée pour ta maman. Désolée d'avoir incendié le club. Je n'en avais pas l'intention. Je n'ai pas été capable de me retenir. Merci d'être mon ami. Il fallait que tu viennes au Tennessee et j'ai essayé de comprendre pourquoi. Je pense que c'était juste pour fuir et je ne t'en blâme pas. Je dois aller sur la côte. J'espère que tu comprendras.

Tâche de me repérer dans les films. Si tu retournes à Montréal et vois ma mère avant moi, dis-lui que je vais bien. Même si c'est le cadet de ses soucis. Avec amour et toutes sortes de baisers fous fous fous partout sur ton corps. Cindy. »

— Je l'ai embarquée à cause des problèmes dans la région, expliqua Dakota pour s'excuser, même si ce n'était pas nécessaire. Je ne voulais pas qu'elle fasse du pouce dans le coin. Je voulais qu'elle ait un chauffeur dont elle n'ait rien à craindre.

— Pourquoi ne me l'as-tu pas dit à la ferme ?

— J'ai pensé que tu préférerais être seul, me dit-il en me tapotant l'épaule. Il n'y a pas moyen d'être seul là-bas. Ils ont même une bécosse à trois trous pour être ensemble. Aucune intimité. Ils n'y croient pas. Ils ne t'auraient pas laissé seul avec ton chagrin. J'ai l'intuition que ce n'est pas ainsi que tu veux le vivre.

Malgré tous mes efforts, des larmes m'emplirent les yeux et ma poitrine frémit.

— Laisse venir, mon gars. Ça ne sert à rien d'essayer d'arrêter ta peine. Tu vois ce tilleul là-bas ? Il marque le début d'un sentier qui t'amènera à la plus belle et plus vieille piscine naturelle de Walkerman's Creek. Vas-y, mon gars. Prends ton temps. Je t'attendrai ici ou te rejoindrai peut-être plus tard.

Dakota savait qu'une bonne crise de larmes était le meilleur remède. Les yeux embrouillés, je descendis en clopinant le sentier abrupt et couvert de roches. J'aimais Cindy et voilà qu'elle était partie. Et quel sens, quelle utilité aurait désormais ma vie ?

Le clapotis du petit torrent me fit du bien. Et les truites qui sautaient dans le point d'eau. Je pleurai toutes les larmes de mon corps et, sous le soleil, dormis.

LE COUP DE COUDE de Chapeaux Dakota me réveilla. Il était debout, flambant nu, au-dessus de moi. Je clignai les paupières dans la lumière éblouissante du soleil et levai les yeux vers sa tête de Géant vert au bout de la longue tige de son corps. Il me contemplait du haut des nuages. La course des châteaux duveteux dans le ciel m'étourdit rapidement, comme si la terre se dérobait sous mon corps. Le bronzage de Dakota était uniforme et complet, détail significatif impossible à ne pas remarquer.

— Baignons-nous, Kyle. Après, nous nous laisserons sécher au soleil et nous nous régalerons. Il n'existe qu'un seul traitement pour guérir un cœur brisé.

— Lequel ?

— La vie ! La vie ! *La vie !*

Nudiste invétéré, Dakota revendiquait la nature comme habitat. Je le suivis dans le bassin naturel créé par le courant qui avait endigué de pierres le lit du torrent et dragué un vaste trou, assez grand pour que Dakota s'y étende de tout son long. Bien vite, il fit la culbute sous l'eau et se tint sur la tête. Seuls ses orteils roses brisaient la surface comme des poissons qui cherchaient à attraper des mouches. Je pataugeai avec prudence au bord du bassin et gardai ma tête hors de l'eau.

— Tu es un gars de la ville, pas vrai, Kyle ?

— Exact.

— C'est bien ce que je pensais. Sais-tu comment je le sais ?

— Facile. Je ne suis pas bronzé.

— Pas du tout. Ce n'est pas ça. Les gars de la campagne aussi préfèrent souvent garder leur chemise. Ce sont les gars de la ville qui trouvent le temps de se laisser frire, étendus sur les plages. Non, monsieur Chose, c'est la manière de respirer. Les gars de la ville ne respirent pas à fond.

Je sortis de l'eau avec lui, manœuvre difficile sur les rochers lisses et glissants. Dakota s'assit, les jambes étendues, sur une grosse pierre ronde.

— Ah, ça c'est la vraie vie, Kyle ! La vie primitive de la campagne. Rien n'arrive à la cheville. Tu as bien fait de venir au Tennessee. Tiens, j'ai autre chose à te donner, dit-il en ramassant un bout de papier dans ses pantalons roulés en boule sur le sol.

— Qu'est-ce que c'est ? demandai-je, hésitant.

— Des adresses. Je t'amènerai chez tous ceux qui fabriquent des instruments dans le comté de Monroe, mais tu as là quelques ateliers ailleurs au Tennessee. Je crois bien que je connais tous les bons. J'aime rester en contact avec ces jeunes gars.

Je me hasardai à m'avancer de quelques pas et tendis le bras pour attraper la liste.

— Merci.

— Tu veux manger ? Certain que tu veux, tu as raté le déjeuner. Et tu es en pleine croissance !

Suffisamment sec pour remettre mes pantalons, je m'assis à distance raisonnable de Dakota et bénéficiai des largesses de son panier de pique-nique. Il s'étendit au soleil et roula sur lui-même pour exposer ses fesses bronzées aux bienfaisants rayons. Il préféra, plutôt que me donner une pomme entière pour moi seul, en couper des portions avec son couteau de chasse et nous alimenter l'un et l'autre tour à tour. Repas lent, mais qui n'interférait pas sur la conversation.

— J'étais dans la mercerie, me dit-il. Une petite ville du Dakota du Sud. Ma boutique a été mise en faillite. Un centre commercial s'est accaparé le gros des affaires. Un centre commercial ! Ils ont construit un centre commercial dans la prairie où le gros bétail paissait ! Je ne pouvais plus compter que sur le sentiment de culpabilité de mes amis. Après avoir acheté leurs costumes et leurs chemises dans la succursale d'une grande chaîne, ils m'achetaient une cravate. Le déclin, mon ami, sous toutes ses formes, est terrible à vivre. Alors j'ai commencé à voyager. J'ai pris la route, comme on dit. Au bout du compte, je me suis spécialisé dans les chapeaux. Comment se fait-il que tu sois si conformiste, Kyle ?

— Je ne le suis pas. Je siffle des chants d'oiseau.

— C'est vrai. Mais tu as l'allure, pardonne l'allusion, d'un vieux chapeau melon.

Je haussai les épaules car je ne souhaitais pas approfondir le sujet.

Le couteau de Dakota brillait au soleil et, après trois pommes, nous attaquâmes un gros morceau de fromage.

— Chante-moi un air d'oiseau.

J'interprétai la sérénade de la paruline obscure. On l'aperçoit rarement au Tennessee, mais le bord du torrent et les bosquets et fourrés qui nous entouraient étaient son habitat. Et quand je me tus, je tendis l'oreille pour vérifier si de vrais oiseaux me répondaient.

— Excellent ! s'exclama Dakota avec enthousiasme. Tu es remarquablement doué !

Nous parlâmes de mon affection pour les oiseaux et de ma joie quand je jouais du tympanon. Il me brossa un tableau de son enfance dans le Dakota du Sud. D'aussi loin qu'il se souvenait, il avait toujours eu du mal à garder ses vêtements. Jeune garçon, il se déshabillait déjà dans les champs de blé et parcourais nu le long trajet jusqu'à l'école. Il restait nu pendant les congés scolaires. Son acharnement lui valut d'innombrables fessées.

— Les années d'adolescence furent les plus dures. Turlupiné par la sexualité comme tout garçon de douze-treize ans, je devins un vrai pervers. Je m'exhibais nu au coin des rues à Fargo. Dans ma tête, courtiser une fille c'était l'attraper derrière un arbre et baisser mes pantalons. Pas la meilleure tactique. Pendant un temps, je traînai dans les lieux publics avec ma braguette ouverte et l'espoir que les gens le remarquent. Mais ce fut une phase transitoire, rien de permanent. Ma nature n'est plus licencieuse. J'apprécie surtout le grand air, de préférence à poil. Qu'y a-t-il de mal à ça ?

« J'habite dans le Sud maintenant. Comme ça je ne me gèle plus les couilles l'hiver. Je suis membre en règle d'une demi-douzaine de clubs de nudistes, disséminés dans autant d'États différents. J'y batifole tout mon saoul sans me faire arrêter. Et je connais des milliards de coins comme celui-ci où je suis capable de me détendre sans jamais importuner âme qui vive. »

— Tu conduisais ta voiture tout nu hier !

— Cela m'a valu des ennuis parfois, dit Dakota sans s'excuser. La plupart du temps, je fais attention.

Il se retourna avec souplesse. De l'herbe et de la poussière étaient collées sur toute la spectaculaire longueur de son corps. Pour éviter l'ombre croissante que jetait un eucalyptus, il gigota et s'écarta de moi, puis, des profondeurs de son panier, il retira un paquet de biscuits fourrés au citron. Il joua de nouveau du couteau, séparant les biscuits en deux moitiés et distribuant alternativement un côté fourré et un autre sans garniture. Le méticuleux partage contrastait avec le négligé de ses jambes nues et écartées, et je me sentis de nouveau somnolent.

— J'avais presque oublié ! Cindy m'a donné autre chose pour toi, dit Dakota en bondissant sur ses genoux et en me tirant de ma morne hébétude.

Il farfouilla dans ses poches et en sortit une carton d'allumettes.

— Pourquoi tu ne me l'as pas donné plus tôt, explosai-je en le lui arrachant des mains.

— Navré. J'avais oublié. C'est une sorte de code ?

Le carton faisait la publicité d'un restaurant miteux de la rue Jean-Talon à Montréal, mais j'en compris le sens. Cindy me signifiait que je n'avais aucune raison de me tracasser. Je serais incapable de la suivre à la trace en repérant les fumées à l'horizon, comme je l'avais dit une fois par plaisanterie. Elle n'incendierait plus rien. Le couteau de Dakota sépara un autre biscuit dont il me passa la moitié.

— Tout va bien ? demanda-t-il doucement.

— Je survivrai, répondis-je en prenant le biscuit et en baissant les yeux.

J'avais à peine fini de le dire que la forêt autour de moi explosa. Je me pétrifiai à l'intérieur de ma peau et mon esprit se figea. J'avais vu l'éclair blanc. Mon corps, paniqué, se tortilla comme un poisson tiré de la rivière et jeté sur la berge. Quand je relevai les yeux, Dakota était déjà mort, avec un cercle de sang parfaitement rond entre les deux yeux. Il avait le salsifis dressé raide vers le ciel. Dans une main, Dakota tenait son couteau de chasse, dans l'autre, sa moitié de biscuit. Stupéfié par-delà l'entendement, subjugué par l'incompréhensible violence, je cherchai dans le sous-bois la tanière du tireur isolé. Je m'attendais à mourir, moi aussi, sur-le-champ.

Le shériff Everett McGrath, le pistolet toujours fumant, sortit des arbres et s'avança lentement vers où j'étais assis, aussi immobile que Dakota.

— En plein dans le mille, dit le shériff, comme s'il en était lui-même surpris. Tu as eu de la chance, mon gars. Une seconde de plus et il t'ouvrait la gorge, te fendait le gosier comme un sourire dans une citrouille. Tu es mauditement chanceux, mon gars.

J'étais tellement sous le choc que j'en oubliai que je pouvais parler. Et, sentiment plus bizarre : je voulais tomber endormi et attendre que le monde me transporte quelque part ailleurs dans le temps.

Quinze ans plus tard, c'est exactement ce qui arriva.

4

DANS LE TRISTE CONFINEMENT de ma cellule, je parlai aussi à F.D.R. de ma relation avec Isabelle Dravecky.

J'avais la nostalgie des premiers temps que je passai avec elle : les quelques mois qui suivirent la disparition de Cindy et la mort bouleversante de Chapeaux Dakota. Nostalgie dans le sens où les soldats ont parfois la nostalgie de leurs guerres. Jours dangereux. Je craignais les tireurs isolés embusqués dans les bois et surveillais mes arrières. Pas tout à fait convaincu que monsieur Chapeaux ait eu l'intention de me découper en tranches comme il avait découpé les pommes, le fromage et les biscuits fourrés au citron, je m'inquiétais des couteaux qui erraient peut-être encore dans la nuit ou risquaient de scintiller dans la clarté du jour. Mais les assassinats prirent fin, et je profitai du mieux que je pus de mon semblant de liberté.

Le shériff McGrath, malgré ses manières bourrues et sa comique insistance à émuler la persona d'un patrouilleur d'autoroute redneck, s'avéra une relation précieuse. Il me suggéra d'acquérir la Mercury Monterey. La voiture se vendrait une bagatelle à l'encan et, étant donné les circonstances, il lui était possible d'arranger les choses avec les responsables de la ville. On me connaissait, dans tout le comté, comme le jeune chanceux qui avait trompé la mort. McGrath était un héros. Mon sauveur. Incapable de le remercier comme il faut, je suivis son conseil et n'émis pas d'objections quand il m'offrit la voiture, dernier endroit où je savais que Cindy avait été en vie. Et c'était aussi important pour moi qu'être motorisé.

J'envoyai une lettre à la mère de Cindy pour lui expliquer que sa fille était partie toute seule pour Hollywood et lui demander de m'écrire si elle recevait de ses nouvelles. La maman de Cindy avait beaucoup trop d'autres enfants à charge pour être émue. Même si je rapportai la disparition de Cindy, un autre nom sur l'interminable liste des fugueurs, personne n'entreprit de recherches pour la retrouver.

Le mieux que j'avais à faire était donc de regarder les films qui passaient en ville pour voir si je l'apercevrais à l'écran.

Nous n'avions aucun moyen de vérifier si Chapeaux Dakota l'avait laissée à la frontière de l'État, comme il l'avait affirmé, préférant aiguiser son couteau sur moi, ou s'il avait réussi à lui trancher la gorge. Le supplice de l'incertitude me poussa à faire la foire une nuit à Walkerman's Creek. Je tombai sur quelques bonnes vieilles canailles du Sud profond et nous fîmes un raffut de tous les diables. Quand les voisins se plaignirent, nous transportâmes notre cirque sur la route. Les gars étaient des voyous notoires et l'un d'eux, Dupree, avait même un casier judiciaire. Je m'amusais beaucoup et ne ressentais plus aucun chagrin. Je fus donc doublement contrarié quand mes nouveaux amis me sautèrent dessus par derrière et me dévalisèrent de mes dernières cennes noires et de mes derniers dix sous.

— Qu'ont-ils pris d'autre ? m'interrompit soudain Franklin.

— Je n'avais rien d'autre à voler.

— Votre portefeuille ?

— Ouais, mais il n'y avait pas grand-chose dedans.

— Permis de conduire ?

— J'imagine. En réalité, je n'avais pas de vrai permis, juste un permis temporaire.

— Poursuivez.

Je me défendis et me défoulai de la colère accumulée au cours des derniers mois. Ce qui me valut un prix de consolation. Ils me rossèrent sans autre cérémonie. Me laissèrent croupir dans un fossé. Je ne m'étais jamais senti aussi mal en point ; chaque mouvement était douloureux. Je saignais, je vomissais, je pissais dans mes pantalons et appelais désespérément ma défunte mère au secours. J'étais vraiment à l'agonie. Isabelle me découvrit dans la matinée, conduite jusqu'à moi, affirma-t-elle, par un de ses chats. Je fus sensible à sa gentillesse. Elle me prit chez elle.

Faire l'amour avec elle n'était ni un art ni une science, ni fatigant ni reposant. Faire l'amour était un réflexe, une réaction aussi mécanique et immédiate qu'un éternuement. Entre autres préceptes occultes, elle souscrivait à la grande et mystérieuse croyance de notre temps : « Si ça te fait du bien, fais-le ! » Et nous le fîmes.

Longtemps avant que notre union se brise, j'avais appris que j'étais, dans la longue succession de ses zélotes, le plus récent converti. Issy collectionnait les garçons et les hébergeait dans sa cabane exactement comme elle ramassait les chats errants. Elle m'autorisait à rester tant que j'utilisais comme il faut la boîte de la litière et faisais poliment de la place aux autres animaux égarés.

Mes chants d'oiseau rendaient ses chats cinglés. Ils cherchaient la faille pour attaquer. Les chats m'apprirent comment faire pour dormir souvent et longtemps. Je restais paresseusement allongé toute la journée, ne remuant que pour manger, faire mes besoins et nos rapides et passionnées séances de coït. Cela ne semblait pas déranger Isabelle.

— Comment surviviez-vous, Kyle ? Vous a-t-elle gardé chez elle tout ce temps ? De quoi viviez-vous, tous les deux ?

Isabelle me lança en affaires. Elle m'expliqua son idée dans le doux abandon qui suivit une de nos revigorantes parties de trou-madame. La difficulté que j'avais à trouver des tympanons de qualité, fabriqués sur commande, était sans doute un problème généralisé. « L'économie repose sur les intermédiaires, professa-t-elle. Pourquoi ne pas servir de lien entre les fabricants locaux et les acheteurs disséminés dans tout le pays ? Tout ce qu'il te faut, c'est une brochure que tu distribues dans les magasins de musique. Et peut-être une annonce dans une revue de musique folk. Après, tu gères les commandes, tu sous-contractes le travail aux artisans qui te fabriquent l'instrument au meilleur prix, tu t'occupes de livrer la marchandise, et nous mangeons des fruits tout l'hiver. Sinon, ce sera du riz macrobiotique. Tu ne deviendras pas riche, mais tu te garderas en santé. Et tu m'auras. » Sans enjoliver les choses, c'est ainsi que je gagnai ma vie pendant quinze ans.

Un soir que je rentrai tard à la maison, je tombai sur Isabelle qui rebondissait sur le matelas avec deux gars, tous les deux plus jeunes que moi. Ils avaient promené leurs chiens sur son terrain et les bergers allemands étaient également dans le lit. La langue pendante, ils tournaient leur puritaine échine à la joyeuse séance de zizi-panpan. De considérables aboiements, les grognements rythmés des gars et les râles passionnés d'Issy saluèrent mon arrivée.

— Excusez-moi... Isabelle ? Je suis rentré.

Elle eut du mal à comprendre mes objections. Je restai discret, attention ! Je n'entrepris pas de lui expliquer pourquoi j'éprouvais une telle aversion pour les trios au lit, ni ce que cette scène déclenchait dans mon esprit. Je n'expliquai pas à Issy que je fus conçu dans des circonstances similaires. Nous resterions bons camarades, et certaines nuits de fête nous réuniraient comme amants, mais dès le lendemain je déménageai mes pénates et louai une cabane encore plus loin de la ville.

Par moments, l'absolue, permanente paresse de ma vie me harcelait et, une fois, je paniquai. Je réalisai que je n'étais plus sorti du lit depuis une quinzaine de jours, sauf pour me pointer le bout de la saucisse par la fenêtre et faire un petit pipi, ou pour m'ouvrir une boîte de Spam. Tout ce que j'absorbais me ressortait du corps en liquide. J'étais à l'agonie, littéralement. La benzédrine me fut utile. Les pilules me gardèrent éveillé et agité pendant des jours. Ma santé se délabra. Je sombrai dans la léthargie et l'inertie comme si je retournais au sanctuaire de la matrice maternelle. J'étais faible et somnolais la plupart du temps. Je suis certain d'avoir été, à certains moments, cliniquement mort.

F.D.R., ATTENTIF, but toute mon histoire comme du petit-lait, comme un père confesseur qui attend le péché le plus ignoble. Il finit par pousser un soupir et, du côté liberté des barreaux, se contorsionna le visage en une série de mimiques indéchiffrables, puis il se donna une tape sur les genoux et me demanda : « Et vous ne savez rien des os qui se trouvaient dans votre voiture ? »

— Je vous l'ai dit. Les squelettes sortaient de terre au Tennessee. C'est à Walkerman's Creek que les saints défilaient. Ils ressuscitaient sans la chair, juste le bruit des os. Je ne sais pas ce qui se passait, mais c'était une épidémie dans le comté de Monroe.

— Hmm. Je vois. Mon opinion a peu de valeur, Kyle, mais je vous crois. Et je crois que vous êtes celui que vous prétendez être.

Il ne serait possible à personne de s'inventer une existence aussi merdique. Je crois que vous êtes Kyle Laîné.

— Junior, ajoutai-je. Merci, Franklin D.

— Je ferai le nécessaire pour la caution.

— Et votre père ? lui rappelai-je.

— Voilà le véritable mystère. C'est ce que j'essaie d'éclaircir, dit-il, déroutant, avant de sortir sans me donner aucune raison d'avoir confiance.

HAZEL STAMP ÉTAIT LA SEULE de mes employées qui soit restée à l'auberge. Toutes les autres avaient sauté sur l'occasion pour la quitter vivantes et encaisser leur dû. Hazel avait cru bon d'annuler toutes les réservations et s'était arrangée pour que nos clients soient confortablement hébergés dans d'autres établissements.

— Vu la situation, je n'avais pas d'autre choix, dit-elle.

— Vous êtes une championne, Hazel.

La « situation » à laquelle elle faisait allusion était la probabilité que le nouveau propriétaire de l'*Auberge du péage* soit un aliéné, « un assassin dément », élabora-t-elle, avant de se laisser emporter par sa fougue et de proférer cette perle : « Un crocodile vorace qui se délecte de chair humaine. »

— Je vous demande pardon ?

— C'est écrit dans les journaux.

Les journalistes du Vermont savent comment condamner quelqu'un sans même mentionner son nom.

— Vous êtes courageuse de rester, dis-je, surtout avec un crocodile tapi dans la maison.

— C'est votre récompense, répondit-elle, énigmatique.

— Ma récompense de quoi ?

— Vous savez bien, dit-elle d'un air embarrassé.

— Rappelez-le moi.

— Pour m'avoir amenée sur le toit. Votre père ne me mêlait jamais à rien. J'avais envie de l'étrangler des fois. Quand il se passait quelque chose de vraiment intéressant, il me tenait à l'écart, eh oui ! Que pensez-vous que faisaient ces femmes ?

— Elles fabriquaient des bébés. Personne ne semble leur avoir jamais montré comment faire.

— Vous êtes sérieux ?

Remonté par l'atmosphère amicale et les murs sanctifiés, monacaux de l'*Auberge du péage*, je sentais que la maison, même source de nombreux problèmes, commençait à devenir mon chez moi. Un refuge.

— Quelle est l'étendue des dégâts, Hazel ? L'auberge est-elle finie ? demandai-je à ma gérante, après avoir retrouvé mon sérieux.

— Sainte sauce, non, répondit-elle tout de go. Localement, vous êtes mort. Peu importe ce que les tribunaux décideront. Mais personne, à Montréal ou à Boston, n'a entendu parler de tout ce gâchis. Aucun de vos clients ne vient de la région, soyez-en reconnaissant, ajouta-t-elle en frottant son poing fermé contre mon genou. Pas de souci à vous faire. Le temps passera et vous deviendrez une légende. Personne ne gardera de souvenir exact des faits. Vingt versions différentes de vos exploits circuleront à Stowe. Et les contes de fées sont une formidable publicité. Vous avez réussi le long terme. Je vous en donne ma parole. Foi d'Hazel.

Je montai dormir dans la suite mont Washington sous les étoiles. Cette nuit était peut-être ma dernière nuit de liberté et je voulais la passer dans le confort.

MA PRÉCÉDENTE EXPÉRIENCE des machinations de l'excentrique système judiciaire du Vermont m'avait mal préparé à ce qui m'attendait. La cour qui avait statué sur la mort de mère supérieure Gabriella s'était caractérisée par son caractère informel, rustique et bon enfant. Les conclusions du magistrat étaient décidées d'avance. Les règles du jeu étaient simples. Le procureur devait japper avec conviction, puis se rouler sur le dos et faire le mort quand le juge le lui commandait.

Les os étaient une toute autre histoire. Quelque chose d'ignoble. De malade. L'instruction avait changé de niveau.

F.D.R. me conduisit dans une salle de tribunal typique et ordinaire, équipée comme il se doit d'un drapeau, d'un banc de juge, d'une barre pour les témoins et de massives tables de chêne pour les procureurs et avocats. Le juge Thurman, un fossile aux cheveux blancs et aux yeux gris, mâchait, quand il s'ennuyait, son énorme et protubérante lèvre inférieure et s'essuyait la salive sur les manches de sa robe noire de magistrat. L'instruction avait toutes les caractéristiques d'un authentique procès, jury en moins, et le comportement des parties était, comme il convient, grave et correct.

La poursuite commença les délibérations en récitant la litanie des points incriminants qu'elle avait l'intention de prouver. Elle assura la cour que les dossiers médicaux identifieraient le squelette et que je serais reconnu coupable, non seulement de possession de restes humains, en soi un crime abominable, mais qu'elle présenterait suffisamment de preuves pour m'envoyer à mon procès pour meurtre.

Le procureur, un dénommé Norman Bowles, énergique et sinistre machine à emprisonner les gens, rappela à la cour la mort récente survenue, dans des circonstances inhabituelles, à l'*Auberge du péage,* et dit qu'il présenterait des faits suffisants pour rouvrir cette affaire aussi.

— Allons, F.D.R., on perd le contrôle, murmurai-je.

— Détendez-vous, Kyle. Laissez-le continuer à jacasser.

Bowles remit en question mon droit à la vie. De sérieux doutes subsistaient, affirma-t-il, quant à la véritable identité du prévenu, et cette question devait être abordée aussi.

Dans ses remarques préliminaires, énoncées avec familiarité et insouciance, mon avocat, mon représentant légal, le seul être humain, avais-je insisté, en qui je pouvais avoir confiance pour me défendre, déclara que j'étais aussi « innocent que le premier jour du printemps », que ma conduite était aussi irréprochable que « le pur incarnat d'une fleur de pommier » et que les charges retenues contre moi tomberaient « comme un champ de foin fraîchement fauché ». Je me penchai sur la table, la tête posée dans une main, avec l'impression de sentir cette herbe qui émouvait tant mon défenseur pousser, luxuriante, au-dessus de ma carcasse.

— Vous tenez le coup ? me demanda Franklin D. quand il reprit sa place.

— Plaidez la chambre à gaz, marchandai-je. Épargnez-moi la corde. J'y ai réfléchi. Je ne veux pas la chaise électrique non plus.

L'inspecteur Isaïe Snow fut la première personne appelée à la barre des témoins. Il décrivit comment il avait forcé le coffre de ma Mercury et découvert le trésor des ossements.

— Qu'avez-vous fait ensuite, inspecteur ? demanda Bowles.

— Nous avons fouillé le nouveau véhicule motorisé de l'inculpé ainsi que sa résidence. Nous avons découvert un os dans sa Cherokee Chief.

— Ensuite qu'avez-vous fait ?

— J'ai arrêté Kyle Laîné junior.

— Et, pendant son emprisonnement, avez-vous enquêté sur les antécédents de monsieur Laîné ?

— Oui, monsieur, effectivement.

Isaïe avait l'air d'avoir des problèmes avec sa femme. Des poches de fatigue lui pendaient sous les yeux et il s'exprimait d'une voix lasse, mécanique, sans sa faconde habituelle.

— Et l'inculpé a-t-il déjà été reconnu coupable d'un crime ?

— Non, monsieur.

— A-t-il déjà été accusé ?

— Non, monsieur.

— A-t-il déjà fait l'objet d'une enquête pour activité criminelle ?

Franklin D. s'objecta. Dieu merci, il était toujours vivant.

— Faire l'objet d'une enquête pour activité criminelle n'est pas criminel en soi, Votre Honneur. Nous sommes dans une cour de justice, pas au bureau central des rumeurs et des insinuations malveillantes.

J'étais ravi que F.D.R. réussisse à susciter des gloussements dans le public.

— Votre Honneur, argumenta le procureur, l'État souhaite préciser certains effets psychologiques de l'histoire personnelle de monsieur Laîné susceptibles de montrer qu'il aurait effectivement pu commettre un meurtre.

— Objection maintenue, déclara le juge Thurman. Reformulez, monsieur le procureur, et gardez à l'esprit qu'il s'agit ici d'une enquête préliminaire, et non d'un procès. Il nous faut déterminer l'étendue de la preuve contre monsieur Laîné, s'il y en a une, et non fouiller les subtilités psychologiques de son esprit.

— Oui, Votre Honneur. Merci.

Un vrai lèche-bottes, ce Bowles !

— Si l'inculpé s'avère être Kyle Laîné junior, poursuivit-il, et j'ai déjà indiqué à quel point son identité était hypothétique, peut-on dire, inspecteur Snow, qu'il a assassiné sa mère ?

Le brouhaha, les murmures et le silence se succédèrent dans la salle à une telle vitesse que le juge n'eut que le temps de repérer son marteau et de le lever. Il n'eut pas besoin d'en taper un coup pour rétablir l'ordre et, satisfait que la salle se soit disciplinée d'elle-même, attendit une objection venant de ma table. Franklin D. était endormi aux commandes, mais il consentit quand même à se lever.

— Objection, Votre Honneur, dit-il d'une voix lasse, désintéressée, comme s'il avait dépassé les limites de ses possibilités.

— Sur quelles bases, maître ?

— La poursuite ne peut affirmer deux choses contradictoires. Si le procureur de district adjoint ne croit pas que mon client soit Kyle Laîné junior, il ne peut pas, en même temps, présenter devant cette cour de preuves concernant le véritable monsieur Laîné.

— Cette audience est une instruction, pas un procès, Votre Honneur. Quelle que soit l'identité que revendique l'inculpé, la poursuite doit présenter des preuves pour l'amener en procès.

— Objection maintenue, décréta le juge.

Hé, nous gagnions ! Deux objections l'une après l'autre ! Mais le magistrat décida du même souffle : « Répondez à la question, inspecteur Snow. Jusqu'à ce que le défendeur souhaite le nier ou qu'une preuve du contraire soit apportée, nous devons présumer que c'est bien monsieur Kyle Laîné junior qui comparait devant nous. »

— La mère de Kyle Laîné junior a été étranglée et asphyxiée par un boa constrictor. Elle a aussi été atteinte de coups de couteau infligés par son fils, répondit Isaïe.

Et voilà ! Mon passé était livré en pâture, dans ses moindres détails, à la cruauté et à la curiosité du monde. Les scribes derrière mon dos scribouillaient furieusement. Cette fois, le juge Thurman frappa du marteau pour interrompre le chahut.

— L'enquête a conclu... tenta de continuer Snow.

— Ce sera tout, inspecteur, notifia Bowles qui, débordant de confiance, remercia le policier de son témoignage.

— Qu'a conclu l'enquête ? demanda mon terne et brave homme d'avocat.

— Que le garçon avait fait son possible pour secourir sa mère et tuer le serpent.

— Tout à fait juste, dit Franklin D. qui ajusta la veste de son costume et se leva.

Il sourit. Remua un papier sur sa table. Incapable de se départir de son invariable fascination pour tout ce qui concernait la nature, il posa à Snow une question sur la température.

— Quel temps faisait-il, inspecteur, le jour où vous avez découvert les os dans la Mercury.

Je soupirai.

— Un temps épouvantable, monsieur, répondit Snow. Il faisait très froid dans la montagne.

— Vous n'étiez donc pas sorti pour une petite balade digestive ?

— Je vous demande pardon, monsieur ?

Snow avait assurément des nuits d'insomnie. Il n'était pas perspicace. Remords de conscience ou douleurs dans le bas du dos ?

— Votre Honneur, objecta Bowles, ces questions n'ont aucune pertinence. La température n'a rien à voir avec notre affaire, pas plus que les activités de l'inspecteur Snow pendant ses moments de loisir.

— Objection retenue.

Le marteau du juge mit un terme aux rires dans la salle. Je me retournai pour voir qui riait et aperçus Chantelle. Elle n'était pas de ceux qui tâchaient de réprimer leurs fous rires. Les regards prudents, rapides qu'elle se permettait dans ma direction étaient vagues et ne se concentraient pas vraiment sur moi, le genre de regards obliques qu'une dame dans un bus lance à contrecœur à de potentiels importuns au comportement douteux. Après m'être retourné pour braver le public, je me sentis déborder d'une radieuse, irrépressible impatience de connaître la prochaine surprise que me réservait la vie. Chantelle était ici !

Le juge demanda à Franklin D. d'en venir au fait.

— Inspecteur Snow, qu'est-ce qui vous a conduit à cette voiture ? Pourquoi êtes-vous allé à l'*Auberge du péage* ? Avez-vous l'habitude de visiter vos voisins avec une torche à l'oxyacétylène ?

— Votre Honneur, s'écria le procureur en bondissant, le témoin devrait avoir le privilège de ne répondre qu'à une seule question à la fois.

— J'avais un mandat, monsieur, répondit Isaïe Snow sans attendre la directive du juge.

— Et comment se fait-il que vous ayez eu un mandat ? demanda Franklin.

— Nous... le service de police... nous avons eu la chance de recevoir un tuyau, monsieur, conclut Snow.

— Ah, je vois. Un tuyau ! dit F.D.R., réjoui d'en prendre acte.

Puis, sans crier gare, il s'assit. Sa nonchalance, son manque d'agressivité étaient incroyables. Je me dis que j'avais intérêt à me renseigner pour savoir si la pendaison était en vigueur ou non au Vermont.

Je me retournai une fois de plus pour étudier Chantelle. Je m'attendais plus ou moins à ce qu'elle soit partie. Ou l'espérait ?

Bon ! Cette question-là est un difficile casse-tête. Le seul fait de la voir anéantissait tous mes moyens de défense. Sa présence était une telle surprise que je n'étais pas préparé à l'effet déstabilisateur qu'elle avait sur moi. Assise, l'air guindée, elle était ostensiblement concentrée sur les débats, mais qu'elle soit venue seule, sans ses congénères, m'ouvrait tout un éventail d'espoirs et de possibilités.

— Vous voyez cette femme en tailleur gris perle ? confiai-je à mon avocat, au moment où le procureur se leva pour remplir le vide laissé par l'abrupte conclusion de F.D.R.

— Qu'a-t-elle ? demanda Franklin D.

— Inspecteur, questionna Bowles, qui vous a donné ce soi-disant tuyau ?

— Elle est une des sœurs, murmurai-je à F.D.R. Je pense que je suis amoureux d'elle. Vérifiez ça. Je *suis* amoureux d'elle.

Franklin D. se retourna plus posément pour examiner comme il faut Chantelle.

— Sans doute un témoin de la poursuite, évalua-t-il d'un air sibyllin.

— Soyez sérieux !

Soudain la chose me frappa. Chantelle ne pouvait être ici que pour me voir triompher de mes épreuves. Elle ne m'avait pas abandonné. Quand la cour déclarera mon innocence, elle sera à mes côtés pour m'aider à reprendre le dessus.

Isaïe Snow répondit mais, concentré sur Chantelle, je n'entendis pas ce qu'il disait. Son évidente fatigue l'amenait à parler plus bas. Je demandai à Franklin D. de répéter.

— Il a dit que la police du Tennessee lui avait donné le tuyau. Il a téléphoné parce que c'était votre dernière adresse connue.

— Quelle police du Tennessee ? Le seul policier qui me connaissait était totalement dérouté par les squelettes. Demandez-lui. Objectez. Faites *quelque chose*, F.D.R.

À part me tapoter le poignet et me conseiller une nouvelle fois de me détendre, mon avocat ne fit rien. Le procureur s'assit, le visage goguenard comme s'il avait avalé un oiseau moqueur, rota, et l'inspecteur Isaïe Snow quitta la barre.

— Vous m'avez convaincu, dis-je penché vers Ryder. Vous êtes incompétent. Je vous récuse.

— Attendons le jugement pour en décider. J'ai l'intuition que vous changerez d'avis.

J'aurais pu continuer à argumenter, sauf que le procureur choisit ce moment-là pour appeler mademoiselle Chantelle Clarissa Cromarty à la barre des témoins.

JE FUS LENT À PERCEVOIR l'étendue de sa trahison.

Quand je compris qu'elle était ici pour m'enfoncer, la virulence et la force de son animosité m'impressionna. Elle avait voyagé jusqu'à Burlington pour régurgiter d'un ton lourd de sous-entendus une de mes remarques anodines, pour répéter aux incrédules locaux que me défaire de ma Mercury avait été, pour moi, comme enterrer un vieil ami. L'avais-je blessée à ce point, quand j'avais épié, par le puits de lumière, la danse de sa communauté ?

Personne ne l'avait sollicitée. Chantelle avait spontanément offert ses informations. Elle avait téléphoné aux autorités et, de son plein gré, avec plaisir, avec enthousiasme ! avait raconté le souvenir qu'elle gardait de mes paroles, en s'assurant que même les inflexions de ma voix aient l'air compromettantes. Chantelle était venue témoigner contre moi. Voilà pourquoi elle n'osait pas me regarder dans les yeux.

Je désespérai.

Chantelle défendait son petit groupe. Elle me discréditait afin d'invalider tout ce que je risquais de divulguer sur les sœurs. J'étais perplexe qu'elle ait tant tardé à s'en tracasser. Mais une chose était certaine : elle devait, pour salir mon nom avec une telle aisance et une telle générosité, être absolument convaincue de ma culpabilité.

Le procureur revint jubilant de son bref conciliabule avec Chantelle. Je m'effondrai dans ma chaise, en état de choc, car je sentais le nœud coulant se resserrer. Mais non, je n'irais pas à la potence. Je serais transféré dans une prison où je pourrais jusqu'à l'épuisement de mes jours. Voilà qui était réel, une vraie possibilité. Il ne m'était plus permis de plaisanter.

F.D.R. se leva et y alla de son habituel sourire figé et de tout son répertoire de gestes. Avant que le marteau ne s'abatte, il semblait disposé à ne bavarder que du bon vieux temps avec Chantelle. Il se contenta de sourire au juge et demanda au témoin : « Ma Toyota est couverte de rouille et l'embrayage patine. Elle fait plus de bruit qu'un char d'assaut. Si je la balançais, mademoiselle Cromarty, cela ferait-il de moi, à vos yeux, un assassin ? »

Monsieur Bowles s'objecta. Le juge soutint son point de vue et pria F.D.R. de poser des questions pertinentes à l'enquête. Les yeux de Chantelle croisèrent les miens, l'espace d'un instant, et Franklin D. promit de reformuler sa question.

— Qu'arriverait-il si j'essayais de revendre mon antique Toyota ?

Ce qui suscita une autre tempête de protestations et une autre réprimande. F.D.R. se comporta comme s'il cessait, cette fois, de plaisanter et, baissant soudain le dos, preuve qu'il prenait ces critiques à cœur et en était contrit, il demanda à Chantelle :

«Étiez-vous consciente que monsieur Laîné avait hérité d'un vé-hicule relativement neuf, la Cherokee Chief de son père ?»

— Oui, admit-elle. J'assistais à la lecture du testament, si vous vous le rappelez, maître Ryder.

— Je me le rappelle effectivement. Comment décririez-vous l'état de la Mercury que monsieur Laîné a envoyée par-dessus la falaise ?

La voix de Chantelle était à peine audible dans la vaste salle, ce qui obligeait tout le monde à se taire et à tendre l'oreille.

— Elle était très vieille.

— Oui !

— Rouillée.

— Oui !

Les tonitruantes affirmations de F.D.R. avaient l'air de points d'exclamations oraux.

— Un peu cabossée.

— Oui !

— Très fatiguée.

— Serait-ce exagéré, mademoiselle Cromarty, de décrire la voiture de monsieur Laîné comme une épave ?

— Non, murmura Chantelle.

— Merci, mademoiselle Cromarty. J'aimerais ajouter que j'ai été ravi de vous revoir.

F.D.R. revint s'asseoir près de moi.

— Son témoignage ne nous était pas très préjudiciable, me dit-il. Je ne vois pas pourquoi Bowles s'est mis dans tous ses états.

— Il n'a sans doute pas pu la contrôler, dis-je.

Franklin D. n'avait pas idée à quel point il se trompait. Le témoignage de Chantelle était peut-être sans conséquence et elle était peut-être restée maître de la situation, mais je saignais à l'intérieur de moi.

L'omniprésent docteur Lewis Tanner fut appelé à la barre et prêta serment. Pendant que Bowles posait les questions de routine pour établir l'identité du témoin, je tournai la tête pour regarder Chantelle qui sortait du prétoire. C'était démoralisant. Elle ne se retourna même pas. Elle me comptait au nombre de ses ennemis. J'étais sacrifié. Mais pourquoi, Chantelle ? Pourquoi te donner cette peine ? Je jure que je ne comprenais rien à cette femme et ne devinais aucun de ses mobiles.

Je fixai la porte qui s'était refermée sur elle, espérant qu'elle réapparaîtrait dans la salle, mais elle ne réapparut pas. Conclusion : elle ne se souciait même pas du verdict.

J'entendis le docteur Tanner parler et réfléchis à ce qu'il m'avait confié. Chantelle et les autres avaient tué mon père. Avaient-elles contribué à la mort de Gaby aussi ? Étais-je tombé amoureux d'un monstre ? Les os dans ma voiture étaient-ils le fait de Chantelle ? Participaient-ils de quelque macabre cérémonie ? Une des sœurs m'avait-elle vu les enlever et avait-elle décidé de les replacer dans la Mercury ? Puis je me rendis compte à quel point j'accusais facilement Chantelle. Aussi facilement qu'elle avait été prompte à me compromettre.

Une question de Bowles me tira brusquement de mes pensées et suscita toute mon attention.

— Docteur Tanner, après toutes vos investigations scientifiques et l'accumulation des données que vous nous avez détaillées avec une telle précision, que concluez-vous de l'identité de la personne dont nous avons retrouvé le squelette ?

Je voulais connaître la réponse aussi. Tanner parla d'une voix assurée, en choisissant soigneusement ses mots. Je fus content de constater que son rhume était guéri.

— Les dossiers médicaux et dentaires sont concluants. Les

preuves concomitantes, telles la taille et l'âge du squelette, ne sont pas contradictoires. Ces os sont les restes d'une certaine Cindy Anne Bottomley, anciennement de Montréal, Canada.

Bowles se plaça devant moi.

— Les os trouvés dans le coffre de ce monsieur, dit-il à la cour en pointant un doigt accusateur vers moi, sont ceux de la petite amie que Kyle Laîné junior a eu dans son enfance.

Trop tard pour que F.D.R. s'objecte. Le tort était fait. Et j'étais trop bouleversé pour démentir.

5

FRANKLIN D. S'OCCUPA DE MOI comme d'un veuf récent. Il m'amena luncher. Au *Jack's Restaurant*, je consentis d'un hochement de tête indifférent à son choix du spécial du jour, spaghetti boulettes de viande. Nous fûmes rapidement servis et, entre deux mastications, F.D.R. chassait les journalistes et les curieux. J'avalai quelques bouchées et bus un demi-verre de coke avant de retrouver ma voix et son registre habituel.

— Étiez-vous au courant, F.D. ?

— Au courant de quoi ? demanda-t-il en se polissant vigoureusement les lèvres avec une serviette de papier.

— De quoi ! De Cindy, de quoi ! Pourquoi êtes-vous aussi obtus ?

F.D.R. daigna me regarder et la compassion évidente dans ses yeux me mit dans l'embarras.

— Oui, admit-il.

Le couteau dans une main, la fourchette dans l'autre, les deux couverts dégoulinant d'une sauce épicée, je le regardai fixement.

— Espèce de fumier. Vous auriez pu m'avertir au moins ! J'avais le droit de savoir !

— En réalité, j'aurais été peu avisé de vous avertir, répondit Franklin D. Je voulais que la cour se rende compte de votre surprise, du choc authentique que la nouvelle a suscité chez vous. Le juge l'a remarqué, soit dit en passant, et Bowles aussi. Moi aussi d'ailleurs. Je suis désolé, Kyle, mais nous sommes au cœur de la question, et ce n'est pas le moment de mettre des gants blancs. Il était crucial que l'expression de votre visage reflète le fait que le procureur vous disait quelque chose que vous ne saviez pas déjà.

Je me recalai dans mon siège pour digérer cet argument. Mon avocat possédait peut-être un cerveau après tout.

— Voilà la première chose intelligente que vous dites de la journée.

— Merci.

Pendant que nous revenions à pied au tribunal, je lui demandai s'il savait ce qui risquait de se passer pendant l'après-midi.

— Ou bien faut-il que ce soit un nouveau choc pour moi ?

— Bowles essaiera de prouver que vous n'existez pas, répondit Ryder, étonnamment bien informé. Il devra sortir des lapins de son chapeau pour y parvenir, parce que Thurman s'est déjà fait son idée. Il n'accueillera pas favorablement un raisonnement du genre.

— Je ne saisis pas.

— Bowles veut vous piéger d'un côté comme de l'autre. Il veut prouver que si vous êtes Kyle Laîné, vous êtes coupable, étant donné l'assassinat sauvage de votre mère et votre dévotion perverse pour les os de votre petite amie. Je m'excuse, ce n'était pas très gentil. Si vous n'êtes pas Kyle Laîné, alors il alléguera que vous l'avez tué aussi.

— Tué qui ?

— Vous. Que vous vous êtes tué vous-même, si je puis m'exprimer ainsi. C'est son travail de vous dénigrer, alors tenez le coup. Essayez de ne pas vous vexer et faites-moi confiance.

Ryder avait visé juste concernant la stratégie de Bowles. Pour démontrer que j'étais un imposteur, le procureur de district adjoint appela le père de F.D.R. à la barre des témoins et le vieil homme entra en traînant la patte et en brandissant sa canne. Les yeux du public dans la salle de tribunal, à l'instar de ceux du procureur, examinèrent le vieux Ryder, puis son fils, puis de nouveau le vieux. Mon avocat gonfla une de ses joues, puis creva la bulle d'un petit coup d'index.

Le juge Thurman fit d'obséquieuses salutations au vieux guerrier de l'appareil judiciaire et Bowles, avec un petit sourire ostentatoire et narquois à l'intention de F.D.R., commença son interrogatoire.

— Monsieur Théodore Ryder, quelle est votre profession, monsieur ?

— Je suis avocat à la retraite.

— En votre qualité d'avocat, avez-vous eu comme client feu monsieur Kyle Laîné senior ?

— Oui.

— Et en votre qualité d'avoué de feu monsieur Laîné senior, avez-vous eu l'occasion de rencontrer son fils ?

— Une fois, annonça le juriste patriarche.

Je me concentrai. Je savais, sans l'ombre d'un doute, que je n'avais jamais vu le vieux Ryder avant la semaine dernière.

— Quand, monsieur ?

— En soixante-dix. J'ai pris la peine de vérifier dans mes dossiers.

— Et dans quelles circonstances ?

— Une amie de monsieur Laîné, une certaine Emma Saint-Paul, lui avait appris que sa femme, dont il était divorcé et qui était la mère de son fils, était décédée. Des témoins ont déjà fait allusion, devant cette cour, aux circonstances bizarres de cette mort. Après qu'il fut légalement établi que son fils n'était en rien responsable, monsieur Laîné senior souhaita poser ce qu'il appelait « un geste de restitution ». Mais il y avait un problème. Le garçon avait quitté la maison. Apparemment, pour le Tennessee, selon mademoiselle Saint-Paul, en compagnie de sa petite amie. J'envoyai des télégrammes dans les comtés où il était plausible qu'il apparaisse, expliquant la situation et offrant une récompense pour toute information qui permettrait de le retracer. C'est après cette démarche que nous parvînmes à localiser le garçon.

« Le jeune Laîné se présenta à mon cabinet. Je me souviens très bien de lui. Pas un bonhomme très sympathique. Il refusa de rencontrer son père et le vieux Laîné n'insista pas. Il semblait comprendre les sentiments de son fils. De toute façon, pour le motiver à venir, nous lui avions laissé le choix de ne pas rencontrer son père. Le jeune accepta notre proposition, mais accepta aussi le cadeau de cinquante mille dollars de monsieur Laîné senior. »

Quelqu'un dans la salle siffla. F.D.R. ne cessait de me jeter des coups d'œil furtifs pour évaluer mes réactions. Je ne pouvais m'empêcher d'avoir l'air déconcerté.

— Il est évident que beaucoup de temps s'est écoulé, mais voyez-vous ce garçon dans la salle d'audience aujourd'hui ? demanda le procureur.

— Non. Il n'est pas là, répondit le cher petit papa de Franklin D., penché et appuyé sur sa canne.

— Monsieur Ryder, je vous en prie, insista Bowles qui feignit la surprise, regardez attentivement l'inculpé. Cet homme est-il Kyle Troy Laîné junior ?

— Non, monsieur, ce n'est pas lui, dit le vieil homme d'un air méprisant, avant d'ajouter, pour enjoliver sa version et enfoncer le couteau plus profondément dans la plaie : Je ne connais pas l'identité de l'individu que mon fils pense défendre, mais ce n'est pas Kyle Troy Laîné junior.

Bowles s'assit. Un terrible silence régnait dans la salle, comme si tout le monde pleurait ma mort. F.D.R. se leva.

— Bonne après-midi, père. Comment allez-vous ? demanda-t-il en guise de pitoyable entrée en matière.

— Seigneur, Franklin, viens-en au fait !

— D'accord. Merci du conseil. J'y viens.

De petits rires sots éclatèrent dans notre dos.

— Dites-moi, père, quand vous avez rencontré Kyle Laîné junior en 1970 et que vous lui avez donné un chèque de cinquante mille dollars, quelles pièces d'identité lui avez-vous demandées ?

Le vieil homme fouilla dans sa mémoire et en ressortit un air de surprise mâtiné d'une bonne dose de hargne. C'était de son père que Franklin D. avait hérité cet art de la mimique qu'il ne cessait de perfectionner.

— Bien, je ne sais pas. Cela fait plus de quinze ans. Je ne me souviens pas.

— Je me rappelle, père, que vous m'avez toujours enseigné que la phrase : « Je ne me souviens pas » voulait dire en fait : « Je ne vous le dis pas et vous ne serez pas capable de me forcer à vous le dire ». Je relève votre défi, père. Je vous rafraîchirai la mémoire du mieux que je peux. Vous lui avez demandé son permis de conduire, peut-être ?

Le public, qui adorait le numéro de mon avocat, s'agitait. Pour la première fois, le plus jeune des deux Ryder manifestait une certaine jugeote et avait l'air déterminé à combattre l'autorité de son père. Le Ryder senior se gratta le menton. Cette confrontation père-fils me fascinait.

— À vrai dire, non, Franklin D. Il était très jeune et n'avait pas de permis. Non... attends. Je me trompe. Un trou de mémoire à mettre sur le compte de mon grand âge. Je crois qu'il avait un permis temporaire.

— Excellent, père ! Votre mémoire est assez fidèle pour que vous vous rappeliez ce détail. Et avait-il un numéro de sécurité sociale ? Au Canada, cela porte un autre nom, je crois, mais avez-vous vu quelque chose du genre ?

Les têtes des spectateurs, comme filmés au ralenti pendant un match de tennis, suivaient F.D.R. qui faisait à présent les cent pas. Le témoin, cette fois, se gratta le nez.

— Comme je l'ai dit, je ne me souviens pas exactement, mais je crois qu'il était trop jeune aussi pour en avoir un. Il n'avait jamais travaillé. J'aimerais vraiment que tu en viennes au fait, Franklin D. Tes questions sont inutiles.

— Quelle pièce d'identité avez-vous donc demandée, père ? J'admets comme tout le monde ici que vous êtes âgé et moins éveillé que vous l'avez peut-être déjà été, mais s'il vous plaît, faites votre possible. Après tout, vous devez avoir le sens du détail si vous êtes capable de faire la différence entre un permis temporaire et un permis de conduire permanent.

— Objection, Votre Honneur. La défense harcèle le témoin, intervint un Norman Bowles amusé.

Le public s'esclaffa de bon cœur. Même le juge Thurman souriait quand il mit terme, d'un coup de marteau, à l'explosion de rires.

— La défense se rappellera le Commandement : « Père et mère honoreras. »

— Oui, Votre Honneur.

Le père de F.D.R., objet de l'hilarité générale, bouillonnait de colère. Pas surprenant. Moi-même, j'étais sidéré. La pression sanguine et la fureur du vieil homme augmentaient. Son cou rougissait de plus en plus. Ses yeux étincelaient. F.D.R. se ferait chauffer les oreilles de retour à la maison, mais pour l'instant son père était obligé de répondre à sa question.

— Il y avait, oui, je me souviens maintenant, une pièce d'identité, oui. Es-tu satisfait ?

— Pas du tout. Quelle pièce d'identité ?

Le gentleman, énervé, souffla une bouffée d'air.

— Si je me souviens bien, et cela fait plus de quinze ans, répéta-t-il, c'était une carte d'étudiant. Une carte émise par une école. Son adresse à Montréal était indiquée au verso et elle correspondait. Oh ! Je me rappelle ! Il avait aussi une photo de sa mère sur lui.

— Une photo de sa mère !

J'étais abasourdi.

— Je l'ai montrée à Laîné senior, protesta Théo Ryder. Pour qu'il l'authentifie.

— Une photo de sa mère ? Et sur cette carte d'étudiant il n'y avait pas de photo du garçon ? demanda F.D.R. qui avait miraculeusement changé de ton et parlait maintenant comme s'il s'adressait à un vieillard sénile.

— Pas que je me souvienne, mais il y avait sa signature.

— Ti-gui-dou !

— Qu'est-ce que ça veut dire « ti-gui-dou » ?

Derrière moi, les gens se tordaient de rire. À la périphérie de ma vision, Hazel Stamp, pliée en deux, se serrait les côtes.

— Benny, permettras-tu que ces divagations se poursuivent encore longtemps dans ton tribunal ?

— Objection, Votre Honneur, cria Bowles depuis son siège. Je ne vois pas la pertinence de ce genre de questions.

345

— Il est à peu près temps que tu t'exprimes, le houspilla le vieux Théo Ryder.

Le marteau de Benny retentit haut et juste. Le calme se rétablit.

— Objection rejetée, dit laconiquement le juge.

F.D.R., un doigt pointé droit dans le visage de son majestueux vieux père, cria «Père !» si fort que le juge, moi-même et la majorité des curieux firent un bond sur leur siège. « Vous avez donné cinquante mille dollars à un garçon qui ne possédait aucune pièce d'identité concluante. Ne vous est-il jamais venu à l'idée que le vrai Kyle Troy Laîné junior, dit-il en pointant maintenant le doigt vers moi, aurait pu faire la noce un soir dans un bar, un bar qui fermait les yeux sur la présence de mineurs, qu'il aurait pu se soûler pour oublier la disparition de sa petite amie, sans mentionner la perte récente de sa mère bien-aimée, que ses nouveaux amis du Tennessee auraient pu l'amener faire un tour d'auto, que, seul et loin de sa maison, ils auraient pu le battre, le voler et le laisser pour mort dans un fossé ? Cela dépasse-t-il le champ du possible que ce vol était un coup monté, une machination délibérée pour lui voler ses papiers d'identité ? » F.D.R. criait maintenant plus fort que les objections répétées de Bowles et les frénétiques coups de marteau de Thurman. «Ne vous est-il jamais venu à l'idée, père, que vous aviez informé la moitié d'un État qu'un gros héritage attendait n'importe quel individu qui se *prétendrait* Kyle Troy Laîné ? Ne vous est-il jamais venu à l'idée que le jeune qui se présentait à vous était peut-être un *imposteur ?* »

— Comment un imposteur aurait-il su qu'il devait venir me voir ? rétorqua Théo avec une égale hostilité.

Toute sa vie Franklin D. avait déçu son père et ces déceptions alimentaient la vindicte du vieil homme. L'altercation entre l'avocat et le témoin était en réalité l'orageux reflet de leurs relations, avec tous les griefs anciens et mutuels qui refaisaient surface.

— Qui vous l'a envoyé ? mugit Franklin D.

Le juge Thurman avait décidé de les laisser vider leur querelle. Théo s'humidifia les lèvres avant de répondre.

— Un policier, dit-il. Son nom... je l'ai sur le bout de la langue... Je le connais... McGrath ! Un shériff.

J'avais assisté à l'empoignade de Franklin et de son père, médusé et suspendu à leurs lèvres, mais l'abrupte mention du nom d'un personnage de mon passé me cloua sur place aussi sûrement qu'une balle projetée dans la zone des prises par le lancer puissant d'un quatrième frappeur.

— McGrath, répéta Théo, d'une voix presque triomphale, alors que son fils s'éloignait avec raideur de la barre des témoins. Qu'en dis-tu de ma mémoire de vieil homme, hmm ?

Franklin D. ne sourit pas du ravissement de son père, mais choisit plutôt d'exprimer son sentiment par un seul mot.

— Minable.

— Je te demande pardon ? demanda Théo, stupéfait.

Il avait perdu son air fanfaron. Sa question ressemblait plus à un gémissement.

— Votre pratique du droit, père, était minable.

— Espèce de petit...

Le rugissement de Théo lui resta dans la gorge. Le vieil homme n'était pas habitué à se défendre et le vocabulaire approprié lui manquait.

Le brouhaha du bon peuple dans la salle était de plus en plus fort. *Bang ! Bang ! Bang !* cria le marteau, fort affairé, du juge. « Silence ! Silence ! » hurla-t-il lui-même.

— J'en ai terminé du témoin, annonça Franklin D.

Il tourna le dos à son père et revint vers notre table. Le prétoire, plongé dans le silence, observa le vieux Ryder qui, renfrogné, retournait d'un pas chancelant à sa place sans un regard à son fils.

Norman Bowles se leva et me regarda droit dans les yeux peut-être pour la première fois. Comme s'il voulait me voir me tortiller.

— L'État appelle le shériff Evereth McGrath.

TOUS LES FANTÔMES de mon passé paraderaient-ils dans cette salle ? McGrath était bien le dernier que je m'attendais à voir, et certainement pas quelqu'un dont la vue m'enchantait. Il s'avança vers la barre des témoins d'un pas nonchalant, vêtu de son uniforme kaki. C'était la première fois que je voyais sa cravate nouée comme il faut. Il me fit un clin d'œil en passant devant ma table.

Le shériff, après avoir prêté serment, s'installa confortablement sur sa chaise, avec son chapeau de patrouilleur de police sur ses genoux croisés.

— Merci d'être venu, shériff. Vous êtes loin de chez vous.

— Heureux d'être arrivé à temps.

— Nous espérions que vous nous aideriez. Nous sommes embarrassés concernant l'identité de l'inculpé.

— Qui, Kyle ? Kyle Laîné, c'est lui.

— Merci pour cela, marmonnai-je à F.D.R.

— Il y a quinze ans, shériff...

— Objection, nota Franklin D. Nous avons cédé assez longtemps à la manie de la poursuite de retourner toujours quinze ans en arrière ? N'y aurait-il pas moyen de garder cette audience dans la réalité présente ? Mon client n'a nul besoin que chaque parcelle de son passé soit déterrée.

— Votre Honneur, l'État aimerait clarifier la question de l'identité, avant de passer à une autre série de questions.

— Je partage l'impatience de l'avocat de la défense. Je vous en prie, monsieur Bowles, venez-en au fait.

— Avez-vous, shériff, il y a quinze ans, envoyé un jeune homme au Vermont pour qu'il reçoive de son père une somme de cinquante mille dollars ?

— Non.

— Vous ne l'avez pas envoyé ?

— Non. Je ne sais pas de quoi vous parlez. Mais une chose est sûre. Kyle Laîné n'a jamais possédé cinquante mille dollars.

Bowles, de toute évidence, n'avait pas eu l'occasion de s'entretenir longtemps avec son témoin avant l'audience, mais la réponse du shériff ne sembla pas le déranger outre mesure. Le procureur avait d'autres questions plus pertinentes à examiner.

— Quand nous vous avons contacté pour l'affaire qui nous occupe aujourd'hui, shériff, quelle a été votre réaction ?

— J'étais ravi. Je recherchais Kyle moi-même.

— Depuis quand ?

— Depuis le début avril environ. Le moment où il a pris la fuite. Nous avons eu une petite chasse à l'homme, lui et moi, mais, j'ai honte de le dire, il m'a filé entre les doigts.

— Pourquoi le poursuiviez-vous ?

— Je voulais regarder dans son coffre.

— Que vous attendiez-vous à y trouver ?

— Des os. Un squelette. Un informateur m'avait dit qu'un squelette avait été déposé dans son coffre. Je voulais vérifier. Vous voyez, on a un vrai problème chez nous. Des os qui se pointent un peu partout. Parfois dans les arbres. Sur une balançoire au parc d'attractions. Dans la sécheuse de la buanderie. Dix-sept jusqu'ici.

— Et vous soupçonniez Kyle Laîné d'en être le responsable ?

— Monsieur, j'ai soupçonné tout le monde. Je vous aurais soupçonné si je vous avais vu le portrait. Une affaire comme celle-là, vous remueriez ciel et terre pour la résoudre, si vous voyez ce que je veux dire ?

— Mais vous soupçonniez que Kyle Laîné, l'homme qui est assis là-bas, *pouvait* avoir un lien avec ces événements ? demanda Bowles en se frottant l'arrière du cou.

— Eh bien, concéda McGrath dont j'appréciais les réticences, j'ai effectivement dressé un barrage routier pour inspecter sa voiture. Mais il a réussi à m'échapper.

— Et quand l'inspecteur Snow vous a téléphoné pour avoir des renseignements, vous l'avez avisé de vérifier le coffre de la Mercury de Kyle Laîné ?

— Je n'étais pas en ville quand il a téléphoné. Mais ouais, quand j'ai pu lui parler, c'est ce que je lui ai suggéré.

— Pas d'autres questions pour le moment, Votre Honneur.

Franklin D., plus agile, plus confiant que d'habitude, bondit sur ses pieds à la vitesse de l'éclair.

— Shériff McGrath ! Vous êtes une légende ! Je suis ravi de vous rencontrer.

— Je ne suis pas au courant de cette affaire de légende.

— Oh, mais vous êtes une légende. N'avez-vous pas résolu une affaire majeure il y a quinze ans ? N'avez-vous pas, dans le cadre de vos fonctions, abattu un tueur en série ? N'avez-vous pas sauvé juste à temps la vie de Kyle Laîné ?

— J'imagine que oui.

— Et maintenant vous avez de nouveaux problèmes chez vous, d'après ce que nous avons entendu.

— Croyez-en ma parole. De maudits problèmes, ces os !

— Pensez-vous que les deux affaires aient un lien ?

— Sais pas. Avant, elles n'en avaient pas. J'ai entendu le médecin dire qu'un des squelettes était celui de la petite amie de Kyle. C'est la première piste que nous avons dans cette affaire.

— Comment ça ?

— La petite amie de Kyle a disparu dans le temps. C'est la première nouvelle que j'entends d'elle depuis.

— Pensez-vous que Kyle Laîné soit de quelque façon responsable de vos problèmes actuels, shériff ?

— Non. Il sait peut-être quelque chose. On aurait aimé lui parler au Tennessee. Mais je ne pense pas que ce soit lui.

— Pourquoi pas ?

— Parce que le problème ne s'est pas arrêté quand il a quitté l'État. Il y a huit jours, nous avons trouvé un squelette dans la boutique du coiffeur, comme s'il voulait se faire couper la barbe et les cheveux. Où était-il il y a huit jours ?

— Kyle ? Il était en prison à Burlington et s'occupait de ses propres affaires.

— Je me suis dit que Kyle serait peut-être nerveux s'il trouvait les os dans son coffre. Après avoir foutu le camp. Je voulais le contacter pour lui laisser savoir qu'il était innocenté.

— En d'autres termes, monsieur McGrath, vous considérez que mon client est une victime des problèmes que vous avez au Tennessee et qu'il n'est pas l'auteur de ces crimes.

— Cela ressemble à peu près à ça.

J'avais du mal à croire à quel point les choses allaient bien. McGrath me sauvait encore une fois la peau.

— Pourquoi pensez-vous que Kyle a apporté les os au Vermont, shériff, et ne vous les a pas remis, à vous ?

— Il ne savait peut-être pas qu'ils étaient dans son coffre, dit

351

McGrath en haussant les épaules. Ou il avait peut-être peur de moi. Je sais que je lui ai sauvé la vie, mais il n'a jamais semblé particulièrement reconnaissant. Nous ne coopérions pas. Comme il n'a jamais troublé l'ordre, je ne lui ai jamais voulu de mal.

— Donc tout cela a été un énorme malentendu, résuma Franklin D.

— Je le pense.

— Merci pour le témoin, dit F.D.R. à son adversaire en pivotant sur ses talons.

Bowles attendit que le shériff se rasseye avant de se lever de nouveau.

— Cela clos la preuve de l'État, Votre Honneur, dit-il.

— Je demande le non-lieu, Votre Honneur, lança Ryder bondissant sur ses pieds. L'État n'a réussi à produire que des preuves circonstancielles ou aisément contredites. Il n'existe aucune preuve pour citer mon client à procès.

— Votre Honneur, riposta Bowles, mais je voyais qu'il était K.O., le squelette est couvert d'empreintes digitales de cet individu !

— Mon client a été *victime* d'une farce macabre. Une victime parmi de nombreuses autres victimes. Quand il a découvert les os, il les a mis dans un sac à ordures et s'en est débarrassé en même temps que sa voiture. Il a peut-être été négligent dans cette affaire, mais les circonstances étaient hautement inhabituelles. Il a fait son possible.

— Il ne s'est pas débarrassé de tous les os, Votre Honneur. Il en a gardé un, celui que nous avons trouvé dans sa Cherokee Chief.

— Un accident ! Il a profité de la discrétion de la nuit pour disposer du squelette. Un os est tombé. En attendant d'avoir l'occasion de s'en occuper plus tard, il l'a jeté dans sa Cherokee. Des preuves, Votre Honneur, il n'y a pas de preuves.

Les deux hommes attendirent debout la décision de Thurman.

— Comme vous en êtes conscient, monsieur Bowles, le fardeau de la preuve, dans un procès et dans une instance comme celle-ci, repose sur l'État. Vous n'avez pas réussi à porter ce fardeau. Il me semble que monsieur Laîné s'est sciemment et illégalement trouvé en possession de restes humains. C'est tout ce qu'il y a comme preuve. Le délit est sérieux, mais j'ai le sentiment que monsieur Laîné serait disposé à plaider coupable à une telle accusation et à payer l'amende requise.

— Il l'est, Votre Honneur, dit Ryder en mon nom.

— Quant à vous, monsieur Bowles, vous avez le privilège d'engager une poursuite en ce sens. Vous ne pouvez cependant, à ce stade, introduire d'autres accusations, dont le crime grave de meurtre, et vous ne pourrez les introduire sans soumettre de nouvelles preuves à une autre instance de même nature que celle-ci. Je déclare cette audience close.

Les paroles du juge Ben Thurman et son violent coup de marteau me furent aussi doux et éthérés que le chant du viréo. Je donnai une tape dans le dos de mon défenseur.

— Vous avez su vous y prendre ! Vous êtes devenu votre propre maître aujourd'hui, Franklin D. !

— J'espère que ça en vaut la peine, Kyle, dit-il avec un grand sourire qui traduisait sa joie et une poussée d'adrénaline. Je viens sans doute de me déshériter. Mon père me biffera de son testament.

— Pas grave. D'après mon expérience, les testaments sont des épées à double tranchant. De toute façon, vous n'en aurez pas besoin. Pas avec le brillant avenir de criminaliste qui vous attend.

Il rayonnait. Ses yeux débordaient d'excitation et il me donna un coup de poing d'un air complice. Je le regardai fixement.

— Mon Dieu, c'est vraiment ce que vous voulez faire !

— Finis les divorces. Au diable les contrats. Terminées les planifications successorales. À partir de maintenant, je ne défends plus que les déchets de l'humanité.

F.D.R. n'avait pas besoin de se tracasser pour le testament de son père. Agressif et toujours fulminant, Théo ne put s'empêcher de jeter un regard brillant d'admiration à son fils. J'aime penser que c'est ainsi que j'aurais cheminé avec mon père. L'animosité, les blessures ne se seraient peut-être jamais cicatrisées mais, dans mes fantasmes, je nous voyais devenir des amis, prendre acte, tous les deux solidaires, de nos erreurs et de nos récriminations, continuant de nous battre, liés l'un à l'autre moins par le sang que par un amour partagé.

J'acceptai les félicitations de nombreuses personnes, un baiser d'Hazel et une vigoureuse poignée de main d'Isaïe Snow.

— Cela vous rentre-t-il dans la tête ? demanda F.D.R., ramassant ses papiers, quand nous eûmes une autre minute à nous. Vous êtes libre, Kyle. Nous avons gagné.

— C'est peut-être ce qui m'ennuie, dis-je.

— Que voulez-vous dire ?

La salle du tribunal était vide maintenant. Quelques reporters traînaient dans le hall et attendaient que je sorte.

— Il a joué la comédie, Franklin.

— Qui ?

— Depuis que nous nous connaissons, McGrath a toujours essayé de me clouer au pilori. Pourquoi aurait-il changé de sentiments ?

— Il est fidèle à lui-même, Kyle. Vous savez, il m'a téléphoné il y a deux jours. Il était obligé, bien sûr. J'avais le droit de cuisiner les témoins de l'État. Mais il s'est montré plus que coopératif. Il m'a laissé entendre que Bowles n'avait rien compris de ce qui se passait.

— Cela ne résout rien pour moi. Au contraire, cela complique les choses. J'étais où il a toujours voulu m'amener. Pourquoi, diable, m'a-t-il laissé m'en tirer ?

Je remarquai soudain que F.D.R. s'était tourné vers moi, l'air grave et solennel.

— Vous n'avez donc pas saisi, Kyle ? m'expliqua-t-il. McGrath ne vous a pas sauvé la peau, il protégeait la sienne. Il a volé l'argent de votre père. C'était lui. Il était votre pire ennemi. Un ennemi plus dangereux que vous ne l'avez jamais réalisé. Et, qui sait ? Il l'est peut-être encore.

McGrath ?

QUART LIVRE

Un Kinkajou à Hackensack

1

APRÈS MES DÉMÊLÉS JUDICIAIRES, j'écrivis des lettres pleines d'amertume et de fiel. Mon irrépressible désir de clarifier les choses me poussait, dans mes épistoles, à sermonner Chantelle pour son témoignage, à vilipender son plus grand défaut, cette propension, par simple prudence, à mettre en péril l'amour. Je postais mes accusations passionnées tout droit à la corbeille et, chaque matin, Hazel incinérait les épanchements de mon cœur dans le dépotoir à l'extérieur de l'auberge.

Les jours passaient. Le non-lieu du tribunal aurait dû me plonger dans l'euphorie et me donner le vertige, mais j'étais désespéré. La trahison de Chantelle me l'avait confirmée comme adversaire pour toujours. Je ne parvenais pas, en dépit de tous mes efforts, à oublier, rejeter ou exclure cette femme de ma vie, même si je présumais que je ne la reverrais jamais.

J'avais choisi de ne pas accompagner le squelette de Cindy dans son voyage de retour en train jusqu'à Montréal. Je me rendis toutefois à la gare de Burlington et vis son cercueil sur l'Amtrak qui partait pour le nord. C'était le tombeau qui lui convenait. Un train en partance, le voyage qui se poursuivait, la jeune fille qui cherchait les étoiles. Le garçon en moi qui l'avait aimée lui fit des gestes d'adieu.

JE L'AI DÉJÀ DIT : Dieu bénisse Hazel Stamp. Elle n'était pas au meilleur de sa forme mentale elle-même, mais fit un travail prodigieux à essayer de me remonter le moral. Nous n'avions, à l'*Auberge du péage,* aucun client à distraire et je repoussais à plus tard ses demandes de réouverture. Avec moi comme seule bouche à nourrir et seul patron, elle était fréquemment renfrognée, mais pressentait que j'avais besoin d'espace pour récupérer et s'arrangeait pour me le fournir. Le soir, Hazel me battait à plates coutures aux échecs. Après chaque échec et mat, elle claquait la langue et me laissait entendre que mes défenses avaient été médiocres et mes offensives rudimentaires. Je prenais mes raclées répétées avec aplomb, même si je lui dis une fois qu'elle était une mauvaise gagnante et une râleuse. Elle trouva la remarque très drôle venant de moi.

Un matin, elle m'enrôla dans une expédition à la chaufferie pour explorer les effets de mon père. Je ne voulais pas me l'avouer, mais l'idée m'enthousiasma. Les boîtes de vêtements indiquaient clairement l'éclectisme de ses intérêts. Des bottes-pantalon et une casquette blasonnée de mouches en plume témoignaient de sa passion pour la pêche dans les cours d'eau des montagnes. La pléthore d'épaisses chemises d'hiver écossaises et, pour les temps plus doux, sa garde-robe hawaïenne du plus mauvais goût me donnaient une vague idée de son allure pendant ses heures de détente à la maison. Un veston d'intérieur usé et maculé de taches d'alcool suggérait qu'il aimait se donner de grands airs quand il prenait un verre. Il avait aussi un malheureux penchant pour les hideuses vestes à carreaux et les nœuds papillons.

La plus grande partie de sa bibliothèque était constituée de livres pratiques. Manuels d'initiation à la menuiserie, au bricolage, à l'architecture, l'équitation, le tissage de tapis, la collection d'antiquités, la teinture sur bois, dont un ouvrage qui devait être une abomination pour Hazel : un livre sur les régimes alimentaires. Quelques gros volumes massifs et souvent consultés, l'histoire de la Russie, de la Rome antique, de l'Europe contemporaine, manifestaient son intérêt pour le passé.

Une autre boîte contenait un trésor de pipes et divers mélanges de tabac, un assortiment d'eaux de toilette, six rasoirs à poignée d'ivoire larges et plats, des coupures de presse agrafées par ordre de taille à une feuille de papier, des cartes des champions de base-ball des années 1948, 1957 et 1961, avec les ensembles complets des joueurs des Red Sox de Boston pendant sept années consécutives jusqu'en 1967 ; des cartes géographiques du Vermont, dont une où les plus hauts sommets étaient cerclés de rouge. Il fallait donc ajouter l'escalade à la liste de ses sports. Une lime à ongles, quatre canifs, une agrafeuse vert batracien en forme de grenouille, un chausse-pied, souvenir d'un hôtel de New York, un porte-plume Cross avec son nom gravé dessus et un rosaire ; des boîtes de chewing-gum Doublemint remplis de punaises ; une cartouche de fusil de chasse vide, une machine à calculer électronique et tout le bric-à-brac varié qui s'accumule dans le désordre d'un tiroir de bureau. Pas de photos. Pas de notes ni de lettres. Pas de journal intime.

Ces bricoles ne révélaient rien de substantiel sur sa personnalité, sauf que je l'imaginais aisément rondelet (à voir la taille de ses pantalons), sociable et physiquement actif. Il travaillait dur aussi. D'après les bilans financiers, l'auberge n'était qu'un commerce secondaire parmi d'innombrables autres entreprises. Je déduisis, de mes conversations avec Hazel, que mon père avait immigré au Vermont peu après la fin de sa période de saltimbanque. Il y avait trente et quelques années. Il débuta dans la construction. Après avoir bâti sa propre maison, il l'agrandit pour la transformer en auberge. Son affabilité naturelle contribua à en faire une entreprise rentable, dont il ne se dessaisit jamais, même s'il continuait à rénover et à construire des maisons. Un moment donné, il plaça sa fortune dans l'industrie du condominium en pleine expansion dans l'État. Il avait laissé aux sœurs une somme d'argent considérable, de nombreuses fois ce que McGrath avait conspiré me voler.

Dans les archives souterraines, il y avait aussi trois bouteilles de vin débouchées et une collection de trognons de pomme. Je décidai de ne pas dire à Hazel qu'une des employées congédiées buvait en cachette.

Ce que je trouvai d'autre dans cette cave m'en propulsa comme une fusée. Je tombai sur les manuscrits de mon père, dont un cahier intitulé *Un Kinkajou à Hackensack*. Mais je ne l'ouvris pas et ne le lus pas non plus. J'avais l'impression d'avoir trouvé dans une grotte antédiluvienne un document couvert d'une écriture inconnue et n'osai pas toucher aux pages de peur qu'elles s'effritent entre mes doigts.

Il fallait que je me remette de Chantelle d'abord. Mes lettres que je ne lui avais pas postées m'avaient soulagé. Mais je n'avais nul besoin à ce stade de revivre, à la lecture du conte de mon père, mon association avec elle. Et je grimpai les escaliers aussi vite que mes jambes flageolantes le permettaient.

JE FLÂNAIS DANS LE BOIS, plongé dans un cafard satisfait quand je remarquai un roitelet à couronne rubis posé sur une branche. La calotte écarlate du petit oiseau brillait pour moi. Cette espèce était assez rare dans la région et je me sentis privilégié qu'il soit apparu pour me tenir compagnie.

Je pensai soudain que la première fois que j'aperçus Chantelle, elle portait un béret écossais couleur cerise et, pour l'honorer, j'avais chanté une des mélodies du roitelet. Je sus alors, à cet instant précis, qu'elle était en route vers l'auberge. Je chantai pour l'oiseau et il s'envola à la recherche d'une compagne.

Quand j'émergeai du bois, je révoquai bien sûr mon intuition. C'est un vœu pieux. Vis dans la réalité, Laîné. Chantelle est sortie de ta vie et tu devrais en être reconnaissant. Imagine les factures de médecin, avec sa manie de saigner à tout bout de champ ! Les ambulanciers viendraient régulièrement la kidnapper. Et tu ne pourrais jamais prendre de vacances avec elle, par peur de l'esclandre. Le maître d'hôtel qui s'incline et te dit : « Excusez-moi, monsieur, votre épouse dégouline sur la moquette. »

Avant d'arriver au havre de l'auberge, j'entendis une voiture grimper péniblement la route escarpée. Encore des téteux de touristes. La quantité de gens qui passent expressément outre au panneau « Complet » est sidérante. Ils croient n'être pas concernés, juste les autres. Et si je prenais le temps de les rencontrer, il faudrait en plus que je surveille mon langage.

Cette voiture aurait pu m'écraser et je n'aurais pas bougé. J'étais figé.

L'auto s'arrêta et Chantelle en descendit. Elle portait son béret cerise. Je me sentis aussi dérouté qu'un somnambule qui se réveille dans une avenue loin de son lit. Chantelle, un demi-sourire accroché aux lèvres, l'air timide, hésitante, s'avança vers moi. Je tremblais, puis décidai de tenir bon. Quand je finis par accepter que tout ceci se passait dans la réalité, je l'accueillis tout entière dans mes bras.

ENTRE NOS BAISERS, nous nous murmurâmes des excuses comme d'écervelés amoureux s'échangent des serments de fidélité. « Kyle, mon Dieu, Kyle, je suis désolée, désolée, désolée. » D'avoir médit de moi. D'avoir douté de moi. D'avoir préféré les intérêts de son groupe à notre relation. Elle récita la litanie de ses trahisons et je récompensai chacun de ses péchés par un baiser. J'embrassai son cou, ses oreilles, son front. Je pensais : confesse-toi ! *confesse-toi !* Tu as tué mon père aussi ! Révèle ce péché-là et je t'en aimerai d'autant plus. Vide ton sac ! Je la serrais dans mes bras et pensais : j'ai tué ma mère et tu as tué mon père et nous voici, enchaînés, sans qu'aucun de nous deux ne puisse plus bouger. Elle me transperçait la peau, la poignardait de baisers.

Serrés l'un contre l'autre, liés par nos bras et nos remords, nous nous engouffrâmes dans l'auberge, nos corps solidement collés. J'aperçus Hazel, experte dans l'art de la disparition, qui nous laissa le champ libre.

— Chantelle, toi, ici ! Je ne parviens pas à le croire. Mon Dieu. Chantelle. Toi, ici !

— Kyle, oh, je suis navrée. Navrée.

— Je ne parviens pas à croire que tu sois ici !

Je la guidai, l'air de rien, vers l'étage. Nous étions des intrus. Je ne lui avais pas demandé de remplir sa fiche et n'avais pas non plus passé sa carte American Express dans la machine. Au sommet des escaliers, je l'embrassai avec peut-être plus de passion que je n'en éprouvais vraiment, parce que j'avais besoin de temps pour prendre une décision. Quelle chambre ? C'est un problème quand votre maison dispose de quarante-deux lits.

L'intimité de la mienne ferait l'affaire. Mais mon lit était le lit de mort de Gaby et de mon père, et nous n'avions pas besoin de ces rappels en ce moment. Les commodités de la suite mont

Washington où j'avais dormi récemment étaient nombreuses :
nous pouvions nous y cacher pendant des semaines sans jamais
nous sentir enfermés. Mais je craignais que son décor provoque
une rechute, qu'à minuit, heure fatale, elle ait besoin d'une trans-
fusion. Je conduisis donc Chantelle dans une chambre où je n'étais
jamais entré.

Parfaitement en ordre, bien sûr.

Le lit était couvert d'une courtepointe sombre à carreaux.

Un rayon de soleil tombait oblique par la fenêtre.

Il serait faux de raconter que nous nous enflammâmes. Une
extraordinaire froideur disciplinait nos gestes, comme si nous
procédions à une cérémonie préméditée, mûrement réfléchie. Pas
du tout les tourbillons de la queue de comète de la passion. Je
détachai le bouton supérieur de sa chemise, elle commença par
ceux du bas. Nos doigts se rencontrèrent à hauteur de ses seins.
Gestes mesurés. Un code de courtoisie régissait notre déshabilla-
ge. Nos premiers impudents attouchements. Quand j'embrassai
ses mamelons, ma soif était insatiable, mais je me contentai d'une
petite tétée polie. Pas de fougueux tâtonnements. J'enlevai sa jupe
et, après tant de patience, Chantelle me fut révélée.

Elle s'allongea.

Elle dit mon nom.

Un doux roucoulement.

J'avais imaginé que ceci se passerait autrement.

— Es-tu certaine ? lui demandai-je, en me retenant.

Je me cramponnais à elle comme un alpiniste au flanc d'une
montagne, m'accrochais à elle et la sentais glisser. Mon semblant
de réticence m'embarrassait, mais j'étais fou d'amour et d'humains tourments me tenaillaient.

L'hésitation sera notre ruine à tous.

Chantelle s'accrocha à mon cou et me tira sur elle. Nous frétillâmes pour nous ajuster l'un à l'autre. Sa supplique qu'elle me
chuchota d'une voix pressante à l'oreille déclencha dans mon âme
un carillon ravageur.

— Bébé. Kyle. Oui. Oh bébé. Mon bébé, oui !

Qu'est-ce qui m'ébranla et me parut si étrange ? Je suppose
qu'à cause de son arrivée prédite par un oiseau, j'étais plus sensible aux pouvoirs de l'intuition. Mes appréhensions salopèrent
notre innocente union et je m'écartai d'elle légèrement.

— Chantelle ?

Un nom qui était en soi une question.

Amante indulgente, elle m'attira contre elle. Prononça de
douces et tendres paroles dans mon oreille. Exaspérés par le délai,
nos hanches cherchaient allégeance.

— Oui. Kyle. Oh. Chéri. Oui. Maintenant. Bébé. S'il te plaît.

Je me redressai, droit comme un piquet de nouveau. Abasourdi
moi-même. Subjugué par la clarté de mon esprit. Comme
aiguillonné par un dard électrique. Les mouvements cadencés de
Chantelle se poursuivaient.

— Qu'y a-t-il ? demanda-t-elle.

— Il ne s'agit donc que de cela ? Faire un bébé ? demandai-je
d'une voix à la fois ferme et tendre.

Elle releva une de ses jambes et prit une posture plus pudique.

— Kyle. Allons. Qu'est-ce qui te prend ?

— Je suis déconcerté, confiai-je.

— À quel propos ?

— À propos de ce que nous faisons. À propos de la raison de
ta présence. De la raison de ton départ. De ton retour. Ne s'agit-il
aujourd'hui que de paternité ?

— J'imagine que si nous faisons l'amour c'est une possibilité, dit Chantelle en me tapotant les burettes.

— Non, voici ce que je veux dire : allons-nous avoir un bébé
ici, à l'*Auberge du péage* ? Lui donnons-nous un foyer ? Ou bien
as-tu autre chose en tête ?

— Je n'arrive pas à y croire, ce n'est pas vrai, se lamenta-
t-elle. Je n'arrive pas à croire que nous avons cette conversation.
Il m'a fallu de considérables efforts pour venir dans cette chambre, Kyle, et tu veux parler ? Moi, primo, je ne suis pas venue ici
pour sauter au lit. Je...

— Non ? Pourquoi alors ? Quand *as-tu pris* ta décision ? Quand
as-tu choisi de coucher avec moi, Chantelle ?

— Pourquoi as-tu l'air aussi contrarié ? Quand nous nous
sommes rencontrés à l'extérieur...

— Quand as-tu commencé à penser *bébé* ?

— Que t'arrive-t-il ? cria-t-elle.

Son indignation était entièrement justifiée. Je voyais le monde
de travers. Le plan horizontal était incliné. Être télépathe est un
fardeau. Lire dans son esprit me donnait des frissons. Je me reculai et, assis, m'appuyai contre un des montants de coin du lit avec
l'espoir que la terre se remette d'aplomb. Je parlai d'une voix douce
et franche.

— J'ai besoin de savoir de quoi il retourne. Pourquoi tu es ici.
Faisons-nous l'amour, Chantelle ? Ou une simple injection, si je
puis dire ? Mon sperme dans ton utérus.

Chantelle pivota sur elle-même, bondit sur le plancher et se
rhabilla.

— Seigneur, tu es dégoûtant ! me cria-t-elle en larmes.

— Et que veux-tu que je pense d'autre, bon sang ? Est-ce ta capitulation, Chantelle ? Que suis-je pour toi ? Un simple compromis ?

— Pourquoi me tourmentes-tu ? pleurnicha-t-elle avec un air de défi, debout dans ses sous-vêtements, les poings prêts à se battre.

— À Pâques, toi et les autres, vous essayiez de faire un bébé, pas vrai ? demandai-je en attrapant un de ses bras qui frappait l'air. Une tentative, admets-le, d'immaculée conception. C'est de cela qu'il s'agit, exact ?

Chantelle essuya une larme sur son épaule mince et nue.

— Tu as renoncé ? lui demandai-je gentiment. C'est ce que je suis pour toi ? Une sorte de substitut de Dieu ? Allons, Chantelle. Je ne fais pas l'affaire, même si j'ai les gènes de mon père. Je ne suis capable de baiser qu'à l'ancienne. On cogne et on frotte. On entre et on sort.

— Pourquoi fais-tu cela ? demanda-t-elle, méprisante, larmoyante, d'une voix fragile.

Je poussai un soupir, oh, d'une telle lassitude ! Baissai les yeux et remarquai que mon polichinelle, resté aussi rigide que la colonne du lit, se comportait mal. Preuve moins de mon désir que de mon amour pour elle, mon besoin d'elle, et aussi clin d'œil aux nombreux mois de célibat forcé.

— Personne dans ton groupe, Chantelle, n'est devenue mère par l'opération du Saint-Esprit. Tu veux essayer le monde séculier maintenant. Est-ce ton compromis ?

Elle avait enfilé sa blouse. Ses longs doigts refermaient ses boutons.

— Qu'y a-t-il de mal à ça ?

Après son aveu, la tension tomba et je poussai un autre profond soupir.

— Tu me détesteras peut-être pour toujours, dis-je. Aujourd'hui, je suis le vase sacré qui contient la sainte semence de Dieu, demain je serai le démon du plaisir charnel. Pourquoi ne pas apprendre à garder les dieux hors de tout ceci ? Ils ne sont pas intéressés de toute façon. Cela ne pourrait-il se passer qu'entre toi et moi, juste toi et moi, pas d'étrangers ? C'est ce lit encombré de monde qui me trouble, cette orgie de parents et de fantômes, et ta tribu et notre progéniture. Pourquoi ne pas laisser les générations futures en dehors de nos affaires aussi ?

— C'est toi qui les as évoquées.

— Je le sais.

Nous nous tînmes par la main après avoir fini de nous rhabiller et restâmes près de la fenêtre. Je lui embrassai le haut de la tête. C'était charmant. Chantelle était sacrée pour moi et, oui, c'était aussi une des raisons de ma réticence. Il est difficile d'être lascif avec un être sanctifié.

— Je vais demander à Hazel de mettre la table. Nous souperons. Et bavarderons. Verrons ce qu'il y a moyen de sauver, d'accord ?

Chantelle hocha la tête. Essuya du bout de son auriculaire les larmes qui inondaient ses yeux. Incapable de me parler sans pleurer, elle garda le silence.

HAZEL NOUS FIT LA SURPRISE de s'en tenir à notre menu simplifié, cette fois du thon en cocotte, léger et savoureux, suivi d'une frugale salade fatiguée avec art. Elle traitait notre visiteuse en amie, et non comme une cliente, et c'était une délicate attention. Seul changement à nos habitudes, nous mangeâmes au centre de la salle à manger plutôt qu'à la cuisine. Nous retrouver seuls dans ce firmament de flammes de bougie nous donnait une impression d'opulence. Nous regardâmes dehors les masses noires et indécises des montagnes dans la pâle clarté des étoiles, reposante dérive dans l'espace en expansion. Bienvenue à bord du vaisseau interstellaire *Auberge du péage*.

369

Hazel ne voulut rien entendre quand nous lui proposâmes de l'aider à faire la vaisselle. Si elle avait un problème ces jours-ci, c'était bien le manque de travail. Chantelle et moi, nous nous retirâmes près du foyer, où Hazel s'empressa de nous apporter du café et du Drambuie avant de disparaître sans que nous nous en apercevions, de cette manière magique qui lui était propre.

— Bon, affirmai-je.

— Bon, concéda Chantelle.

Notre évident malaise naissait de l'absence d'Hazel. En sa présence, notre conversation était soumises aux contrôles sociaux habituels. Après son départ, il nous était impossible d'éviter les sujets difficiles. Dans l'exaltation des premiers moments de nos retrouvailles, nous nous étions confondus en rapides excuses, mais nos regrets n'annulaient en rien l'importance des événements passés. Je finis par prendre une profonde respiration et tapai mon cœur pour le calmer.

— Je m'excuse sincèrement de t'avoir espionnée, Chantelle, dis-je. Je ne sais pas ce qui m'a pris... Ou plutôt, je le sais. C'est la grande inquiétude que j'éprouvais pour toi.

— Et ta curiosité, ajouta-t-elle.

— Et ma curiosité. Pour ce qu'elle m'a valu, je ne recommencerai plus.

Même si le contact de ses lèvres sur les miennes fut adorable, même si son pardon était sincère, j'étais au fond de moi pitoyablement déçu par sa réponse. Je suppose que mes excuses étaient en fait un stratagème. Je m'étais attendu à ce qu'elle révèle ses propres péchés, à ce qu'elle avoue avoir agrafé le pot d'échappement de sa Toyota aux poumons de mon père. Mais Chantelle se contentait de m'embrasser, de sourire et de laisser entendre que tout était pardonné. Je lui rendis son baiser.

— Chantelle.

— Qu'y a-t-il ? demanda-t-elle, la tête penchée comme pour contorsionner son corps en forme de point d'interrogation.

— Dis-moi comment mon père est mort.

Elle resta silencieuse un bout de temps, sans que ses yeux ne quittent les miens pendant que je regardais fixement le feu.

— Tu ne le sais pas ? demanda-t-elle, avec un tremblement dans la voix.

— Justement. Je le sais. Je veux dire, je connais la vérité, dis-je, trouvant le courage de la regarder.

— Je ne comprends pas, Kyle.

Elle leva les yeux vers moi. L'air implorant. Un regard qui me suppliait de la détacher de cet hameçon. Pourtant, même poussée dans ses derniers retranchements, elle ne commettrait pas de bévue et ne révélerait aucune vérité confidentielle. Chantelle ne dirait rien avant d'être absolument certaine que je savais déjà tout.

— Le docteur Tanner m'a parlé, révélai-je, et je vis alors ses épaules s'effondrer.

Elle porta une main à la bouche, comme pour bloquer le rapide soupir qui en sortait.

— Il a signé le certificat de décès, dis-je, mais il n'était pas dupe. Il savait que le rose des joues de mon père ne pouvait être causé que par une intoxication au monoxyde de carbone.

Je redoutais le silence qui suivit. Chantelle hésitait. L'autodéfense était sans doute ce qu'elle préférait d'instinct, un choix qui nous condamnerait à coup sûr à la séparation, avec notre amour écrasé sous la roue des mensonges de la vie. La vérité était son autre choix. Avouer, confesser, et affronter la tout aussi difficile intimité avec un autre être.

371

Chantelle parla. Elle regardait le plancher, le tapis, ses pieds. Je m'assis tout près d'elle pour entendre sa voix feutrée.

— Nous avons tiré au sort. Le hasard est tombé sur ma petite Toyota jaune. Nous avions choisi de tirer les voitures plutôt que nos noms. C'était moins personnel. Nous avons emprunté l'aspirateur d'Hazel sans qu'elle le sache. Puis, tard une nuit, nous avons emmitouflé ton père. Une idée stupide, mais nous ne voulions pas qu'il prenne froid. C'était amusant, Kyle, il était gai comme un pinson. Il partait en voyage. Plus qu'en voyage, en expédition. Il était aux anges et ses yeux étaient radieux.

« Il nous a embrassées, chacune l'une après l'autre. Ce fut un moment difficile. Si... difficile. Le baiser nous pénétrait et tournait, tu sais, comme un couteau dans le cœur. Nous avions toutes les yeux embués de larmes et devions attendre notre tour pour aller aux toilettes nous laver le visage et reprendre contenance.

« Nous nous sommes rassemblées à l'extérieur de l'auberge. C'était fou parce que nous n'étions plus tristes, comme nous nous attendions à l'être. Ce n'était pas du tout la cérémonie funèbre que nous avions imaginée. L'une d'entre nous pouffa même de rire. C'était peut-être la seule expression honnête, car nous ressentions, je ne sais pas... Si, je sais, mais je ne veux pas l'admettre... Je ressentais, pour ma part, un sentiment débordant... d'exultation. J'étais exaltée, presque euphorique. Dieu sait que j'ignore pourquoi.

« Comme c'était ma voiture, c'est moi qui devais allumer le moteur. C'était le marché. Nous avions choisi les voitures parce que c'était moins pénible que choisir un bourreau, mais cela revenait au même. Gabriella ajusta le tuyau de l'aspirateur au pot d'échappement et glissa l'autre extrémité dans la Toyota. Ton père était assis sur le siège arrière. Nous bouchâmes avec un oreiller l'ouverture de la vitre par où passait le tuyau.

« Tout le monde se tenait à l'écart. Je me suis avancée. Je sentais à peine mes pieds toucher le sol. Quand je suis entrée dans la voiture, Kyle, je tremblais. C'était fou. Toutes les parties de mon corps étaient excitées, malades, heureuses, démentes. Je me suis assise. Puis ton père a posé sa main sur mon épaule. J'ai fait un bond dans mon siège. Je pleurais, je pense, mais qui pourrait le dire, je transpirais tellement. ‹ Je n'ai jamais été aussi heureux ›, m'a-t-il dit. Il savait que j'étais ébranlée et, même au seuil de la mort, il se faisait du souci pour moi. ‹ Tu me rends un grand service. Allume le moteur, Chantelle, a-t-il dit, que je commence mes voyages. › »

Chantelle se recala dans son siège et, après avoir essuyé ses larmes, se remémora la scène, les yeux fixés au plafond.

— J'ai mis le contact. Je me suis retournée pour regarder ton père. Il souriait. Puis il a pris une profonde inspiration, comme s'il respirait une grande bouffée d'air pur. Une ultime plaisanterie. Je suis sortie et j'ai fermé la portière. J'avais l'incroyable sensation de n'avoir plus de jambes, comme s'il n'y avait rien sous mes pieds. Je me suis éloignée de la voiture. Nous avons laissé tourner le moteur. C'est moi qui suis allée l'éteindre.

« En un sens, Kyle, dit-elle en me regardant maintenant, c'était bon de voir le rose aux joues de ton père, comme si elles étaient en vie de nouveau. Nous avons eu l'impression, pendant un temps, d'avoir fait ce qu'il fallait faire. Que notre choix de lui permettre une mort digne avait été un acte d'amour. »

— Juste pendant un temps ? demandai-je.

— Des complications, répondit Chantelle avec un hochement de tête. Sur cette vieille planète puante, il y a toujours des complications. Nous avions décidé qu'une fois ton père enterré et la période de deuil passée, nous annoncerions au monde ce que nous avions fait. L'euthanasie avait été notre choix délibéré, collectif. Que la société nous mette toutes en prison si elle en avait la volonté. Notre prise de position était morale, tu vois. Nous avions affronté de face un dilemme universel. Ce qui, je suppose, justifiait en partie notre action.

— Alors qu'est-il arrivé ? Pourquoi avez-vous gardé le silence ?

Chantelle se détourna de moi pour s'éclaircir la voix et écraser une vieille larme toujours humide sur sa joue.

— Tu ne le devines donc pas ? me dit-elle d'une voix amère sur un ton de défi.

J'y réfléchis et eus un mouvement de recul quand je devinai la réponse, mais il n'y avait aucun moyen d'esquiver l'évidence.

— Mon Dieu, dis-je. L'héritage.

— Soudain nous avions les moyens d'entreprendre des projets qui n'avaient été que des rêves, poursuivit Chantelle en secouant les épaules pour se débarrasser d'un peu de sa tension. Nous pouvions nous rencontrer plus souvent. Nous construire un bâtiment pour nous seules. Faire des plans. Personnellement, ce changement me contrariait. Je suis pointilleuse quand il s'agit de principes. Je ne voulais pas que nous abandonnions les nôtres. Gabriella, elle, était en faveur des nouveaux projets et la question nous divisa toutes les deux. En un sens, je devins une marginale à l'intérieur de la société même créée pour m'empêcher d'en être une. J'étais la pénible cinglée dont les mains saignaient, le médium qui avait assuré la cohésion du groupe et en avait été le pivot, mais c'est tout ce que j'étais. Au mieux, un catalyseur. Au pire, je ne sais pas, une mascotte ? Plusieurs étaient persuadées que Dieu ne voulait pas que notre foi dépende de cette seule manifestation de Sa présence. Elles pensaient qu'Il nous voulait actives dans notre milieu, des travailleuses vouées à la justice sociale. Notre groupe se divisa. D'un côté, celles qui acceptaient le monde tel qu'il est et aspiraient à plus de spiritualité. De l'autre, celles qui voulaient changer le système par leur engagement direct. L'effet premier de la tourmente que nous vivions fut que nous n'avouâmes jamais avoir aidé ton père à mourir. Il nous fut impossible de parvenir à un consensus.

Chantelle ruminait, silencieuse, l'effervescence qui agitait son groupe. Je ne trouvai ni les mots justes ni la conviction qu'il fallait pour rompre ce silence ou atténuer son évidente détresse.

— Dans mon état, au moment de mon extase, j'accusai Gabriella, et nous toutes, de meurtre. D'un crime contre Dieu, plus que contre la loi des hommes. Cet incident, et le fait que je saignai le mauvais jour, et des démêlés dans nos vies personnelles, et d'autres choses... Elle se suicida. Depuis, c'est moi la trouble-fête. Gaby était celle d'entre nous qui redoutait le plus aider ton père à mourir. C'est elle qui avait imaginé la loterie automobile pour nous garder les mains pures. Au départ, elle devait apporter un poison, et elle l'a apporté, mais a refusé que nous l'utilisions. Avec cette méthode, notre responsabilité directe était trop grande. C'est Gaby qui se tourmentait et se faisait du souci, et je suis celle qui l'a poussée par-dessus bord. Ai-*je* plus tard apporté du poison ? L'ai-je mélangé à son thé ? Non, mais je suis celle qui ne voulait pas s'adapter. Celle qui résistait au changement, à l'ordre nouveau. Je suis celle qui ne pense qu'à son propre statut, celle qui s'encroûte. Comme si ce groupe n'avait pas été formé pour *ma* protection ! En plus, je *suis* celle qui a saigné la mauvaise journée, ce qui signifie que je suis en disgrâce, que j'ai perdu la cadence, ou simplement la tête. Et je *suis* celle qui nous a appelées meurtrières et peut-être était-ce la voix de Dieu et, encore une fois, peut-être pas. Je n'exprimais peut-être qu'une opinion personnelle. Je suis celle qui a témoigné contre toi sans raison, sinon de me prouver que je ne te voulais pas, que je ne te désirais pas en secret, que j'aimais toujours Dieu plus que toi.

— J'ai tout un rival ! m'exclamai-je.

Elle pouffa de rire. Et ajouta : « Je suis navrée, Kyle. Pour tout. »

— Moi aussi, dis-je en l'embrassant. Pour tout.

Nous partîmes chacun de notre côté nous préparer à nous coucher. Quand nous nous rencontrâmes dans le corridor, notre baiser fut gentil, sans rancune et sans attentes.

— Je t'ai réservé la suite mont Washington, si tu es d'accord.

Chantelle plissa d'abord le front, mais se reprit.

— Dans la mesure où tu ne m'espionneras pas par le puits de lumière.

— J'ai été pardonné, tu te souviens ? dis-je en agitant un doigt réprobateur devant ses yeux.

— Oui, tu as été pardonné. Tu as été pardonné. Bonne nuit, Kyle ! dit-elle d'une voix joyeuse.

— Bonne nuit, Chantelle.

DE LA FAÇON DONT FONCTIONNAIT mon système ces derniers mois, je ne m'attendais pas à dormir. Pourtant je m'assoupis très rapidement. Et, tout de suite après, les hurlements de Chantelle me réveillèrent.

Je sautai dans mes jeans. Traversai le corridor au pas de course. Quand j'entrai en trombe dans sa chambre, elle était réveillée de son cauchemar et avait déjà commencé à se calmer. J'allumai la lumière et constatai, considérablement soulagé, qu'elle ne saignait pas. Mais elle avait beaucoup de mal à respirer.

— C'est quoi ces braillements ? demanda derrière moi, d'une voix revêche, Hazel qui n'était pas encore couchée, mais sans doute occupée à cuire du pain dans la cuisine, un de ses passe-temps nocturnes favoris.

— Elle fait de l'hyperventilation. Allez chercher un sac de papier.

Je m'assis sur le lit à côté de Chantelle qui essayait de contrôler sa respiration, mais la panique de ses halètements profonds, saccadés m'effrayaient. Hazel, toujours efficace, revint très vite et le truc du sac de papier fonctionna. Chantelle ressuscita et s'apaisa. Sa respiration redevint régulière.

Hazel n'émit pas d'objections, maintenant que la tempête était passée, quand je lui fis un petit signe de tête. Elle quitta la chambre sans bruit et referma la porte.

Je caressais le dos de Chantelle et elle se tenait à mon autre bras. Je lui murmurais des mots doux pour soulager son anxiété. « Ce n'était qu'un rêve. Allons, allons. C'est fini. » Même si je doutais de ma propre sagesse, je m'obstinai à poursuivre ce réconfortant bavardage. J'embrassai sa joue. Sa chemise de nuit s'était relevée et, malgré certains scrupules, je permis à mes doigts d'effleurer ses cuisses. Profitant de la situation. Chantelle se cramponnait à mon dos nu. Ses ongles s'enfonçaient dans ma peau. Elle me susurrait d'invitants murmures tout contre l'oreille. Quand je me rapprochai, elle gémit et soupira. Elle accédait à mon désir. Profitant de la situation. Je me relevai et quand nos corps se séparèrent, Chantelle haleta.

J'éteignis la lumière.

Quand je revins près du lit, Chantelle tirait sa chemise de nuit par-dessus sa tête. Son cou resta coincé et je dus défaire un bouton têtu. Je touchai ses adorables petits seins. Elle ouvrit la boucle de ma ceinture. Je m'allongeai près d'elle et cette fois nous n'ouvrîmes pas la bouche. Nous scellâmes notre union de baisers chauds et pressants. Alors que la première fois nous avions été froids, hésitants, circonspects, nous étions à présent passionnés, intrépides et fougueux. Nous roulâmes l'un contre l'autre et nous nous collâmes. Elle cria, m'attira violemment contre elle, me repoussa, me frappa le dos, me tira les cheveux, m'embrassa la bouche pour étouffer mes grognements rythmés. Sa douleur fut aussi intense que ma décharge fut brutale, extasiée. Elle n'avait pas l'habitude des hommes. J'étais son premier amant depuis la terreur de son enfance, et elle poussa soudain, d'une voix démente, un seul horrible et bizarre gémissement, la bouche grand ouverte pour expectorer une répugnante voyelle.

Puis, dans un jaillissement de hurlements sauvages, de cris aigus à réveiller les morts, Chantelle me repoussa.

Elle me frappa, me gifla, s'échappa du lit, se rua contre la porte et la martela de coups. Ses petits poings battaient comme des marteaux. J'essayai de la calmer. Elle tourbillonna comme un derviche, me bouscula, se dégagea et s'écroula dans un coin de la pièce derrière le lavabo.

Je rallumai la lumière et elle hurla, hurla sa terreur à pleins poumons. Hazel était revenue pour prévenir le meurtre.

Elle vit Chantelle dans le coin. Nue. Le regard effaré, paniqué. Qui mordait de toutes ses forces ses doigts enfoncés dans le fond de sa gorge, l'autre bras noué autour des jambes. Nous étions, Hazel et moi, terrifiés.

— Mieux vaut me laisser régler cela. Essayer, dis-je.

— Habillez-vous un peu d'abord. Que lui faisiez-vous ?

— Hazel ?

Je lui ouvris la porte et elle fut d'accord, une autre fois, de s'en aller.

— Chantelle, c'est moi, dis-je en m'approchant avec une extrême précaution. C'est moi. C'est Kyle. Chantelle. Nous sommes maintenant. Nous ne sommes pas retournés dans le passé. Tu n'es pas une enfant. Tu es une adulte à présent. Tu es Chantelle Cromarty. Tu es vivante. Je ne te ferai pas de mal. Chantelle ?

— Kyle ? demanda-t-elle d'une voix qui n'était qu'un petit couinement.

— Oui, Chantelle. Je suis là. Tout va bien.

— Oh, Kyle. Je me souviens. Oh, mon Dieu, Kyle ! Je me souviens ! dit-elle en me serrant fort, et sa force m'étonna.

Elle pleurait à grands hoquets et je la tins serrée contre moi. Quand les crises se calmèrent, elle rejeta soudain la tête en arrière et sécha ses yeux, puis me regarda, le visage hagard et désespéré. Elle se caressait parfois les paumes, d'autres fois serrait ma main si fort que j'avais du mal à ne pas crier moi aussi. Elle recommença de plus belle à pleurer, hors de contrôle, et au milieu de ses sanglots, appela son père et sa mère, dont elle voyait maintenant le massacre.

J'avais réveillé sa mémoire. Ou l'acte sexuel l'avait réveillée. Elle revivait pour la première fois le carnage de cette horrible nuit, ses parents sauvagement assassinés, le bain de sang, et son viol barbare. Et par moments, quand elle arrêtait de pleurer, elle souriait d'un sourire extasié, les yeux radieux de se souvenir qu'on l'avait enlevée de là, vivante, emportée loin, libre et indifférente. Parce qu'elle avait tourné le dos à la scène de son avilissement et que son cerveau avait bloqué tout ce qu'il ne supportait pas d'enregistrer.

Elle fut incapable de parler pendant le reste de la nuit. Le torrent de ses souvenirs était trop violent et trop atroce pour qu'elle les exprime. À l'aube, nous étions endormis dans les bras l'un de l'autre, toujours blottis dans un coin de la chambre.

QUAND CHANTELLE QUITTA l'*Auberge du péage* après le déjeuner, elle avait retrouvé son calme, sinon toute sa lucidité.

— Encore une fois, insista-t-elle. Si je parviens à convaincre les autres, nous devons essayer encore une fois.

— Je suis loin d'être d'accord avec toi sur ce point. Franchement, Chantelle, je pense que toute l'idée est ridicule.

— Je sais que tu le penses, dit-elle en fourrant sa valise dans le coffre de sa nouvelle Chevette. Un journal, un torchon, a écrit un jour un article sur moi. Sur mes mains. J'étais encore adolescente. Sur la même page, il y avait l'histoire d'une petite fille impubère qui avait une tumeur dans le ventre. Le cancer avait pris la forme d'un fœtus, avec des mains, des jambes, une tête et même des yeux. Le cancer se développait comme un corps humain. Les médecins la firent avorter, bien sûr, mais l'histoire m'inspira. Si le cancer, le mal, est capable de créer une manière d'enfant, pourquoi son contraire n'en serait-il pas capable ? Pourquoi pas la pureté ? L'amour ? L'Esprit-Saint de Dieu ? Pourquoi une idée, la beauté ou la sainteté ne stimuleraient-elles pas l'utérus à concevoir un enfant ? On sait que c'est déjà arrivé, et je ne suis pas certaine que l'événement ait été si rare. Plus j'y réfléchis, plus je me convaincs que cela peut arriver, et arrive relativement facilement.

— Chantelle, dis-je prudemment, peu sûr de moi en ces eaux troubles, il existe autre chose dans la vie que ce qui t'est arrivé quand tu étais enfant.

Elle me fit taire en posant un doigt sur mes lèvres.

— Je sais, mais pour moi, c'est peut-être tout ce qui existe. J'ai besoin de temps pour me clarifier les idées, Kyle. Qui sait ? Je veux essayer encore une fois. Ce n'est pas que je veuille Dieu comme unique amant, mais je veux être convaincue qu'Il ne me veut pas. C'est ce que je dois savoir.

Dans l'esprit de Chantelle, nous avions cocufié Dieu. Je n'étais pas très fier de moi. Je la pris dans mes bras, mais elle se tortilla, l'air agitée, et se libéra.

— Quand reviendras-tu? demandai-je en refermant son coffre.

— Bientôt. Il faut que je vérifie avec les autres, m'informe de leur emploi du temps. Il faut aussi que j'étudie les nombres et consulte une carte du ciel. Et vérifie en plus les occurrences de la lune de fertilité. Je choisirai une date et te la communiquerai. Tu nous laisseras l'*Auberge du péage*, Kyle?

J'avais déjà acquiescé à cette demande. Et à une autre : que tout le monde, Hazel et moi compris, évacue les lieux. Les autres refuseraient de revenir si l'expulsion des espions n'était pas totale.

— S'il te plaît, Kyle, ne pense pas de mal de moi. N'éprouve pas de rancœur. Je me sens authentiquement, merveilleusement, incroyablement inspirée. Comme si ce qui s'est passé cette nuit, ma mémoire retrouvée, avait brisé la dernière barrière qui me faisait obstacle depuis des années. Maintenant que j'ai réussi à la briser, je n'ai plus de limites.

Je regardai, le cœur lourd, la voiture de Chantelle s'éloigner. Je craignais pour sa santé mentale. Quand je me retournai, je vis sa vieille Toyota briller comme une pierre tombale dans la lumière du matin. La lumière et la vie, la mort et la nuit filtraient à travers les bois ombreux, baignaient le ciel et ce manoir ancien, ma nouvelle demeure. Chantelle avait couché avec moi et, de toute évidence, l'expérience, même si elle avait ébranlé son équilibre, n'arrivait pas à la cheville de l'extase de ses transports mystiques. Armée de cette révélation, comme si notre contact charnel lui avait prouvé que l'autre méthode était vraiment plus noble, elle retournait à sa secte pour que ses sœurs et elles renouvellent leur foi par un autre coup de dés désespéré.

J'étais persuadé que Chantelle avait besoin de cette immaculée conception pour se racheter, se délivrer de ses blessures et du souvenir de son viol revécu. Elle se considérait aussi répugnante que ses violeurs, contaminée par eux, et pour se laver de cette corruption elle requérait une preuve singulière de sa propre pureté. Saigner par tous les pores de sa peau à Pâques ne suffisait pas. Il lui fallait pour prouver que le mal ne harcelait pas ses entrailles les imprégner de la sainte semence de Dieu.

Je regagnai l'*Auberge du péage* en ruminant ces questions et, comme je me sentais d'attaque ce matin-là, je défiai Hazel aux échecs. Et, miracle ! je la battis.

2

UNE ÉVIDENCE : Hazel Stamp est l'une des trois ou quatre personnes authentiquement héroïques qui vivent aujourd'hui à la surface de la terre. Elle est infatigable, indestructible, indépendante, absolument divine, et à la maison chaque fois que j'en ai besoin. Elle est un titan, un tyran, un tank, un tyrannosaure, qui s'habille comme une perruche des Tropiques et émet les mêmes sons nasaux et plaintifs que la mésange bicolore. Hazel a le prodigieux talent de flotter dans l'*Auberge du péage* comme un fantôme, invisible et qui voit tout, même s'il lui arrive de surgir, comme un Clydesdale, d'un pas lourd et bruyant quand elle souhaite manifester sa colère. Il faut que je vérifie si elle porte des *talaria*, les brodequins ailés de Mercure. Elle est fanatique du ménage, sa cuisine est insurpassable. Mieux que tout, elle joue du rouleau à tarte comme un Viking. Qu'il me soit permis de le crier haut et fort : *Hazel Stamp m'a sauvé la vie !* Je l'adore. Et songe même sérieusement à lui donner une augmentation.

Entre le départ de Chantelle et la date prévue de son retour, de nombreuses lettres de sollicitation se couvrirent de poussière sur mon bureau. J'avais beaucoup de mal à prendre certaines décisions qu'il m'était impossible de remettre à plus tard. Le gentleman qui louait les écuries pendant les mois d'été demandait la permission de faire pâturer ses chevaux. Une vieille veuve qui élevait des chèvres convoitait le même pâturage. Elle revendiquait les premiers trèfles de la saison et la première herbe haute de la montagne qui donnait à ses fromages leur goût spécial et crémeux. J'autorisai les chevaux et les chèvres, et refusai la troupe de scouts d'Indianapolis qui demanda la permission de planter ses tentes. Ils voyageaient vers la côte. Je leur offris les chambres de l'auberge au double du tarif pour couvrir les frais de feux de camp au salon et les incontinences nocturnes. Ils choisirent de passer leur chemin. Je reçus aussi des demandes d'emploi de collégiens à la recherche d'un travail d'été. Plusieurs des membres de cette génération montante m'avisaient que je tenais entre mes mains leur bien-être et leur prospérité future. Pas de travail, pas d'instruction. Pas d'instruction, pas de Lincoln Mark IV ni de Mercedes Benz. Un travail à l'*Auberge du péage* formerait ou briserait ces âmes fragiles.

Pour couronner le tout, les demandes de réservation de la fidèle clientèle de l'auberge ne cessaient de s'accumuler.

— Notre commerce est-il ouvert ou fermé ? me demandait Hazel à tout bout de champ.

Je haussais les épaules. La paix, la sérénité d'habiter seul le sommet de la montagne, avec juste ma gérante pour en troubler la quiétude, était un privilège auquel il m'était difficile de renoncer.

— Bientôt, lui disais-je. Je vous aviserai bientôt.

Les factures s'accumulaient. Les considérations financières secoueraient ma léthargie, espérai-je, et m'encourageraient à reprendre le travail. Mais je retardais l'inévitable. J'attendais Chantelle. Nous étions déjà à la mi-juin.

Puis survint le péril.

AU NADIR D'UNE LOURDE NUIT, quelque chose me bouscula de mon sommeil. Même à l'altitude où nous étions, le climat était tropical, reliquat d'une sécheresse texane qui faisait fondre les habitants de la vallée. Je me réveillai, conscient de la moiteur de mon corps, de l'air chaud sur mes lèvres. Une ombre dansait devant mes yeux. Je me relevai d'un bond.

— Qui est-ce ? Quoi ?

L'intrus alluma la lampe de chevet. Je levai les yeux et mon regard plongea dans les orbites vides d'une tête de mort.

— Allô, rayon de soleil, dit une voix derrière le crâne qui lui cachait le visage comme un masque.

— Mon Dieu !

— À peu près. En plein dans le mille.

— McGrath.

— Petit trou du cul de Laîné, m'interpella-t-il. Comment vas-tu, mon garçon ?

McGrath me tira violemment du lit et m'obligea à plier le dos. Ses bras étaient incroyablement forts et mon corps chétif n'était qu'une marionnette entre ses doigts.

— Tu ne m'as jamais dit au revoir, me dit-il d'un ton de reproche. Foutu le camp sans un mot à ton bon ami, le shériff McGrath. Tu m'as obligé à te pourchasser. Pourquoi tu as fait ça, face de merde ? Je pensais qu'on était des copains. J'ai sauvé ta vie de débile !

Je me débattais, haletais, poussais d'inutiles grognements de rage, pendant que le crâne rebondissait sur le matelas.

— Je voulais juste t'avertir, étron, de ne pas franchir les frontières de l'État avec un squelette.

— *Aïe !* criai-je quand il me tordit le bras derrière le dos.

La douleur m'élançait dans les épaules et je perdis toute envie de me battre.

— Tu étais mon atout secret, mon amour. Tu ne le savais pas ?
Tu ne te doutais de rien ? Je t'avais dans la main. J'allais t'arrêter.
D'illégaux ossements dans ton coffre. Tu sais ce qu'aurait pensé
le bon peuple de Walkerman's Creek ? Il t'aurait flanqué à la porte de partout, jusque de l'autre côté des Appalaches. Tu m'aurais
supplié de t'enfermer si les gens t'avaient découvert.

Au cours des quinze dernières années, j'avais eu très peu de
contacts avec McGrath, même s'il s'intéressait toujours de loin à
mon bien-être. Nos relations étaient cordiales. J'étais son témoin
vedette après tout, celui qui raconterait l'histoire d'un Chapeaux
Dakota nu qui m'avait brandi un couteau de chasse dans le dos.
J'avais aidé McGrath à devenir un héros national au Tennessee.
Quand, à l'Halloween, des squelettes avaient surgi sur les pelouses de l'élite comme un semis de mauvaise herbe raide et opi-
niâtre, et plus tard à Noël, quand les os d'un homme culbutèrent
de la Cadillac Seville du maire, le shériff avait interrogé tous ceux
qui se trouvaient dans le coin. Il y avait de la pression pour
trouver le coupable et McGrath porta une attention particulière à
la racaille locale, dont je faisais partie avec ma vieille amie Isabelle.

Isabelle, avec sa réputation de sorcière, éveillait les soupçons.
Il y eut un incendie un vendredi soir. Étrange, parce qu'il se déclencha vingt minutes environ après la fermeture des bars, heure
improbable pour qu'une lanterne se renverse d'elle-même, mais
parfaite pour la rancunière et vengeresse allumette d'un ivrogne.
Issy décida de déguerpir. Je la mis, elle et son amant de quatorze
ans, un fugueur de Chicago, dans un bus vers le nord. Le garçon
l'amenait chez lui pour la présenter à ses parents.

Les habitants de la ville en furent heureux. Leurs problèmes
étaient résolus. Je les détestais tellement que j'applaudis à part
moi quand on trouva un crâne dans le panier d'un vélo d'enfant.

Plus tard, un tibia saillit d'une boîte à lettres extérieure à la campagne. On vit des bras pendus au portemanteau du *Apps' Pickle Barrel*. Un squelette entier, les os attachés les uns aux autres par du ruban adhésif, installé devant un match de basket à la télévision, accueillit un voyageur de commerce quand il ouvrit la porte de sa chambre au minable *Dixie Motel*. Une femme découvrit des côtes levées humaines, sans viande, dans le congélateur de sa maison. La ville paniquait.

McGrath s'acharnait à trouver une solution et il me disait maintenant que c'était moi, sa solution. Que j'avais quitté le comté de Monroe juste à temps. Il me tordit de nouveau le dos et je criai.

— Maintenant, me dit-il, je te casse en deux ou tu promets de rester tranquille. Que choisis-tu ?

— Vous n'aurez pas de problèmes avec moi, l'assurai-je.

Il me jeta au sol. Libéré.

— Habille-toi. Après, on descendra et tu me serviras une bonne bière bien froide.

— ALORS, KYLE, ESPÈCE D'ENFOIRÉ, mon vieux frère ! Comment vas-tu ?

Je lui servis sa bière. J'obéis au deuxième de ses ordres et allumai un feu dans le foyer. Il voulait savourer les plaisirs du Vermont.

— Bon, McGrath. J'ai découvert quelques petites choses.

— Comme quoi ?

— Vous m'avez volé de l'argent. Cinquante mille dollars.

— Je jure devant Dieu que je n'en ai jamais eu l'intention. J'ai rappelé l'avocat pour lui dire que je t'avais trouvé. Il avait parlé d'une récompense. Je voulais éclaircir la question et peut-être négocier un peu plus. Avant que je m'en rende compte, il me racontait l'affaire. Toute l'histoire. Comme s'il me suppliait de venir encaisser l'argent. Tu te souviens de Dupree ?

— Trop bien.

— C'était lui. C'est lui qui est venu. Il a prétendu qu'il était toi.

— Cela concorde. Il m'a rossé. M'a laissé dans un fossé. M'a volé ma carte d'identité.

Une bûche craqua dans le feu.

— J'ai sauvé ta vie de merde. Tu avais une dette envers moi. Alors je suis passé à la caisse. Je suis sûr que tu ne m'en gardes pas rancune. Tu es plutôt à l'aise maintenant.

McGrath, assis avec le crâne sur ses genoux, prenait de longues gorgées de bière. Il n'était plus tout jeune et la bagarre dans ma chambre l'avait fait transpirer, mais je ne pensais pas gagner si je me battais contre lui. Il avait trop l'habitude d'immobiliser les gens et était beaucoup plus fort que moi.

— Que voulez-vous, McGrath ?

— C'est une simple visite amicale, Kyle.

— Tu parles ! Et c'est qui votre ami ?

Il leva le crâne et éclata de rire.

— Mon amie ! Je l'appelle Gladys. Jolie, pas vrai ?

— Vous l'avez tuée ?

L'idée m'avait déjà effleuré. J'avais bien aimé Chapeaux Dakota et n'étais jamais parvenu à m'ôter de la tête qu'il avait été abattu pour rien.

— Non. Ça doit être Chapeaux. Tu sais quoi ? J'ai trouvé son cimetière. Tu imagines ! Après toutes ces années. Je m'étais dit qu'il avait dispersé les corps dans tout le Tennessee, mais non. Il avait un cimetière de l'autre côté de Walkerman's Creek, à l'opposé de l'endroit où je l'ai abattu. Je l'ai trouvé l'automne dernier pendant que j'étais à la chasse. Je le cherchais depuis 1970. L'ai finalement trouvé. Il contient une quantité incroyable de corps, Kyle. C'est stupéfiant.

Il fallut un moment pour que l'importance de la nouvelle me pénètre.

— C'est *vous* qui avez trouvé le charnier ?

— Exact.

— Alors, c'est vous. C'est vous qui avez éparpillé les os partout.

— De la rigolade. Je me suis dit que je terminerais par un feu d'artifice, tu vois. J'ai planté des squelettes pour déranger les gros bonnets. Le maire et ses amis. Quelques autres imbéciles de première classe. Et j'ai du même coup trouvé le moyen de me débarrasser de toutes les ordures de la ville, comme toi et cette sorcière. Mais fallait que tu deviennes riche, que tu reçoives de l'argent de ton défunt papa, que tu hérites d'une auberge ! Je planifiais de te coller le crime sur le dos, mais tu m'as forcé la main. J'ai entendu dire que tu déguerpissais, alors j'ai mis les os dans ton coffre. Si tu n'avais pas réussi à t'échapper, tu étais cuit.

— Navré de vous avoir causé du désagrément.

— Ne t'en fais pas pour ça, dit-il en levant son verre pour que je le remplisse de nouveau.

Dans la cuisine, j'eus la nette impression que McGrath n'attendait qu'une excuse pour me tuer et que ce ne serait pas une bonne idée de m'enfuir ou de revenir armé d'un couteau de boucher.

— En fait, j'aime la manière dont les choses ont évolué, poursuivit McGrath quand je me rassis. Je prends ma retraite bientôt. Et je pense que j'aimerais que le couillon qui me doit la vie me verse une pension régulière.

— Soyez sérieux.

— Si tu avais plus de respect pour moi, Laîné, tu saurais que je suis toujours sérieux.

— C'est ça votre problème ? Le respect ? Vous vous imaginez que je devrais ramper à vos pieds parce que vous m'avez sauvé la vie ? Vous vous imaginez que Walkerman's Creek vous doit les joyaux de la couronne parce que vous prenez votre retraite ?

— Ouais, dit McGrath en se tapant la poitrine. Je veux ma part. Je veux ce qui me revient. J'ai toujours été un sapré bon policier...

— Vous m'avez volé ! m'exclamai-je.

— Et alors ? C'est arrivé comme ça. Je t'ai sauvé la vie. Ai-je jamais entendu un seul mot de remerciement ? Non. Jamais. M'as-tu présenté tes petites amies ? Non. Jamais. J'ai traîné dans les parages ces derniers temps, Laîné. J'aime ta maison. Tu me dois la vie. Est-ce trop demander de profiter d'une part de ta richesse ? Hmm ? Disons, cinquante pour cent ?

Un courant d'air froid m'aiguisa les sens.

— Vous avez traîné dans les parages ces derniers temps ? Je ne comprends pas.

Il se pencha dans son fauteuil. Son visage s'éclaira d'un sourire sinistre et il leva le crâne pour que je le regarde attentivement. Quand il ouvrit la bouche, il contrefit sa voix, une voix que je n'avais pas oubliée. « Mords », dit-il. Et il ajouta : « Cours ».

— C'était vous à l'écurie !

— Imagine ma surprise quand tu m'as rapporté le sac d'os. C'était comme à Noël !

— C'est *vous* qui avez remis le squelette dans la Mercury.

— Exactement où il devait être. Comment aurais-je pu deviner que tu balancerais ta voiture par-dessus la falaise ? Je voulais que tu le trouves, Kyle. Mais quand ce policier a téléphoné, je me suis dit : qu'est-ce qui se passe, nom de Dieu !

— Je ne comprends pas. Comment Snow vous a-t-il téléphoné, si vous étiez ici ?

— J'appelais pour prendre mes messages. Mais attention ! Je faisais la navette. J'avais du travail, tu sais. Je ne suis pas un tire-au-flanc. Je suis un représentant de la loi responsable. Je ne pouvais pas gaspiller tout mon temps sur ta face de purin.

— Que voulez-vous, McGrath ?

— Je te l'ai dit. Une part des profits, mais ça se discute, dit-il en faisant tourner le crâne dans sa main, de toute évidence fasciné par sa mine ascétique.

— Il n'y a rien à discuter, croyez-moi.

— Et comment marchera ton commerce, penses-tu, quand tes clients trouveront des squelettes couchés dans leur lit ? Ou quand la rumeur se répandra que ton cuisinier ajoute des os humains dans le bouillon ? Hmm ?

— On vous attrapera.

— Tu ne m'as pas attrapé jusqu'ici, et j'ai dormi dans ton auberge, j'ai mangé dans ton auberge, à la cave, dans les écuries. Tu ne m'as pas vu une seule fois.

McGrath me lança le crâne que j'attrapai d'un geste réflexe et posai tout de suite derrière moi sur le divan, pendant qu'il se dirigeait vers le foyer dont il ouvrit la grille.

— Je devrais peut-être juste incendier l'endroit, dit-il avec désinvolture, le réduire en cendres avec toi au milieu.

— McGrath, *pourquoi* ? demandai-je, soudain très effrayé. Je ne suis rien pour vous...

— Exactement ! explosa-t-il. Rien ! J'ai sauvé ta pourriture de vie et tu ne m'as jamais dit le moindre merci. Tu as passé ton existence merdique à jouer avec tes orteils, à dormir tout le temps, à chanter comme un oiseau, et qu'est-ce qui arrive ? Tu hérites d'une auberge. Une maudite belle auberge en pleine campagne de Nouvelle-Angleterre ! Et moi qu'est-ce que j'ai ? Pauvre idiot. J'ai travaillé toute ma vie et je ne baise même pas. Toi qui n'as jamais rien fichu de tes dix doigts, tu as toujours eu une femme par-ci et une autre par-là. Moi, le mieux que je puisse m'offrir, c'est Gladys.

Il sortit un brandon du feu. Les flammes dansaient à une des extrémités.

Je voyais, dans les cabrioles des flammes, Cindy et les incendies qu'elle avait allumés, je voyais son père mort par le feu, je voyais la photo de mon géniteur embrasée par ma mère. Une seule pensée cohérente se réverbérait dans ma tête : « C'est mon tour. Tout se réduit à cela. C'est mon tour. » Et quelque chose à l'intérieur de moi ressuscita de son sommeil, devint entier, lucide. Je renaissais. À deux doigts de la mort, je ne percevais pas que j'avais mésusé de ma vie. J'assistais à sa soudaine maturité, son plein bourgeonnement. J'étais vivant. Je vivais, ancré dans les flux de l'être, lourd de mon âme, né d'une seconde naissance, vivant, Dieu, l'amour, enfant de nouveau avec un genou sur mon chariot, l'autre jambe qui pompait de toutes ses forces pour me donner de la vitesse, Chantelle, Cindy, le délice absolu, désespéré de voler du même vol que les oiseaux, avec plus bas d'énormes montagnes comme des châteaux de sable... Chantelle ! Cindy ! M'man ! Tante Em ! Nous vivons, passons, capitulons, bavardons, poussons et, sainte merde ! je n'ai jamais été aussi vivant et, Seigneur ! je suis sur le point de mourir, je meurs et, correct ! c'est correct aussi...

McGrath avançait vers moi avec sa torche de feu, une branche brillante et enflammée.

— Que penses-tu qu'il y trouvait ? me demanda-t-il.

— Pardon ?

— Chapeaux. Pourquoi, penses-tu, aimait-il tant tuer ? Était-ce comme une maladie ? Ou un sport ?

McGrath posa le bois enflammé près de mon épaule, comme s'il m'adoubait. Puis il agita le feu au-dessus de ma tête. J'entendis mes cheveux roussir.

— Aimait-il ça ? Prenait-il son temps ? Ou bien était-ce une simple compulsion ? demanda McGrath, s'écartant de moi, dansant presque avec le feu et la fumée. Que dirais-tu du divan, Kyle ? Ou le tas de bûches d'abord ? Ou les livres sur les étagères ?

Je voulais le supplier d'arrêter, mais savais qu'il était vraiment décidé à incendier l'auberge. Pour m'humilier, exactement comme il en avait humilié et effrayé tant d'autres avec ses squelettes. Pris de je ne sais quelle inspiration, je me penchai et sifflai la mélodie de la grive solitaire.

oh lalay aïlalo aïlalo aïlo

Décontenancé, McGrath s'éloigna de moi.

ah laylaïla laïlalo laïlalo laïla

Mon chant ne le désarma pas comme je l'avais espéré. Il ne lui fit pas non plus retrouver sa raison. Il était imperméable à la beauté et à l'humour. McGrath se cabra vers l'arrière et pointa son brandon comme une lance vers mon cœur. Je ne sentis pas mes forces m'abandonner. Au contraire, elles gonflèrent. Et j'entonnai soudain le cri de guerre du tyran tritri

kaïtteûr-kaïtteûr-kaïtteûr-kaïtteûr !

du mieux que je l'aie jamais poussé, avec tout mon courage, mon âme en plein vol comme si j'attaquais une corneille. McGrath leva son arme pour me réduire au silence, fit un mouvement brusque vers l'avant... et, à cet instant précis, j'entendis son crâne craquer.

Sa tête vacilla.

Il s'affala sur lui-même.

Derrière lui, amazone des armées du ciel, merveilleuse, magnifique, victorieuse, Hazel Stamp était debout. Elle brandissait à deux mains son rouleau à tarte en marbre, instrument de tant de délicieux gâteaux et pâtisseries et outil de ma délivrance.

Le brandon de McGrath brûla légèrement le tapis, mais Hazel se précipita et piétina le feu jusqu'à ce qu'il s'éteigne.

Intrépides dans l'action, les nerfs d'Hazel flanchèrent d'un coup. Nous tombâmes dans les bras l'un de l'autre avec l'abandon des amants. Je regrettai presque d'avoir été sauvé, parce que je me sentais revenir à la vie ordinaire.

McGrath était toujours étendu à terre comme une statue déboulonnée. Il respirait. Je me cramponnai à Hazel jusqu'à ce qu'elle se calme, même si un spasme tardif la fit presque craquer.

— VOULEZ-VOUS UNE TASSE DE THÉ ? finit-elle par me demander, signe qu'elle allait mieux.

Je n'osai refuser.

— Oui, s'il vous plaît, Hazel.

— Quelle sorte ?

— English Breakfast serait parfait, merci.

Elle n'était pas si calme que ça. Sa tasse cliquetait dans sa soucoupe. Pour l'aider à retrouver ses esprits, je lui demandai, pince-sans-rire : « Dites-moi, Hazel, avant de lui fendre le crâne, avez-vous vérifié s'il avait rempli sa fiche d'admission ? »

Elle riait et pleurait tout à la fois. J'adore Hazel. Elle est belle.

Elle m'a sauvé la vie ! Elle poussa soudain un cri strident et son thé se renversa sur le tapis.

Elle venait de s'asseoir sur le crâne fétiche de McGrath.

3

PERSONNE N'EST PARFAIT. J'aime fourrer mon nez dans les affaires des autres. Je suis un fouineur. J'avais convenu avec Chantelle d'évacuer l'auberge quand elle reviendrait avec sa petite troupe de bonnes sœurs. Elle crut que j'avais respecté l'entente. Mais il y avait un hic. La même pulsion, qui m'avait propulsé sur le toit pour l'espionner par le puits de lumière, me poussa dans la cave avec un sac de noix comme un écureuil, quelques pommes et trois cents bouteilles de chablis californien.

Il me vint à l'idée que les femmes seraient peut-être prises de soif pendant leur séjour et razzieraient la cave à vin. Je déménageai donc dans la chaufferie et y transportai mon en-cas et quelques bouteilles de grand cru choisies au hasard.

Hazel, pendant ce temps, se remettait de ses aventures chez sa sœur à Winooski. (Elle était devenue une vraie célébrité locale. Son rouleau à tarte s'était vendu à prix d'or au marché aux puces dans un encan organisé au profit de l'église et elle avait récemment joué comme frappeur de relève au match-bénéfice annuel de balle molle des pompiers volontaires contre la police de l'État. Elle fut retirée au bâton, mais son frapper, comme l'annonçait la publicité, était puissant. La police de l'État gagna la partie, incidemment, après deux retraits, à la neuvième manche, grâce à un attrapé du tonnerre au champ centre de l'inspecteur Isaïe Snow, qui se rachetait ainsi de trois erreurs précédentes. Je poussai des vivats pendant qu'Hazel tirait la tête.)

Et pendant ce temps aussi, McGrath était en convalescence au *Burlington General Hospital* et F.D.R. préparait sa défense. (Enivré par l'élixir du droit criminel, Franklin D. promenait à grand bruit sa bonne humeur en ville. Ses amis racontaient que c'était magnifique de le voir déborder à ce point d'énergie. Il m'avait confié, superbe réconfort, qu'il n'avait pas l'intention de gagner ce procès, que son objectif principal était de se faire une réputation dans les milieux de l'élite criminelle, ses futurs et prospères clients.)

Le souci du détail était essentiel à la réussite de mon subterfuge. Je préparai un sac et quittai l'*Auberge du péage* dans ma Cherokee Chief. J'abandonnai ma voiture en ville et revins en taxi. Les sœurs arrivaient et, cette fois, j'étais préparé.

La curiosité n'était pas ma seule motivation. Je n'étais pas qu'un impénitent espion. J'étais aussi l'ami et l'amoureux de Chantelle. Sa sécurité et son bien-être me préoccupaient. Assez de religieuses déjà s'étaient glissées au lit dans mon établissement pour ne plus jamais se réveiller.

La chaudière silencieuse, les chauffe-eau qui de temps en temps se réveillaient, mes provisions liquides et solides, les effets personnels de mon père et un seau puant, que je vidais régulièrement dans une canalisation sanitaire ouverte, constituaient les éléments du décor de mes lugubres quartiers souterrains. En haut, les femmes s'étaient rassemblées. Je vérifiai ma montre-bracelet. Elles finiraient bientôt de souper et seraient obligées, cette fois, de faire la vaisselle. Je m'attendais à ce qu'elles passent aux choses sérieuses tout de suite après.

Je bus une autre rasade de ma bouteille de vin, sémillante et polissonne surprise des chais de Paul Masson. Mâchouillai un bonbon. Et réglai mes oreilles sur la redoutable tombée du crépuscule, quand celles qui courtisent Dieu se mettent à hurler.

À MINUIT, LOINTAIN COUSIN DE L'OGRE émergeant des entrailles de la terre après plusieurs siècles, je me hasardai hors de ma tanière. Hébété, échevelé, le poil au menton, les vêtements fripés et l'esprit déphasé (à cause de l'air pollué du sous-sol), je sortis discrètement de la chaufferie, me glissai dans l'escalier abrupt et ouvrit la trappe de quelques millimètres. Les oreilles aux aguets, j'écoutai. La nuit était pratiquement muette. Je sortis de la terre, fantôme lâché sur la confiante planète.

Je refermai la trappe derrière moi et attendis quelques minutes dans la cuisine pour m'ajuster l'oreille au silence. Pas de psalmodies cette nuit. Pas de hurlements à glacer le sang. Même si j'avais, sur le coup de minuit, surgi du noir cercueil de la cave et levé le couvercle de la trappe, entrée secrète de la terre, aucun vampire ne rôdait dans les corridors de l'*Auberge du péage* savourant à l'avance les jolies damoiselles, dont il n'aurait nul besoin de mordre le cou parce que, dans leur amour extatique et passionné de leur dieu, elles saignaient déjà à profusion. La nuit était sereine.

Il n'y avait personne à la cuisine. Les assiettes séchaient. La salle à manger était sombre et déserte aussi. Je m'avançai comme une ombre.

Dans le salon, deux femmes étaient couchées sur le plancher, les jambes dans une pose tellement alanguie, tellement biscornue que je crus d'abord qu'elles avaient été sauvagement massacrées, réduites à l'état de débris humains. Mais une main bougea, porta une cigarette aux lèvres. L'extrémité incandescente du mégot brasilla comme un signal lointain. Pendant que je les épiais, la deuxième femme se releva légèrement pour boire dans un verre. Sa main libre traçait de lents cercles concentriques sur le genou de sa compagne. Je disparus, atterré, et me dirigeai vers l'étage.

J'aperçus dans la lumière en haut des marches un trio de femmes agglutinées comme un bouquet informe. Elles me repérèrent et je restai immobile. Quelle surprise ! Personne ne sonna l'alarme ! Aucun cri de guerre. Pas le moindre doigt accusateur pointé sous mon nez. Elles se contentèrent de lever le menton et de plisser les yeux. Je me mis en position de défense. Simple réflexe. Sœur Sophie, ma vieille alliée, était du groupe et elle n'ouvrit pas la bouche, pas un mot de blâme ou de reproche. Je n'avais rien à craindre. J'escaladai le trio et pressai le pas dans le corridor faiblement éclairé.

Le dos collé au mur, je m'arrêtai près d'une porte ouverte. La conversation portait sur un commerce à ouvrir l'été à Narragansett Bay. Je jetai un coup d'œil à l'intérieur. Deux femmes fumaient et une troisième tenait une bouteille de bière entre les cuisses. Pas d'hystérie mystique. Pas de horions, pas de cris.

J'observai le même genre de scène dans plusieurs chambres le long du corridor. L'Ordre des sept voiles s'était fragmenté en sous-comités factieux. Il y avait peu de va-et-vient d'une chambre à l'autre et je ne fus interpellé qu'une seule fois. « Que faites-vous ici ? » me houspilla sœur Jane, un personnage buté, obsessionnel, qui aurait tiré les oreilles d'un enfant pour le faire sourire.

— Je suis le propriétaire des lieux, lui rappelai-je.

Apparemment, la justification suffisait. Jane haussa les épaules et je poursuivis mon chemin à la recherche de Chantelle.

Il était évident que la société des sœurs s'était désintégrée. Au matin, elles se disperseraient et se demanderaient, dans quelques années, quelle mouche avait bien pu les piquer. Pour le moment, leur petite troupe était plongée dans la tristesse. Se conformer aux logiques de quelqu'un d'autre ne procure aucun plaisir, pas quand les changements de cap sont perçus comme une capitulation, la renonciation à ses rêves et l'abandon d'une vision. La défaite transpirait de ces corps voûtés. Le temps était venu pour les femmes de réorganiser leur existence, de faire leurs les visées et les tracas de la vie de tous les jours. Demain, elles redescendraient de la montagne et ne batifoleraient plus avec les dieux. Demain, seuls compteraient les choix de carrière, les bonnes démarches, les rideaux pour la chambre, les meubles de patio, les hommes. Demain, elles se sépareraient, pour ne plus se rencontrer de nouveau qu'autour de tables de bridge ou devant un verre le vendredi soir. Beaucoup d'entre elles se voyaient pour la toute dernière fois. Leur association fervente, passionnée, fanatique avait été dissoute.

J'étais inquiet de la manière dont Chantelle s'ajustait à ces bouleversement. Je cognai à la porte de la grande chambre où je présumais la trouver. Pas de réponse. De la lumière filtrait sous le seuil. Conformément aux us et coutumes de l'auberge, j'ouvris la porte sans attendre et entrai.

Chantelle était seule, assise au pied du lit avec un oreiller sur les genoux. Ses pieds ne touchaient pas le sol. Jambes pendantes. Plongée dans ses pensées, elle regardait en l'air par le puits de lumière, même si l'éclairage l'empêchait de voir le ciel. Elle me semblait angélique dans sa chemise de nuit jaune pâle.

— Allô, Chantelle, dis-je en espérant qu'elle ne sursaute pas.

La surprise lui coupa le souffle, mais elle accepta ma présence sans plus d'embarras que les autres.

— Tu n'es pas censé être ici, me gronda-t-elle doucement avec un sourire désabusé.

— Je sais. Je suis incorrigible. Je me faisais du souci pour toi. Pardonne-moi.

Le mouvement de sa tête me parut signifier que plus rien n'avait vraiment d'importance. Je n'étais peut-être pas le bienvenu, mais elle me tolérait.

— Qu'est-il arrivé, Chantelle ? Pourquoi cette tristesse ? Raconte.

Je m'assis à côté d'elle au bord du lit. Chantelle avait pleuré. Elle s'essuya de nouveau les yeux avant de parler et se moucha d'un petit coup poli. Les Kleenex étaient pratiques. À voir l'amoncellement de papiers-mouchoirs à terre, elle en avait déjà utilisé une demi-boîte. Elle chiffonnait chaque mouchoir dans son poing avant de le jeter.

— Je le leur ai dit, Kyle, à mes loyales et fidèles amies. Celles qui m'ont... trahie. Aussi bien te le dire aussi.

— Vas-y, je t'en prie.

— Je suis enceinte. Six semaines.

Mon cerveau se lança dans un rapide calcul et je vérifiai deux fois avant d'oser jubiler.

— Chantelle ! Je suis le père ! C'est magnifique ! Magnifique ! Laisse-moi être le père, Chantelle. J'ai toujours pensé que ce serait formidable d'être un bon père.

Elle secoua catégoriquement la tête.

— Chantelle ? Pourquoi pas ? C'est mon bébé aussi !

— Non, me contredit-elle. Ce bébé est le mien. Il est le mien, Kyle. Le mien et celui de Dieu.

Une volumineuse part de mon amour pour elle, je ne sais pourquoi ni comment, se dégonfla d'un coup. Je me levai et me dressai au-dessus d'elle.

— Chantelle, dis-je, ne te moque pas de moi. *Nous* avons fait ce bébé. Toi et moi. Ici même, dans ce lit. Cela ne s'est pas passé de la manière dont tu l'avais prévu, je sais. Ce n'était pas très agréable pour toi. Tes souvenirs se sont interposés. Pourtant. C'était toi et moi. Si Dieu était ici, Il n'assistait qu'en voyeur.

— Je le sais, dit Chantelle, d'une voix grave sur un ton de défi, après s'être essuyée une fois de plus les yeux avec un autre Kleenex. Je le *leur* ai dit, n'est-ce pas ? Elles savent comment cela s'est passé. Tu es sans doute le père...

— Sans doute ? questionnai-je.

— Il n'y a pas d'autre homme, si c'est ce que tu veux dire. Mais qui peut l'affirmer ? Qui en est sûr...

— Le Saint-Esprit *n'a pas conçu* l'enfant que tu portes, Chantelle.

— Qui peut l'affirmer ? Personne ne le sait de manière irréfutable.

— Ah non ? Eh bien, ce que je sais, moi, de manière irréfutable, c'est qu'il ne faut élever aucun enfant en exhibant son immaculée conception comme un trophée.

— C'est ce que j'ai entendu dire.

Ses mots me frappèrent et son air détraqué me désarçonna. Je fis le tour de la chambre pour me contenir. Décidai que si je rouvrais l'auberge, je ferais de cette suite mon appartement personnel, quitte à me priver de revenus plus substantiels. C'était une chambre de sang et d'étoiles, un lieu de conception, de conflits et de réconciliations, d'amour et de détresse, et qui suscitait en moi d'extraordinaires sensations : la passion, le repli, la bataille et la régénération. J'y avais conçu un enfant ! J'avais une vague idée maintenant de ce qu'avait dû ressentir mon père quand il m'avait conçu, sachant qu'il n'aurait sans doute aucune influence sur la suite de mon destin.

— C'est donc cela, dis-je. Tes bonnes sœurs ne marchent pas. Tu leur as parlé de la nuit que tu avais passée ici avec moi et elles refusent ton dieu substitut. Elles seraient prêtes à accepter un bébé humain peut-être, de préférence une fille. D'après ce que j'en sais, certaines ont déjà des enfants. Des petits qu'elles ont mis au monde après un corps à corps avec un homme, en les nourrissant et en supportant les nausées matinales et l'échographie. Et elles ont accouché dans la douleur et la jubilation. Elles acceptent leurs petits et elles accepteront ton bébé aussi. Mais elles n'acceptent pas ton scénario d'immaculée conception, surtout qu'elles savent qu'il a suffi d'une petite partie de frotte-frotte pour faire l'affaire. La corvée de viande. La procréation dans la sueur.

— Arrête ! m'ordonna-t-elle d'une voix énergique sans me regarder.

Elle grinçait des dents, le regard perdu droit devant elle, le menton levé d'un air provocateur.

— Tu as raison, Chantelle, c'est un miracle. Pas le miracle que tu escomptais, c'est vrai. Pas un miracle qui proclame la pureté de tes entrailles, qui prouve que tu as été lavée de l'obscénité perpétrée contre toi, qui déclare que Dieu t'a récurée jusqu'à l'os et disculpée de toute complicité, réelle ou imaginaire, dans la mort de tes parents. T'a innocentée d'avoir tué mon père aussi. Ce n'est pas le miracle qui te pardonne, non pas ton péché, mais d'être une victime du péché, ce que tu n'as jamais été capable de te pardonner toi-même. Mais c'est un miracle quand même, Chantelle. Tu as raison de le penser. Réfléchis une seconde.

Une culbute rapide sur le matelas dans cette sainte chambre, et te voilà imprégnée de la semence de Dieu. Beau travail. Beaucoup plus facile que ton précédent charivari. Et jusque-là tu as raison. Mais je ne suis pas Dieu, Chantelle, et je n'ai jamais aspiré à l'être. Pas plus que ton enfant ne sera un dieu.

Elle m'accabla soudain d'insultes et jeta de toutes ses forces son oreiller qui s'écrasa de l'autre côté de la chambre.

— Que penses-tu qu'il s'est passé ici, bon sang ? Te souviens-tu de ce qui m'est arrivé ? La terre s'est déchirée, Kyle, pas le ciel. Je ne faisais pas juste me souvenir encore et encore, sans arrêt des choses horribles que j'ai vécues, je les *revivais*, comme si le massacre se passait au même instant. Ma mère coupée en morceaux, mon père torturé et obligé de regarder. « Tu veux essayer. » C'est ce qu'ils disaient. « C'est amusant. »

Chantelle, pendant qu'elle parlait, tenait son poignet droit dans sa main gauche et donnait d'imaginaires coups de couteau dans le lit. « Tu n'as pas besoin de ta petite maman. Tu n'as pas besoin de ton papa », psalmodiait-elle. Et elle donnait des coups dans le lit, donnait des coups encore et encore, une main tenant l'autre, et je vis la scène et éprouvai de la répulsion, et la stupeur me saisit, et je me sentis les jambes molles de savoir, de comprendre cette mystérieuse connivence de nos esprits qui nous avait poussés l'un vers l'autre, et je vis sa main forcée de saisir l'arme, forcée de l'enfoncer dans la chair de ses parents.

J'empoignai Chantelle parce que c'était trop. Je n'étais plus capable. Je la berçai dans mes bras. Peu importe ce qui arriverait de nous, nos destins étaient intriqués pour la vie. Nous pleurâmes ensemble et, longtemps plus tard, nous nous essuyâmes le visage avec des Kleenex et soufflâmes dans nos nez morveux comme dans des trompettes.

— Des barbares, dis-je.

— Dieu, me contredit Chantelle.

Je la regardai avec circonspection, décontenancé cette fois. Elle se leva et arpenta la pièce.

— Pourquoi pas ? demanda-t-elle. N'a-t-Il pas envoyé Son propre Fils à la torture et à la mort ? Son propre Fils n'a-t-Il pas accepté que Son corps soit transpercé ?

— Mon Dieu, Chantelle.

— Je t'en prie. Oublie la religion. C'est ce que tu voulais. Mes chemins et ceux de Dieu se sont séparés. Nous avons divorcé.

Interloqué un moment, je suivis le pas rageur de Chantelle dans la chambre. Elle ressemblait à un fauve en cage. Et moi aussi.

— Je ne comprends pas. Que veux-tu dire ? demandai-je.

Je sentais que continuer de la faire parler était mon seul espoir de jeter un pont par-dessus l'abîme qui nous séparait, par-dessus le terrible gouffre aussi qu'elle avait créé à l'intérieur d'elle-même. Un mince espoir au mieux. Chantelle rejeta la tête en arrière et rit. Ses cheveux avaient poussé depuis les derniers mois et ils lui rebondissaient maintenant dans le bas du cou.

— Tu ne le sais pas ? Tu ne devines pas ?

Un enthousiasme exalté avait remplacé dans les yeux de Chantelle la tristesse qui y flottait depuis que je la connaissais. Elle serra son corps et se frotta les mains de haut en bas de ses biceps nus.

— La nuit où ton père est mort. Excuse-moi, la nuit où nous l'avons tué. Oh, nos intentions étaient les meilleures du monde. Il voulait que nous mettions fin à ses souffrances. Nous lui rendions service. Les choses ont basculé quand j'ai regardé la voiture s'emplir de la fumée du pot d'échappement. Je ressentais une... je ne sais comment l'exprimer... une excitation équivoque qui me donnait des picotements dans le corps. En réalité, je *tirais plaisir*

405

à commettre un meurtre. C'est alors que j'ai commencé à me voir telle que je suis. C'est alors que j'ai commencé à perdre la foi. C'est alors aussi que j'ai commencé à me remémorer la mort de mes parents. Des images furtives. Des flashes. Ce n'était donc pas juste toi, Kyle, pas juste parce que nous avons fait l'amour. Le meurtre de ton père aussi, je pense, a secoué ma mémoire, m'a ramené certaines choses.

Il me sembla qu'elle essayait de lever le regard, mais ses yeux refusaient de quitter le vague, comme si sa propre surprenante démence la coinçait dans une impasse.

— J'ai toujours été disposée à accepter les contradictions, Kyle. Je te l'ai dit. J'étais disposée à me soumettre à toutes sortes de fictions psychologiques et spirituelles contradictoires. Ma foi se situait à un autre niveau, au niveau de la spiritualité. Je voulais que Dieu sorte vainqueur. Je voulais que Dieu me transforme complètement, qu'Il m'accorde une vie toute neuve, qui restaurerait ma virginité en même temps que mon innocence et permettrait le miracle d'une immaculée conception. Je voulais que Dieu me prouve que j'étais pardonnée. Bref, je voulais Dieu. Mais ce n'est pas arrivé. Je connais la réplique. Les filles me l'ont répétée assez souvent. Je dois me pardonner. Mais de quoi ? Je n'ai rien fait. Donc, j'ai besoin de pardon, mais n'ai vraiment pas grand-chose à me faire pardonner.

— Chantelle, écoute, tentai-je d'intervenir du plus profond de mon désarroi, écartelé entre l'incohérence de sa folie et l'amour que j'avais pour elle. À propos de notre bébé...

— Le bébé de Dieu, me corrigea-t-elle.

— Tu me donnes le vertige. Tu parles d'immaculée conception et, la seconde d'après, tu me dis que tu as perdu la foi. Et maintenant tu portes de nouveau un bébé sanctifié.

— Au bout du compte cela n'a pas d'importance, m'avertit-elle, les mains posée sur les hanches. Je m'arrangerai pour que tout cela n'ait plus d'importance.

— Que veux-tu dire ?

Chantelle caressa son ventre et, par deux fois, fit glisser ses mains jusqu'à hauteur de ses seins.

— Chantelle ?

Elle m'adressa un pâle et inexplicable sourire. Je me relevai, stupéfait, avec un mouvement de recul de tout mon être.

— Non, Chantelle. Je t'en prie. Non.

Son sourire s'élargit. Elle avait trouvé le moyen de se purifier, de se purger de tout ce qui lui avait été fait et de divorcer une fois pour toutes de ce Dieu qu'elle avait si longtemps vénéré.

— Oh merde, Chantelle ! Merde !

— Maintenant tu sais pourquoi les filles ne me parlent plus. Maintenant tu sais pourquoi nous ne sommes plus des religieuses.

Ébranlé, je cachai mon visage dans mes mains. Levai les yeux vers elle, puis les détournai. Je comprenais et j'étais incapable de la condamner, même si j'éprouvais en même temps du mépris pour elle. Elle avait essayé de purifier son utérus profané, avec le sang de tout son corps menstrué qui se répandait à l'extérieur, pendant qu'elle offrait le centre de son âme au Christ et à Dieu. Mais cela ne l'avait pas purifiée comme elle l'espérait. Pas plus que l'avortement n'y parviendrait, bien sûr. Ce qui avait pénétré dans son sexe d'enfant, ce qui avait tenu sa main, l'avait armée d'un couteau et l'avait forcée à frapper pour anéantir sa famille, demeurait en elle, croyait-elle, poussé en elle par ses violeurs, et elle l'expulserait maintenant. Chantelle était devenue folle.

J'étais incapable de la blâmer, incapable de la condamner, et mon mépris s'atténuait même, étouffé par un nouvel élan de compassion. Je sentais le faix d'une humaine détresse écraser les montagnes et l'*Auberge du péage,* anéantir cruellement tout enthousiasme, tout espoir, toute attente ou toute échappatoire. J'étais au fond de l'abîme. Un gong retentissait qui m'envoyait des signaux d'alarme, et je secouai la tête. Si je capitulais maintenant, Chantelle serait non seulement perdue, mais moi aussi je ne parviendrais plus jamais à refaire surface. Si un homme sur terre avait le pouvoir d'aider Chantelle, c'était bien moi, parce que qui d'autre que moi savait ce qu'était plonger un couteau dans le corps de sa mère ? Chantelle et moi portions les mêmes chaînes.

Mais que faire ?

Pour la première fois de ma vie, peut-être parce qu'aucun autre choix ne s'offrait à moi, je priai pour de vrai. Priai de toutes mes forces. Ma prière exsudait de tout mon être. Au moment où Chantelle abandonnait la foi, la mienne prenait vigueur.

— Reste ici ! hurlai-je, soudain inspiré.

— Quoi ?

L'autorité de mon cri la fit tressaillir. Elle ne s'attendait pas à entendre un autre diktat du ciel.

— Promets-moi de rester ici. Ne bouge pas.

— Je m'en vais demain matin.

— Je reviens dans cinq minutes ! Ne bouge pas !

Ma foi débouchait sur un palpitant émoi. Je n'avais aucune garantie logique de l'efficacité de mon plan. Mais j'y croyais. Je dévalai les escaliers comme un camion de pompiers, donnai dangereusement de la bande quand je tournai les coins, traversai les intersections comme un ouragan sans me soucier des panneaux d'arrêt, projetai la trappe en l'air, repérai l'interrupteur de la cave et, pris de vertige, plongeai de nouveau dans les entrailles de la terre. Je fouillai dans le fatras des effets de mon père. Et trouvai ce que je cherchais.

Je revins plus lentement pour ménager mon souffle. La plupart des femmes étaient couchées. Quand j'entrai dans la chambre, Chantelle était affalée dans un fauteuil. Je pressais contre mon cœur le livre de mon père, *Un Kinkajou à Hackensack*.

— Tout le reste ne compte pas, dis-je.

Ma dernière carte. La foi, c'est espérer en l'espoir lui-même.

Je me lançai donc. J'entrepris de lire la plaquette de mon père publiée à compte d'auteur, sans savoir quelle sagesse ou quelles sottises elle contenait. Je lus pendant que Chantelle marinait dans son fauteuil. Je lus parce que j'avais désespérément besoin d'aide. Un coup de rouleau à tarte ou une autre intervention brutale ne parviendrait pas à dénouer l'impasse où nous étions. Il fallait de la magie ou quelque chose de plus : la grâce. Je priai que ce qui, dans cette histoire, avait ravi les sœurs soit assez convaincant pour ragaillardir encore une fois cette femme solitaire, terrorisée, affolée.

Un Kinkajou à Hackensack
par Kyle Troy Laîné senior

Mon nom : Horace Blumquist. Je vis où j'ai toujours vécu, dans une avenue à trois voies, agréable et tranquille, à Hackensack, New Jersey, dans les bons vieux É.-U. d'A. Dans le temps, mon avenue était beaucoup plus agréable et plus tranquille qu'aujourd'hui, mais d'aucuns qualifient ce changement de progrès. Il y avait plus d'arbres aussi.

Je suis un vieillard à présent. Je l'admets volontiers. Mais souhaiterais que ce ne soit pas si difficile de convaincre les jeunes générations que je n'ai pas toujours été vieux. J'ai été jeune un moment donné et j'ai eu des aventures. J'ai fait la cour à de jolies filles. Et à d'autres moins jolies.

J'ai épousé une femme du lot des moins jolies. Et après notre famille a été jeune. Mes enfants n'ont pas toujours été adultes. Il fut un temps où ils n'avaient pas quitté la maison, même si plus personne ne le croit.

Et me voici dans le vif de mon sujet. Je suis un vieillard et je serai mort bientôt. Mais exactement de la même façon que je ne veux pas qu'on croie que j'ai toujours été vieux, je ne veux pas, quand je serai disparu, que les gens pensent que j'ai toujours été défunt. Les gens ne croient que ce qu'ils ont sous le nez. Ils ne voient jamais ce qui les attend. Et jamais le passé. Ils disent qu'il faut « vivre le moment présent ». Précepte auquel souscrivent de très nombreuses personnes aujourd'hui et je n'ai pas d'arguments à leur opposer. Il ne sert à rien, quand bien même on le voudrait de toutes ses forces, d'essayer de vivre dans le passé. Et il faut être un crétin total pour tenter de vivre dans l'avenir, même si Dieu sait que les crétins totaux sont aujourd'hui légion. Il y en a qui épargnent jusqu'à leur dernier sou pour leur retraite, rue Sans Souci. Et ils passent l'arme à gauche à soixante-cinq ans. Très peu pour moi. Me semble un peu plus chaque jour que le temps n'est que l'espace dans lequel nous vivons. Je pense que c'est Einstein qui l'a dit. S'il ne l'a pas dit, je me l'attribue. Je mérite de m'attribuer quelque chose dans la vie.

Assez de philosophie. Les ressassements n'ont jamais servi à rien. À part détraquer l'oreille intérieure et précipiter divers dérèglements intérieurs, obscènes et intestinaux. Je veux garder mon équilibre parce que j'ai quelque chose sur le cœur dont je dois me débarrasser. Et je ne serai pas capable de le coucher sur le papier si la chambre se met à vaciller et que je me retrouve à péter à plat, le cul par terre.

J'ai été un bon gars pendant la plus grande partie de ma vie. Je veux dire par là que j'ai été bon avec les autres. J'ai nourri les clochards sur ma galerie. Supporté les Églises. Envoyé de l'argent en Afrique et pris soin de mes voisins nécessiteux. Aujourd'hui je veux que cela change. Fini le monsieur Bonne Poire. Je veux être teigneux. La pure vérité, c'est que j'ai un pied dans la tombe et qu'une doléance me constipe le ventre. Et je ne serai pas un gentil vieux bonhomme qui n'empeste pas sa chambre. Je veux péter ce que j'ai sur le cœur ! Je veux que tout l'hémisphère Nord, au moins, se bouche le nez.

Je visite le Smithsonian Institute, *que tout le monde connaît, deux fois, parfois trois fois par an. Je suis un client régulier. Je paie mon billet d'entrée. Je n'ai pas de laissez-passer permanent et c'est ce qui me met en furie. Le gars de la fourrière, le salopard de gars de la fourrière ! ici même à Hackensack, New Jersey, É.-U. d'A., possède un laissez-passer permanent, et le têteux ne s'en est jamais servi ! Ce laissez-passer permanent me revient de droit. Il est mien. Je ne suis plus capable de me contrôler. Si je me contrôle une seconde de plus, mon côlon se déchirera. Ce laissez-passer permanent devrait m'appartenir !*

Et voici pourquoi.

CHANTELLE AVAIT QUITTÉ SON FAUTEUIL et s'était installée dans le lit, appuyée contre un confortable dossier d'oreillers. Ses mains étaient posées l'une contre l'autre sur ses genoux et ses jambes étendues droites devant elle. Il m'était impossible de déterminer si elle écoutait attentivement ou si elle rêvassait. Elle connaissait sans doute cette histoire par cœur et levait de temps en temps les yeux vers le plexiglas du puits de lumière ou regardait ses orteils qu'elle frottait fréquemment les uns contre les autres.

Je continuai de lire, le cœur lourd. Ce texte était une énigme pour moi. Jusqu'ici, je n'y avais rien entrevu qui sortirait Chantelle de son désespoir.

MAIS AVANT DE VOUS ENTRETENIR du laissez-passer permanent que je n'ai pas, je dois vous parler de Luis Salazar. Luis était un génie de la mécanique automobile et un plus grand génie encore de l'immobilier. Il est décédé aujourd'hui. Aucun doute que beaucoup croient qu'il a toujours été décédé, mais ce n'est pas vrai. Quand je l'ai connu, Luis était un fringant coureur de jupons et il était capable de réparer n'importe quoi. Il s'est construit un garage sur un terrain vague entre deux blocs-appartements, dans une des artères commerçantes de notre ville, et c'est pourquoi il était un agent immobilier génial. Luis n'a jamais acheté ce terrain. Il l'a vendu, mais ne l'a jamais acheté. Il a demandé au propriétaire de l'un des blocs s'il possédait aussi le terrain juste à côté, et le type lui a dit que c'était le propriétaire de l'autre bloc. Il a demandé la même chose au propriétaire de l'autre bloc qui lui a dit que le propriétaire était l'autre. Luis n'approfondit pas la question. Il construisit son garage sans demander l'avis de personne sur cet étroit terrain vague, trop petit pour être qualifié de parcelle, et pendant vingt ans tout le monde présuma que le terrain était à lui. Au moment de la vente d'un des deux blocs, l'acheteur découvrit, après enquête, qu'il possédait aussi l'affreux garage, mais Luis, qui habitait à l'arrière, avait maintenant des droits acquis pour avoir occupé si longtemps le terrain. Un marché fut conclu, le garage fut démoli et Luis jouit d'une confortable retraite grâce à ses droits de squatteur.

Le tour de main. C'est tout ce qu'il faut dans la vie. Et Luis l'avait.

Je faisais toujours réparer mon taxi chez Luis Salazar. Et Walter Chernick et Jerry Moirs lui apportaient toujours leur petit camion, ce que l'on appelle aujourd'hui une fourgonnette, sauf qu'à l'époque les fourgonnettes étaient l'outil vital du petit commerce et pas des chambres de motel sur roues. (C'est ce que font les jeunes aujourd'hui. Ils se promènent dans leurs camions et ramassent les poupounes qu'ils couchent sur un matelas à l'arrière. Ils n'ont plus besoin des petites routes de campagne si chères aux amoureux ni de belles vues sur la rivière, n'ont plus besoin de lune ou de chance ou de bière, ils se stationnent simplement à n'importe quel carrefour et baisent. Ils pensent que je suis trop vieux pour le savoir, trop malade pour être jaloux. Mais je me demande ce que pensent leurs parents quand ils voient le matelas ? Ne se posent-ils pas la question de savoir pourquoi leurs fils, par ailleurs si souillons, changent souvent les draps dans la camionnette ?) Walt et Jerr possédaient une animalerie rue Hammond, et je dois vous en parler avant de vous en dire plus à propos de Luis, ou de vous raconter comment j'en suis venu à perdre le laissez-passer permanent qui me revient de plein droit.

Jerr et Walt étaient les meilleurs amis du monde et ils étaient des voleurs. On ne voit plus de si bons amis de nos jours. À part les fifis. (Vous pensez que je ne sais pas ? Vous pensez que je n'ai pas vu, vu de mes deux bons yeux vu ? Je suis peut-être vieux, mais je ne suis pas aveugle, pas encore.) Jerr et Walt étaient peut-être de si bons amis parce qu'ils étaient des voleurs. Je ne sais pas. Je ne veux pas dire qu'ils volaient leurs clients à leur commerce. Leur animalerie était tout ce qu'il y a de plus régulier. Ils aimaient les animaux et aimaient les enfants. C'étaient d'étranges personnages. La nuit, pour se divertir, ils volaient. Tout le monde le savait. Je le savais. Quand je voulais un nouveau grille-pain ou

413

une meilleure radio, je n'allais pas au grand magasin, j'allais à l'animalerie. Jerry et Walt avaient toujours un vaste choix. Leurs prix étaient les meilleurs en ville.

Des mauvaises langues ont dit que leur animalerie était une couverture, mais je crois autre chose. Je dis que le vol n'était pour eux qu'un loisir. Certains types aiment les parties de balle ou traîner dans les bars, peut-être courir les filles. Jerr et Walt préféraient cambrioler les maisons d'autrui. Chacun son plaisir. Je ne cherche pas à excuser le vol, mais je dois dire à leur décharge qu'ils n'ont jamais dévalisé personne entièrement. Ils n'étaient pas cupides. Aujourd'hui, ils sont tous les deux à l'hôpital aux soins de longue durée. Les gens pensent qu'ils ont toujours été séniles et incontinents, mais je sais que j'ai raison. Il fut un temps où ces deux gars-là réfléchissaient vite. Et ils n'ont jamais, pas une fois, chié dans leurs culottes au boulot, même dans des situations où beaucoup d'autres hommes auraient eu la pétoche.

Maintenant il faut que je vous parle de monsieur Macaroni. Il y a beaucoup de gens impliqués dans mon affaire de laissez-passer du Smithsonian Institute. Son nom véritable n'était pas monsieur Macaroni, bien sûr, mais c'est par Jerr et Walt que j'ai entendu parler de lui et ils donnaient à tout le monde des surnoms de produits alimentaires. J'étais monsieur Hot Dog, parce que j'étais un bon gars, un gros fainéant d'Américain typique jusqu'au bout des ongles. Le policier du quartier était le constable Zucchini, parce qu'il vous plantait par derrière quand il voulait et parce que le vert était sa couleur préférée : le vert des billets de banque et du graissage de patte. Le banquier était monsieur Maquereau parce que sa femme était Quelle Morue. Ils appelaient Luis Luis, parce qu'il leur aurait cassé les reins, sans l'aide de personne, si jamais ils l'avaient appelé monsieur Frijoles refritos.

Monsieur Macaroni était le fournisseur de Jerr et de Walt. On écrit ça aujourd'hui et le lecteur pense qu'on parle de drogue. Marijuana, héroïne, cocaïne. Je ne parle pas de drogue. Je suis vieux, ne l'oubliez pas. Je ne suis pas mort, mais je suis vieux. Non, monsieur Macaroni était le grossiste qui les fournissait en chiens et chats, en bébés terriers et colleys, en chatons à poil court, perruches, hamsters, une fois de temps en temps un perroquet ou un duveteux lapin blanc. Dans le temps de Pâques, ils vendaient des poussins teints en jaune ou en rouge qui mouraient deux heures plus tard. Monsieur Macaroni n'était pas trafiquant de drogue, il vendait du bonheur.

Un jour, après avoir pris la commande de Jerr et de Walt, il dit : « Psssssst ! »

— Quoi ? dit Jerry.

— Tu as des problèmes d'élocution, le rital ? demanda Walter.

— Pssssssst ! répéta monsieur Macaroni, en faisant signe à Jerr et Walt de venir dans le fond du magasin.

Il n'y avait personne dans les parages. Ils ne savaient donc pas pourquoi l'Italien murmurait, surtout si c'était pour leur vendre un lapin. Walter et Jerry échangèrent des sourires. Ils venaient de saisir. Monsieur Macaroni voulait leur acheter un téléviseur et cela tombait pile. Ils venaient juste de prendre livraison d'une R.C.A. Victor la nuit précédente. Mais ils se trompaient. Monsieur Macaroni avait déjà une télé, une Westinghouse.

— Pssssssst ! dit-il.

— Je te pssssssst dessus, moi aussi ! dit Walter.

— J'ai quelque chose pour vous, dit monsieur Macaroni d'un ton plein de sous-entendus.

— Quoi ? demanda Jerry.

— Un kinkajou, révéla monsieur Macaroni.

Jerr et Walt se regardèrent.

— Pourquoi, diable, voudrions-nous d'un kinky Jew *? Un Juif pédé ? s'enquit Walter.*

L'ÉCLAT DE RIRE DE CHANTELLE interrompit ma lecture. Je souris aussi. Elle en sembla choquée. Elle n'aimait pas se faire remonter le moral et préférait la morosité et le sérieux de sa révolte. Mais je venais à bout de ses défenses. Le rire était le défaut de sa cuirasse. Je n'avais pas besoin d'autre encouragement. Je continuai la lecture.

— Vous n'y êtes pas du tout du tout du tout, insista monsieur Macaroni. Cela s'écrit kink, *mais se prononce* king *: king-a-jou.*

— Un King-ada-Jews *! Alors, tu as un roi des Juifs. Crisse ! Que veux-tu qu'on en foute ?*

— Non non non, répondit monsieur Macaroni en sueur.

Il était italien, mais n'avait pas l'habitude des transactions criminelles. Il n'avait jamais rencontré le Parrain, même s'il était sans doute allé voir le film quand il était sorti. Moi, j'y suis allé.

— J'ai un kinkajou. C'est un animal d'Amérique du Sud. Il est arrivé la semaine dernière. Il vaut une fortune. Je pensais que vous seriez capables de me le déménager, les gars.

— Le déménager ? Où ? C'est lourd ?

— C'est juste un tout petit animal. Je voulais dire : me le vendre. Vous voyez, les gars, euh, ce n'est pas tout à fait, euh, légal. Les détaillants de New York n'y toucheront pas. Il est interdit d'exporter les kinkajous de leur pays d'origine et interdit de les importer chez nous. Vous savez comment c'est. Certains animaux sauvages, il est défendu de les acheter et de les vendre.

Jerr et Walt l'observèrent attentivement.

— Veux-tu dire, monsieur Macaroni (car ils l'appelaient monsieur Macaroni même quand ils s'adressaient à lui), que tu veux que nous commettions un crime ?

— Psssssst ! dit monsieur Macaroni en faisant signe aux deux hommes de le suivre dans un recoin de leur entrepôt.

Ils dépassèrent les gerboises et les chihuahuas et pénétrèrent dans la zone des chauffe-plats électriques et des bagues de diamants. Quand monsieur Macaroni eut la certitude qu'ils étaient à l'abri de toute oreille indiscrète et de tout regard inquisiteur, il dit : « Oui. »

— Pourquoi ne pas l'avoir dit tout de suite ? s'exclama Jerry. Certainement ! Nous serons heureux d'être tes receleurs. Hé, pendant qu'on y est, que dirais-tu d'un collier de perles pour ta petite dame ? Ou peut-être un collier de rubis pour ton chien ?

Les préparatifs de Jerry et de Walter pour l'arrivée du kinkajou furent impressionnants. Ils présumaient, considérant l'illégalité de la bestiole et le désespoir de Macaroni, qu'elle devait avoir à peu près la taille d'un gorille et un caractère de hyène. Ils se disaient qu'ils le vendraient en sous-main à un jardin zoologique. Pour ménager de la place dans leur magasin, ils firent des soldes d'appareils haute-fidélité.

Le petit animal qui leur fut livré était le plus mignon, le plus câlin, le plus doux qu'ils aient jamais vu. S'ils ne l'avaient pas payé cinq cents dollars (« Satisfaction garantie ou argent remis », avait clamé Macaroni), ils l'auraient sans doute gardé pour eux. Jerry le baptisa Kinkin et Walter, dès qu'il l'aperçut, sut qu'il venait de gagner mille dollars, au moins.

Et il les gagna. Un coiffeur de Greenwich Village acheta Kinkin. Il voulait un gadget qui distingue son salon de coiffure de

417

tous les autres et se dit que Kinkin égayerait sa vie sociale aussi. Kinkin était absolument adorable, un sujet de conversation, une attraction de premier plan. Le kinkajou, cousin du raton laveur, a le tempérament du singe. Sa queue préhensile lui permet de se suspendre comme un opossum. Il peut s'installer roulé en boule sur les genoux de son maître comme un chat, l'accueillir à la porte comme un chiot débordant d'affection et le tenir éveillé des nuits entières comme un bébé qui vient de naître. Bref, une créature d'amour. Les kinkajous sont des animaux nocturnes, ce que Jerr et Walt omirent de mentionner quand ils livrèrent Kinkin à monsieur Tarte meringuée au citron.

Monsieur Tarte meringuée se pâma d'admiration et Kinkin en mit plein la vue aussi au gros monsieur Pastèque, l'acolyte de cent cinquante kilos de monsieur Tarte. Les deux hommes, à juste titre effrayés, émirent de stridents pépiements et se serrèrent dans les bras l'un de l'autre quand Kinkin bondit du piano à queue pour se balancer dans le lustre en poussant des cris enjoués. Jerr, pendant ce temps, examinait le mobilier et Walt ouvrait quelques tiroirs.

— Penses-tu ce que je pense ? murmura Jerr à Walter.

— La bijouterie et les tableaux sont super.

— Sans compter qu'il faut tirer Kinkin des pattes de ces pervers.

— La semaine prochaine. Après avoir encaissé le chèque.

Jerr reçut le chèque et s'arrêta à la porte avant que monsieur Tarte la referme.

— Savez-vous comment cela s'appelle quand un senteux de pet... Excusez-moi, un gentleman homosexuel baise un obèse ?

Jerry était ainsi. Irrévérencieux. J'imagine qu'il faut l'être pour être un voleur. Monsieur Tarte lui jeta un regard glacial et dit sèchement : « Non. Comment ? »

— *Une punition de glouton. Ah ! ah ! Vous avez saisi ?*
Monsieur Tarte lui claqua la porte au nez.

L'horaire de Jerr et Walt était chargé ce jour-là. Ils retournè-rent au New Jersey et, à Hoboken, firent un hold-up et subtilisè-rent cinquante-deux costumes dans une mercerie pour hommes. La police locale, qui n'appréciait pas beaucoup ce genre de com-portement, obligea les deux comparses à prendre toute une pou-dre d'escampette. Ils étaient d'excellents voleurs de nuit, mais comme bandits diurnes ils laissaient beaucoup à désirer. La poli-ce leur tira dessus. Des balles criblèrent leur fourgonnette. Quel-le chasse à l'homme ! Le lendemain, ils la conduisirent au garage de Luis pour qu'il refasse la carrosserie et la peinture.

— *N'importe quelle couleur, Luis, mais pas la même !*
Kinkin survécut un peu plus d'une semaine à New York. Il avait un succès bœuf dans les sauteries d'artistes. Les filles roucoulaient autour de lui et de jeunes évaporés, dans leurs atours de soie arc-en-ciel, lui susurraient littéralement des chansons de charme. Tout le monde, olibrius compris, adorait Kinkin et Kinkin distribuait en retour, sans la moindre discrimination, son amour à tout le mon-de. Malheureusement, il n'était pas très utile au salon de coiffure, où il préférait dormir toute la journée. Or, le taux de rendement du capital investi était une des préoccupations essentielles de mon-sieur Tarte meringuée. En plus, à son retour à la maison après une nuit de bamboula avec monsieur Pastèque et Kinkin, tous ses ta-bleaux avaient été enlevés des murs et ses trésors confisqués dans leurs tiroirs. Monsieur Tarte piqua une colère folle et, dans la vé-hémence de ses transports, frappa Kinkin.

Monsieur Tarte avait oublié que Kinkin n'était ni un chien ni un chat. Kinkin était une bête sauvage, même s'il avait de nombreux attributs des animaux de compagnie. Il bondit au cou de monsieur Tarte et lui mordit l'épaule. J'ai dit : mordit, pas mordilla. Kinkin le mordit si fort qu'il laissa, avant de sauter de son propriétaire gémissant, une de ses dents antérieures plantée dans l'os et la chair de monsieur Tarte.

Jerry et Walter étaient contrariés que leur raid dans les appartements de monsieur Tarte ne leur ait pas permis de récupérer Kinkin. Pour le reste, l'aventure avait été lucrative, même s'ils furent obligés de louer un gros camion. Ils étaient aux anges et furent donc surpris et plus qu'un peu chagrins quand, plusieurs jours plus tard, monsieur Tarte se glissa de son pas de patineuse artistique dans leur animalerie. Quelle erreur avaient-ils commis ? Il ne s'attendaient jamais à être attrapés et étaient exaspérés quand quelqu'un osait les accuser de vol.

La frayeur de monsieur Tarte leur était inexplicable. Il avait l'épaule enveloppée de bandages et était enragé d'avoir dû recevoir je ne sais combien de piqûres contre la rage.

— Les autorités veulent euthanasier Kinkin, mais je veux que vous me remboursiez, maudit !

Walter laissa Kinkin s'asseoir sur sa tête.

— Tu te calmes, enculé, dit Jerr.

— Comment vous m'avez appelé ?

— Cet animal est de la marchandise avariée ! C'est quoi l'idée de lui arracher sa dent ? Tu aimerais ça que je te défonce le dentier ? Comme ça vous feriez la paire !

— Écoutez-moi maintenant !

— Fous le camp de mon magasin, fous le camp de la ville avant que j'appelle la S.P.A. et que je te fasse arrêter pour cruauté envers les animaux.

— Oh, pour l'amour du ciel ! zozota monsieur Tarte.

— Dehors ! Ouste ! De l'air !

Monsieur Tarte fit comme on lui disait. Jerr et Walt avaient récupéré leur kinkajou, mis la main sur une des plus belles collections d'art contemporain du New Jersey et sur assez de pierres précieuses pour ouvrir une bijouterie, sans compter le profit de la vente de Kinkin. Ils allaient bien vite découvrir que cette manne tombait à pic.

— Luis ! Nous n'avons pas cette somme !

— Zé ne suis pas une œuvre de charité, gringo. Zé fais un bon travail, gros travail. Mucho travail, mucho dollars.

— Écoute, espèce d'enchilada à face de taco !… s'exclama Jerr, se laissant momentanément aller.

— Comment tu m'appelles, gringo ?

Les mains de mécanicien de Luis, perpétuellement dégoulinantes et badigeonnées d'huile, étaient plus puissantes que des pinces. Walter intervint.

— Je te propose un marché, Luis. La facture est plutôt raide.

— Les trous de balle coûtent mucho dollars à camoufler.

— Je comprends. Regarde ! Faisons un échange. Tu veux une télé ? Quatre télés ?… Ah ! je sais, j'ai exactement ce qu'il te faut. Que dirais-tu d'un nouveau costume pour chaque semaine de l'année ? Cinquante-deux costumes.

— Z'ai entendu parler de ces costoumes, dit Luis qui était au courant des commérages du quartier. Ils sont tous percés de trous de balle. Non merci, señor. Je prends l'argent comptant.

— Luis, intervint Jerr.

— Qu'est-ce que tu veux, gringo ?

— Que dirais-tu d'un kinkajou ?

— Un quoi ?

— Un kinkajou. D'Amérique du Sud. Presque un animal de compagnie. Latino comme toi. Il comprend l'espagnol. Tu as besoin d'un peu d'amitié dans ta vie.

Jerry avait raison sur ce point. Luis était un bourreau de travail et, à part agacer les filles qui venaient à son garage, dont certaines avaient besoin d'un changement d'huile toutes les semaines, à part aussi une occasionnelle partie de jambes en l'air avec une femme mariée, il vivait seul. Un seul coup d'œil à Kinkin et il conclut l'affaire. Ces grands yeux. Ce pelage laineux et doux. La bestiole lui ravit le cœur.

Mais... Dans la vie, il y a toujours un mais. Les kinkajous sont des animaux nocturnes. Ils ont des doigts de pickpocket. Kinkin s'échappait de sa cage. Il batifolait dans le garage la nuit et bricolait les voitures. Il arrachait les silencieux des murs où ils étaient rangés. Il aimait particulièrement cacher les outils de Luis et jeter les pièces de rechange dans la toilette dont il tirait ensuite la chasse. Il démontait les carburateurs.

Chaque matin, Luis se levait tôt et venait au garage construire une meilleure cage. Chaque nuit, Kinkin s'échappait et virait l'atelier sens dessus dessous. Un jour que j'y allai rechercher ma voiture, je trouvai Luis qui tapait sans arrêt sur la cage de Kinkin, tapait et hurlait en même temps. Il était fou, hors de lui, enragé.

— Luis ! Luis ! Qu'y a-t-il ?

Luis, zombie, se tourna et me regarda.

— Monsieur Boum-cuisse ?

— Blumquist. Oui, Luis ? Que se passe-t-il ?

Le mécanicien haletait comme s'il avait couru dix milles. Et cela se passait dans l'ancien temps, avant la mode du jogging et de cette sorte de chose.

— Zé veux vous donner un chien espagnol.

Je jetai un coup d'œil au petit clébard. Ces grands yeux effrayés qui me regardaient avec amour ! Je perdis la tête et sentis tout à la fois mon cœur défaillir.

— Je le prends, Luis, dis-je.

Et c'est ainsi que Kinkin le kinkajou entra dans ma famille. Les meilleures années de ma famille, ajouterais-je. Mes enfants étaient jeunes à l'époque et ils adoraient notre petite bête autant que nous l'aimions, ma femme et moi. Beverly est décédée maintenant, même si elle a déjà été jeune et pleine d'entrain et, à part son décès, je dois dire honnêtement que rien ne m'a plus attristé que ce qui est arrivé à Kinkin.

Nous l'avons gardé environ deux ans. Pas plus. Je lui construisis une cage de la taille d'une chambre à coucher dans la cave. Émule d'Houdini, il s'en échappait régulièrement. Je la reconstruisis, et construisis une cage à l'extérieur de la première. Il ne lui fallut pas plus de trois semaines pour comprendre comment en sortir et nous le retrouvâmes à la cuisine, qui jouait avec les couteaux. Je reconstruisis les deux premières cages et encageai le sous-sol. Kinkin trouva quand même le moyen de s'évader. Il s'échappa de la cave par les conduits d'aération et nous le découvrîmes sur les balançoires, dans le parc au coin de la rue.

Il ne me restait plus qu'à sceller la maison, ce qui le garda un bout de temps à l'intérieur. Mais une nuit il réussit à sortir en grimpant dans la cheminée. Vous ne le croirez peut-être pas, mais en ce temps-là nous avions des ratons laveurs à Hackensack et l'accueil qu'ils réservèrent à leur cousin, immigrant du Tiers-Monde, fut tout sauf chaleureux. Ils massacrèrent Kinkin. Il revint claudiquant à la maison et nous l'expédiâmes chez un vétérinaire. Le vétérinaire demanda : «Pourquoi est-il couvert de suie?» Et, après l'avoir nettoyé : «Qu'est-ce que c'est, bon sang?»

Notre animal de compagnie survécut.

Préoccupés par la sécurité de Kinkin, nous portions une extrême attention à nos cadenas et à nos clés. Je suis convaincu que sa vie parmi nous était agréable. Nous n'avions qu'un regret : c'est que nous dormions pendant qu'il cabriolait, la nuit, sur son trapèze. Pendant le jour, la maison lui appartenait, même s'il avait l'habitude de se rouler en boule dans un placard et de dormir. Les soirées étaient des moments privilégiés. Il jouait avec les enfants et les empêchait de me tomber sur le système. Ensuite, je l'amenais faire une balade à l'extérieur. Il adorait l'attention des voisins, et grimper dans les arbres.

Puis, par un matin triste et glacé, mon cadet, Timmy, me secoua pour me réveiller.

— Kinkin est parti. Kinkin est parti, papa.

Je l'avais installé comme il faut dans sa cage, mais avais sans doute laissé la clé dans le cadenas. Il était lâché dans le vaste monde.

Kinkin ne revint jamais à la maison. Des semaines passèrent sans la moindre nouvelle de lui. Je faisais le tour du quartier dans mon taxi à sa recherche, en me disant qu'il apparaîtrait peut-être dans l'un ou l'autre terrain de jeu. Les soirées, saloperie ! étaient les pires, quand je devais essayer de dérider les enfants. Un jour, le journal local raconta qu'une bande de chiens avait déchiqueté un étrange animal. Le gars de la fourrière avait amené la bestiole chez le vétérinaire, mais ses chances de survie étaient minces.

— C'est un kinkajou, avait annoncé le vétérinaire. Il n'y en a pas en Amérique du Nord. C'est un miracle ! Impossible de deviner comment il est monté si haut dans le Nord.

Le journal invitait le propriétaire à récupérer la bête à la fourrière et ajoutait qu'un décret municipal interdisait de garder chez soi des animaux sauvages, et que la police porterait des accusations.

Toute une invitation.

Kinkin mourut.

Ce devrait être la fin de mon histoire. Mais l'esprit du kinkajou continua de sévir. L'Université Rutgers demanda à examiner son corps. Le gars de la fourrière accepta et dit aux journalistes qu'il porterait le kinkajou chez un taxidermiste quand l'animal lui serait renvoyé. Imaginez sa surprise (mais ne vous sentez pas navré pour cet imbécile, je ne le suis pas) quand il reçut par la poste une boîte qui ne contenait pas de kinkajou. Juste ses os enveloppés dans un tissu blanc. Un paquet d'os pêle-mêle. Cette nouvelle aussi fit la une du journal, avec le gars de la fourrière qui exprimait sa profonde indignation morale.

Et c'est ici qu'intervint le Smithsonian Institute, *un vautour de plus en quête de charogne. L'Institut échangea les os contre un laissez-passer permanent pour le gars de la fourrière de Hackensack qui, à ce jour, ne s'en est jamais prévalu. Les scientifiques du* Smithsonian *furent très ingénieux. Ils recollèrent les os de Kinkin et l'exposèrent. Il a l'air d'un squelette de dinosaure miniature. Certains enfants, plus cuistres que les autres, crient encore : « Regarde, maman, un bébé brontosaure ! » Il ne ressemble plus du tout à la boule de joie, espiègle et cinglée qu'il a déjà été.*

Ce devrait être la fin de mon histoire, sauf qu'un jour les os disparurent. Les autorités étaient déconcertées. Elles refusèrent de payer la rançon que demandaient les insidieux ravisseurs. Je me rendis donc à l'animalerie de Jerry et Walter et leur commandai l'animal que j'avais en tête.

— À peu près de la taille d'un agnelet. Juste la peau sur les os. À vrai dire, pas de peau du tout. Une longue queue, sans fourrure aussi. Auriez-vous quelque chose du genre ? Je paie cent dollars.

425

— *Si ça ne respire pas, est-ce que ça fait l'affaire ?*
— *Bien sûr.*

Les deux compères, qui sont aujourd'hui aux soins de longue durée, Dieu les bénisse, me rendirent le kinkajou. Je l'ai payé cent dollars. Ai-je pour autant un laissez-passer permanent du Smithsonian ? Nnnnnnnnnon-on. J'ai mis Kinkin dans un casier de consigne automatique, dans un terminus d'autobus, et j'ai posté la clé à l'Institut. Chaque année, je lui rends visite, parfois deux fois, parfois trois, et je me rappelle les jours anciens quand j'étais jeune et ma famille aussi.

Pour empêcher tout rapt, Kinkin est maintenant gardé dans une cage de verre.

Je suis prêt à parier qu'il sera capable de s'en échapper de nouveau.

Aucun musée ne peut le retenir. Squelette ou pas de squelette du tout, Kinkin sera toujours pour moi un kinkajou vivant.

LA VIE DE CHANTELLE dépendait de ce conte absurde.

Et sans doute aussi celle de son enfant.

Je réfléchis, ou du moins laissai s'éteindre en moi la résonance de cette histoire de kinkajou concoctée par mon père. Je comprenais clairement pourquoi Hazel le décriait et pourquoi sa nature allégorico-religieuse avait plu aux sœurs. Peut-être était-ce la véritable valeur du conte : chacun l'interprétait à sa manière. Même si j'avais l'impression de l'affadir et de m'apitoyer (juste un peu) sur moi-même, je trouvai que le *Kinkajou* était la juste et succincte transposition de l'histoire de ma vie.

Sans doute de celle de mon père aussi.

Chantelle se démena pour s'extirper du lit, en poussant son ventre vers l'avant comme si elle était enceinte de huit mois, et non de six invisibles semaines.

— Je l'ai montré aux autres, dit-elle. Aussi bien te le montrer à toi aussi.

— Me montrer quoi ?

— Le truc des yeux, dit-elle, avant de se diriger vers son sac à main juché sur une commode.

— Que veux-tu dire ? demandai-je.

Elle fouilla dans son sac et en sortit une petite boîte à tabac.

— Ton père m'avait démasquée, tu sais. C'était un vieux saltimbanque. Il connaissait tous les trucs possibles et impossibles.

— Trucs ?

— Attention ! Il ne m'a jamais dénoncée. À cause de sa congénitale allégeance au monde du cirque, j'imagine. On ne dévoile pas les secrets. Mais il ne me laissait pas tranquille et tentait de m'amadouer pour que je revienne à de meilleures dispositions et prenne le monde au sérieux. Peut-être... Il a peut-être finalement réussi.

Elle dévissa le couvercle de sa boîte. Versa quelque chose dans sa paume et replaça la boîte sur la commode.

— Cela marche mieux quand les lumières sont éteintes, dans les battements de tambourin, les chants et quand tout le monde a les yeux fermés. Manipuler le public est le premier commandement du magicien.

Chantelle, les mains jointes en coupe, revint vers le lit et s'y allongea.

— Tu te souviens, dit-elle, cette nuit du jeudi saint où tu t'es précipité vers moi et que Gaby t'a flanqué à la porte ? Quand elle est revenue dans la chambre, elle m'a surprise. Elle a vu comment je m'y prenais. Le truc avec mes yeux. Elle a perdu toutes ses illusions, et sans ses illusions elle a coulé à pic. Elle ne l'a pas supporté. Et ne pouvait même pas me confronter à la vérité, parce que sinon elle aurait dû admettre, je suppose, sa propre ridicule crédulité. Elle avait le poison dans sa trousse de voyage. Elle gardait le poison *à portée de main*. Je prétends que cela signifie qu'elle a toujours flirté avec l'idée de s'en servir et qu'elle attendait juste une bonne excuse. C'est moi qui ai été son excuse. Elle a mis fin à ses jours. Elle a préféré emporter son secret dans la tombe que vivre sur terre avec la vérité.

— Chantelle, de quoi parles-tu ?

Une minuscule bille rouge et gélatineuse roula dans sa paume.

— Ton père serait heureux de notre rencontre, Kyle. Tu es un de ses trucs, un de ses stratagèmes pour continuer de s'agiter en moi, pour m'amener à avouer. J'étais le projet de chien savant de ton papa. Il disait souvent : « Je te réhabiliterai, ma petite, et la mort ne m'arrêtera pas. » Il voulait me réformer. Il comprenait que j'étais contrainte de faire ce que je faisais. Je n'ai charlatané personne. J'espère que tu le comprendras aussi. Au contraire des autres. C'est beaucoup demander, mais c'est tout ce que j'espère d'un ami.

« Tu vois, Kyle, c'est avec l'âge que j'ai appris mes trucs, que je les ai perfectionnés petit à petit. Chaque année, les religieuses au couvent me punissaient pour sacrilège. Je mesurais ma réussite au nombre et à la taille des zébrures qui m'ornaient le derrière. Une sœur restait assise avec moi toute la nuit et appliquait des compresses froides sur mes fesses gonflées. Elle demandait : « Pourquoi *fais*-tu cela, Chantelle ? » Comme si j'en avais la moindre idée. Comme si j'avais le choix. Je devins tellement experte qu'elles ne parvinrent plus à me punir. Elles se contentèrent de me soupçonner et finirent par trouver un moyen de me flanquer à la porte.

« Et je continuai. Chaque Pâques je commémorais, par cette cérémonie, ce qui était arrivé à ma famille et ce qui m'était arrivé des semaines plus tard. Dans ma tête, les deux événements étaient liés. Quand j'eus mes premières menstruations et, par accident, me couvris les mains de sang, je tirai plaisir de toute l'attention dont j'étais l'objet. Les religieuses éprouvaient pour moi de l'effroi mêlé de respect. Elles étaient terrifiées et l'équipe médicale, pleine de sollicitude et d'attention. J'étais effrayée aussi, mais je me délectais de l'inquiétude et de la peur des sœurs, et je savais que tout cela avait un rapport avec mes parents, sans être capable de préciser lequel au juste. »

Chantelle baissa brusquement la tête. Tout son corps se secoua, comme agité de convulsions. Elle se couvrit l'œil gauche de sa paume. Puis me regarda droit dans les yeux, avant de faire une grimace, de serrer ses paupières très fort, de bander les muscles de son épaule et de son cou comme si elle essayait d'ouvrir le couvercle coincé d'un bocal, et j'entendis un *pop* très ténu. Quand elle releva les yeux, une larme rouge vif coulait sur sa joue.

— Me dénoncer n'était pas la méthode de ton père. Il voulait plus ou moins que je me sauve par moi-même. Il m'a dit un jour qu'il avait l'intention de laisser l'auberge à son fils. Quand je suis venue cette année, je savais que je devais me mesurer à toi, juste pour voir. Tu étais le dernier et le meilleur tour de passe-passe de ton père. Il fallait que je découvre si tu étais une vraie menace ou juste une farce. Je pense bien, soit dit en passant, que j'étais son tour de passe-passe aussi, destinée à t'être utile d'une manière ou d'une autre. Je ne sais pas.

— Tout ce que tu m'as raconté à propos de la foi... marmonnai-je.

— Chaque mot était vrai. Que mes yeux ne saignent pas n'y change rien. D'autres personnes ont les yeux qui saignent pour de vrai. C'est comme la communion. Ce n'est pas parce que le sang est une infâme piquette que le rituel à moins de sens.

— Tu dupais tes amies ! Tu les leurrais d'illusions !

— J'avais besoin de notre congrégation. Sinon, comment aurais-je survécu ? Et pour les autres, c'est ce qu'elles croient qui compte, rien d'autre, dit Chantelle en passant ses mains dans ses cheveux, avec ses ongles qui traçaient des sillons de son front à sa nuque. C'est drôle comme t'entendre lire le *Kinkajou* n'a plus le même effet. Peut-être parce que tu es toi et que tu n'es pas ton père. Mais en écoutant je me disais que *c'est moi* qui suis différente maintenant. Avant, cette histoire était l'histoire du Christ venu sur terre avec amour et générosité, férocement attaqué et réduit pour finir à l'état d'objet de musée. Mais Son amour continuait de vivre, de percer malgré tout. L'histoire, cette fois-ci, m'a dit quelque chose de différent. On a ce qu'on a en ce bas monde, et les chanceux sont ceux qui gardent la faculté d'éprouver du regret. L'histoire n'est pas différente. J'imagine que c'est moi qui ai changé.

— Le *Kinkajou*, dis-je, m'a fait penser à ma vieille amie, Cindy, dégradée jusqu'à n'être plus qu'un sac d'os dans le coffre de ma voiture. C'est tellement... triste. Mais, comme dans l'histoire, ce qui compte c'est que l'amour subsiste et, à sa manière très particulière, transcende la sauvagerie.

Elle fit un geste des lèvres pour indiquer que oui, elle le savait, mais elle n'était pas disposée, pour le moment, à souscrire à ce genre de prescription. Elle se contenta de faire allusion à sa propre amie perdue et de dire : « Pauvre Gaby ».

Je me levai. Fis les cent pas. La larme rouge de Chantelle tachait sa joue. Quelle comédienne elle avait été ! Je voulais comprendre.

— Pourquoi as-tu saigné un jour plus tôt ?

— Je te l'ai dit. Je devais me mesurer à toi. Si j'avais attendu un jour de plus, les sœurs auraient trouvé un moyen de te neutraliser. Elles auraient, à tout le moins, posté des sentinelles. Je voulais t'attirer dans la chambre, Kyle. Je voulais t'embobiner. Je voulais que tu assistes en personne à mon numéro. Je voulais voir ce que tu avais dans le ventre. Te montrer à qui tu avais affaire. De toute façon, c'est ainsi que je me fais des amis. Je saigne pour les gens et les gens m'adorent, du moins tant que les saignements durent, dit-elle en reniflant un peu et en s'essuyant le nez. En plus, je voulais changer certaines choses. Secouer quelques-uns de mes doutes et les laisser courir. Tu vois, je me préparais à faire marche arrière. J'étais fatiguée des charades.

— Tu essayais de t'aider, notai-je.

— Je te demande pardon ?

— Tuer mon père t'a ébranlée, t'a forcée à te prendre au sérieux... À prendre ta folie au sérieux. À ne plus penser qu'elle était un heureux don du destin.

— Kyle...

— Penses-y.

Pendant qu'elle y réfléchissait, mes propres pensées prirent une autre tangente.

— Peut-être est-ce ta manière de quitter la scène, hasardai-je.

— Explique-toi.

— Démontrer à tout le monde que tout cela n'a jamais été qu'une comédie. Alors que peut-être ce n'en est pas une. C'est peut-être ta manière de te libérer de tes engagements, de rompre les liens.

— Ne sois pas ridicule. Où aurais-je appris ce truc-là ?

— Ici. De mon père. Tu as dit qu'il connaissait tous les trucs possibles et impossibles. A-t-il été ton professeur ? T'a-t-il montré la voie à suivre pour t'en sortir ?

— Qui vivra verra, souffla-t-elle en repliant ses jambes sous son corps et en serrant ses mains sur ses genoux. Qui sait ? Peut-être donnerai-je naissance à Pâques, l'année prochaine ? Ou, encore une fois, peut-être pas.

— Cela fait-il aussi partie de ton jeu ? Faire l'amour, devenir enceinte, te faire avorter. Faire tout ce qu'il faut pour enrager ton Dieu de façon à ce qu'Il te laisse tranquille. À propos du bébé...

— Bonne nuit, Kyle. Je veux me reposer. J'ai une longue route demain.

— Ne me jette pas à la porte maintenant.

— J'espère que tu comprends que tout ce qui a motivé mes actes vient de la même source. Ton père l'avait compris. C'est pourquoi il ne m'a jamais condamnée. Mon espoir en Dieu a toujours été sincère. Et maintenant mon rejet de Dieu est tout aussi sincère. C'est ce que ces... dit-elle, hésitant pour trouver le mot juste pendant que ses yeux s'embuaient ...ces soi-disant *amies* n'ont jamais compris dans leurs crânes épais. C'est à cause de *moi* qu'elles se sont rassemblées. C'est *moi* qui ai été le ciment du groupe pendant toutes ces années. Maintenant elles veulent se disperser. Juste parce que j'ai révélé mon secret. Qu'est-il arrivé de notre engagement les unes envers les autres ? De notre amour ? Ton père était plus fidèle, Kyle. Il m'aimait, peu importe les circonstances. Toutes les autres... qu'elles aillent se faire foutre. Je m'en lave les mains. Maintenant va-t'en, Kyle. S'il te plaît.

Je voulais ravaler son orgueil, bousculer sa folie. Mais, en même temps, j'avais très envie de la consoler dans sa terrible solitude, le sentiment d'avoir été trahie par ses amies. La voie qu'avait choisie mon père me sembla plus sage et je me radoucis. Je me demandai s'il l'avait détestée autant qu'il l'avait aimée, exactement comme moi. Je m'approchai de Chantelle et posai le baiser le plus léger que je pus sur son œil sec.

LE LENDEMAIN MATIN TÔT, les femmes s'en allèrent, chacune de son côté. Chantelle traînait sa gigantesque valise bourrée des bures qu'aucune d'elles ne revêtirait plus jamais. La voir se diriger vers sa voiture m'emplit d'une profonde tristesse. Elle partait sans amies, juste des robes vides pour lui rappeler la congrégation des religieuses autoproclamées à laquelle elle avait appartenu. Apporter les bures était un rituel sans espoir, comme si elle ne se rendait pas compte encore qu'elle était irrévocablement coupée de son passé. Cette prise de conscience-là restait à venir. Chantelle était complètement seule maintenant, et quel poids ce devait être pour une femme qui avait vécu ce qu'elle avait vécu.

Je la regardai depuis le nid d'aigle de ma fenêtre avant de descendre m'acquitter de la difficile tâche de lui dire adieu. Elle m'attendait. Nous nous embrassâmes sur les joues.

— As-tu pris une décision ? lui demandai-je, avec douceur.

— Il faudra bien que je me décide. Je t'écrirai peut-être, répondit-elle d'une voix où transparaissait son trouble, seul sujet de consolation pour moi.

— Cela me ferait plaisir.

— Ou je t'expédierai peut-être un petit paquet enveloppé dans des couvertures.

— Considère que cela reste toujours une possibilité. Mais choisis un service de messagerie fiable.

— Heureuse de t'avoir connu, camarade, dit Chantelle en me tendant la main.

J'acceptai sa poignée de main et lui dis, après m'être tapé le côté gauche de la poitrine : « Tu seras toujours proche de mon cœur. »

Après une fraction de seconde de silence, ma remarque nous fit rire tous les deux. Mais nous savions que je le pensais. Chantelle monta dans sa voiture et boucla sa ceinture. Elle alluma le moteur. Les mains appuyées sur le toit de sa Chevette, je la regardai longuement une dernière fois comme pour scruter son âme. Ses lèvres esquissèrent un « au revoir » sans le dire. Elle eut un pâle sourire et la voiture fit marche arrière. Je la laissai aller et la regardai descendre en cahotant l'allée pleine de nids de poule. Je fis un geste de la main et Chantelle était partie.

Même si elle ne fut pas la dernière de son groupe à quitter l'*Auberge du péage* ce matin-là, le vide de la maison me gonflait le cœur. Mon émotion était trop violente. Je fis une longue promenade parce que je voulais rester en vie et m'habituer à ma nouvelle existence. Et cette fois, je n'avais aucune envie de dormir jusqu'à ce que cela passe.

Dans le soleil qui se réchauffait, j'écoutai les chants d'oiseau et eus la chance de voir un vol paresseux de gros-becs errants. Une troupe de geais bleus faisait tout un chahut dans le sousbois. Les arbres avaient revêtu leur parure estivale. Les feuilles étaient d'un vert plus profond, plus riche. Et plus tard au cours de ma promenade, j'enlevai mon coupe-vent et flânai le long du côté ombragé de la route.

Des chevaux broutaient dans la prairie. Dans ces jeux d'ombre et ce scintillement de lumière, je sus que je rouvrirais l'auberge pour la seule raison, s'il n'y en avait pas d'autre, de voir qui la fréquenterait. Il faudrait que je téléphone au locataire des écuries pour lui conseiller de louer des chevaux. Et il faudrait que je téléphone à Hazel et l'informe qu'il était grand temps de se remuer le train et de s'atteler sérieusement au travail.

Je m'abandonnai à l'adrénaline de ma toute nouvelle énergie et de ma confiance retrouvée, et continuai de marcher, déterminé à réussir, à me réveiller une fois pour toutes et à saluer le jour nouveau. Je chanterai à mes clients l'appel de la moucherolle à côtés olive

vite-trois-bières

et leur jouerai des riffs sur mon tympanon. Les renverrai au pénible univers du sang et des os, du travail et des factures, ragaillardis et légèrement déphasés. Après leur avoir laissé entrevoir de loufoques images de ce que pourrait être notre réalité.

Excité, je me lançai à deux reprises dans des sprints éperdus et dévalai la montagne à fond de train. Dans ma charge de lancier du Bengale, je dépassai les panneaux au bas de la route de l'*Auberge du péage*.

ARRÊT !

Je revins sur mes pas et les regardai.

PÉAGE

ACQUITTEZ LES FRAIS

Je pouffai de rire et décidai, non seulement de garder le nom de l'auberge, mais aussi les ineptes panneaux. Et à ceux qui me poseront des questions, je répéterai une des réparties saugrenues de mon père : « Tout se paie dans la vie. C'est la dure loi des hommes. » Et il ajoutait, au cas où on n'aurait pas bien compris : « Et des femmes aussi, tant qu'à faire. »

Certains soirs, quand le vent hurlera ses sourdes menaces, quand les planchers craqueront et les volets claqueront, je lirai à mes hôtes l'histoire de Kinkin. Ou leur raconterai comment il m'est advenu de devenir propriétaire de l'*Auberge du péage*. Et si mon histoire n'est jamais la même, si j'en modifie ou en embellit un détail ou deux, qui prétendra que je me trompe ? Qui affirmera que ma nouvelle version est moins vraie que la précédente ? Si quelqu'un la conteste, je sifflerai la mélodie migratoire du roitelet à couronne dorée et laisserai le peuple des oiseaux en discuter.

Regardez ! Là ! La voyez-vous ? Sur ce bouleau ! Une sittelle à poitrine rousse entonne à pleine gorge son hymne à la gloire du matin.

Même si j'en éprouvai la tentation, je ne flanquai pas de coup de pied au panneau du péage, comme Franklin D. Ryder s'y était senti contraint. Je ne tirai pas non plus du fusil sur le panneau d'arrêt, comme ce chasseur anonyme, perplexe et chagrin. Je leur donnai plutôt une petite tape dans le dos et ajoutai quelques pierres à leur base. Ces panneaux de signalisation étaient les probes représentants de mon père. Mon... *petit papa.* Et comme un dieu mort, ou un dieu qui n'a peut-être jamais existé, ou s'est simplement éclipsé pour un bout de temps, il était étrange et effrayant à quel point il avait raison sur tout, et tort à propos de rien du tout.

Laissons les panneaux et les signes dressés où ils sont.

Le Kinkajou
composé en Aldus roman et italique de corps 12
a été achevé d'imprimer en mars 2000
sur les presses de AGMV Marquis
pour le compte des éditions de la Pleine Lune.

Imprimé au Québec (Canada)